LE VENTRE DE PARIS

ŒUVRES D'ÉMILE ZOLA

ÉMILE ZOLA

Le ventre de Paris

FASQUELLE

1

Au milieu du grand silence, et dans le désert de l'avenue, les voitures de maraîchers montaient vers Paris, avec les cahots rythmés de leurs roues, dont les échos battaient les façades des maisons, endormies aux deux bords, derrière les lignes confuses des ormes. Un tombereau de choux et un tombereau de pois, au pont de Neuilly, s'étaient joints aux huit voitures de navets et de carottes qui descendaient de Nanterre; et les chevaux allaient tout seuls, la tête basse, de leur allure continue et paresseuse, que la montée ralentissait encore. En haut, sur la charge des légumes, allongés à plat ventre, couverts de leur limousine à petites raies noires et grises, les charretiers sommeillaient, les guides aux poignets. Un bec de gaz, au sortir d'une nappe d'ombre, éclairait les clous d'un soulier, la manche bleue d'une blouse, le bout d'une casquette, entrevus dans cette floraison énorme des bouquets rouges des carottes, des bouquets

blancs des navets, des verdures débordantes des
pois et des choux. Et, sur la route, sur les routes
voisines, en avant et en arrière, des ronflements
lointains de charrois annonçaient des convois
pareils, tout un arrivage traversant les ténèbres
et le gros sommeil de deux heures du matin,
berçant la ville noire du bruit de cette nourriture qui passait.

Balthazar, le cheval de madame François, une
bête trop grasse, tenait la tête de la file. Il marchait, dormant à demi, dodelinant des oreilles,
lorsque, à la hauteur de la rue de Longchamp,
un sursaut de peur le planta net sur ses quatre
pieds. Les autres bêtes vinrent donner de la
tête contre le cul des voitures, et la file s'arrêta,
avec la secousse des ferrailles, au milieu des jure-
ments des charretiers réveillés. Madame François, adossée à une planchette contre ses légumes,
regardait, ne voyait rien, dans la maigre lueur
jetée à gauche par la petite lanterne carrée, qui
n'éclairait guère qu'un des flancs luisants de
Balthazar.

— Eh! la mère, avançons! cria un des hommes,
qui s'était mis à genoux sur ses navets... C'est
quelque cochon d'ivrogne.

Elle s'était penchée, elle avait aperçu, à droite,
presque sous les pieds du cheval, une masse
noire qui barrait la route.

— On n'écrase pas le monde, dit-elle, en sautant à terre.

C'était un homme vautré tout de son long, les bras étendus, tombé la face dans la poussière. Il paraissait d'une longueur extraordinaire, maigre comme une branche sèche; le miracle était que Balthazar ne l'eût pas cassé en deux d'un coup de sabot. Madame François le crut mort; elle s'accroupit devant lui, lui prit une main, et vit qu'elle était chaude.

— Eh! l'homme! dit-elle doucement.

Mais les charretiers s'impatientaient. Celui qui était agenouillé dans ses légumes, reprit de sa voix enrouée :

— Fouettez donc, la mère!... Il en a plein son sac, le sacré porc! Poussez-moi ça dans le ruisseau!

Cependant, l'homme avait ouvert les yeux. Il regardait madame François d'un air effaré, sans bouger. Elle pensa qu'il devait être ivre, en effet.

— Il ne faut pas rester là, vous allez vous faire écraser, lui dit-elle... Où alliez-vous?

— Je ne sais pas..., répondit-il d'une voix très basse.

Puis, avec effort, et le regard inquiet :

— J'allais à Paris, je suis tombé, je ne sais pas...

Elle le voyait mieux, et il était lamentable, avec son pantalon noir, sa redingote noire, tout effiloqués, montrant les sécheresses des os. Sa casquette, de gros drap noir, rabattue peureusement sur les sourcils, découvrait deux grands yeux bruns, d'une singulière douceur, dans un visage dur et tourmenté. Madame François pensa qu'il était vraiment trop maigre pour avoir bu.

— Et où alliez-vous, dans Paris? demanda-t-elle de nouveau.

Il ne répondit pas tout de suite; cet interrogatoire le gênait. Il parut se consulter; puis, en hésitant :

— Par là, du côté des Halles.

Il s'était mis debout, avec des peines infinies, et il faisait mine de vouloir continuer son chemin. La maraîchère le vit qui s'appuyait en chancelant sur le brancard de la voiture.

— Vous êtes las?

— Oui, bien las, murmura-t-il.

Alors, elle prit une voix brusque et comme mécontente. Elle le poussa, en disant :

— Allons, vite, montez dans ma voiture! Vous nous faites perdre un temps, là!... Je vais aux Halles, je vous déballerai avec mes légumes.

Et, comme il refusait, elle le hissa presque, de ses gros bras, le jeta sur les carottes et les navets, tout à fait fâchée, criant :

— A la fin, voulez-vous nous ficher la paix! Vous m'embêtez, mon brave... Puisque je vous dis que je vais aux Halles! Dormez, je vous réveillerai.

Elle remonta, s'adossa contre la planchette,

assise de biais, tenant les guides de Balthazar, qui se remit en marche, se rendormant, dodelinant des oreilles. Les autres voitures suivirent, la file reprit son allure lente dans le noir, battant de nouveau du cahot des roues les façades endormies. Les charretiers recommencèrent leur somme sous leurs limousines. Celui qui avait interpellé la maraîchère, s'allongea, en grondant :

— Ah! malheur, s'il fallait ramasser les ivrognes. Vous avez de la constance, vous, la mère!

Les voitures roulaient, les chevaux allaient tout seuls, la tête basse. L'homme que madame François venait de recueillir, couché sur le ventre, avait ses longues jambes perdues dans le tas des navets qui emplissaient le cul de la voiture; sa face s'enfonçait au beau milieu des carottes, dont les bottes montaient et s'épanouissaient; et, les bras élargis, exténué, embrassant la charge énorme des légumes, de peur d'être jeté à terre par un cahot, il regardait, devant lui, les deux lignes interminables des becs de gaz qui se rapprochaient et se confondaient, tout là-haut, dans un pullulement d'autres lumières. A l'horizon, une grande fumée blanche flottait, mettait Paris dormant dans la buée lumineuse de toutes ces flammes.

— Je suis de Nanterre, je me nomme madame François, dit la maraîchère, au bout d'un instant.

Depuis que j'ai perdu mon pauvre homme, je vais tous les matins aux Halles. C'est dur, allez!... Et vous?

— Je me nomme Florent, je viens de loin..., répondit l'inconnu avec embarras. Je vous demande excuse; je suis si fatigué, que cela m'est pénible de parler.

Il ne voulait pas causer. Alors, elle se tut, lâchant un peu les guides sur l'échine de Balthazar, qui suivait son chemin en bête connaissant chaque pavé. Florent, les yeux sur l'immense lueur de Paris, songeait à cette histoire qu'il cachait. Echappé de Cayenne, où les journées de décembre l'avaient jeté, rôdant depuis deux ans dans la Guyane hollandaise, avec l'envie folle du retour et la peur de la police impériale, il avait enfin devant lui la chère grande ville, tant regrettée, tant désirée. Il s'y cacherait, il y vivrait de sa vie paisible d'autrefois. La police n'en saurait rien. D'ailleurs, il serait mort, là-bas. Et il se rappelait son arrivée au Havre, lorsqu'il ne trouva plus que quinze francs dans le coin de son mouchoir. Jusqu'à Rouen, il put prendre la voiture. De Rouen, comme il lui restait à peine trente sous, il repartit à pied. Mais, à Vernon, il acheta ses deux derniers sous de pain. Puis, il ne savait plus. Il croyait avoir dormi plusieurs heures dans un fossé. Il avait dû montrer à un gendarme les papiers dont il s'était pourvu. Tout cela dansait dans sa tête. Il était venu de Vernon

sans manger, avec des rages et des désespoirs
brusques qui le poussaient à mâcher les feuilles
des haies qu'il longeait; et il continuait à marcher, pris de crampes et de douleurs, le ventre
plié, la vue troublée, les pieds comme tirés,
sans qu'il en eût conscience, par cette image de
Paris, au loin, très loin, derrière l'horizon, qui
l'appelait, qui l'attendait. Quand il arriva à
Courbevoie, la nuit était très sombre. Paris,
pareil à un pan de ciel étoilé tombé sur un coin
de la terre noire, lui apparut sévère et comme
fâché de son retour. Alors, il eut une faiblesse,
il descendit la côte, les jambes cassées. En traversant le pont de Neuilly, il s'appuyait au
parapet, il se penchait sur la Seine roulant des
flots d'encre, entre les masses épaissies des rives;
un fanal rouge, sur l'eau, le suivait d'un œil
saignant. Maintenant, il lui fallait monter,
atteindre Paris, tout en haut. L'avenue lui paraissait démesurée. Les centaines de lieues qu'il
venait de faire n'étaient rien; ce bout de route
le désespérait, jamais il n'arriverait à ce sommet,
couronné de ces lumières. L'avenue plate s'étendait, avec ses lignes de grands arbres et de maisons basses, ses larges trottoirs grisâtres, tachés
de l'ombre des branches, les trous sombres des
rues transversales, tout son silence et toutes ses
ténèbres; et les becs de gaz, droits, espacés régulièrement, mettaient seuls la vie de leurs courtes
flammes jaunes dans ce désert de mort. Florent

n'avançait plus, l'avenue s'allongeait toujours, reculait Paris au fond de la nuit. Il lui sembla que les becs de gaz, avec leur œil unique, couraient à droite et à gauche, en emportant la route; il trébucha dans ce tournoiement; il s'affaissa comme une masse sur les pavés.

A présent il roulait doucement sur cette couche de verdure, qu'il trouvait d'une mollesse de plume. Il avait levé un peu le menton, pour voir la buée lumineuse qui grandissait, au-dessus des toits noirs devinés à l'horizon. Il arrivait, il était porté, il n'avait qu'à s'abandonner aux secousses ralenties de la voiture; et cette approche sans fatigue ne le laissait plus souffrir que de la faim. La faim s'était réveillée, intolérable, atroce. Ses membres dormaient; il ne sentait en lui que son estomac, tordu, tenaillé comme par un fer rouge. L'odeur fraîche des légumes dans lesquels il était enfoncé, cette senteur pénétrante des carottes, le troublait jusqu'à l'évanouissement. Il appuyait de toutes ses forces sa poitrine contre ce lit profond de nourriture, pour se serrer l'estomac, pour l'empêcher de crier. Et, derrière, les neuf autres tombereaux, avec leurs montagnes de choux, leurs montagnes de pois, leurs entassements d'artichauts, de salades, de céleris, de poireaux, semblaient rouler lentement sur lui et vouloir l'ensevelir, dans l'agonie de sa faim, sous un éboulement de mangeaille. Il y eut un arrêt, un bruit de grosses voix;

c'était la barrière, les douaniers sondaient les voitures. Puis, Florent entra dans Paris, évanoui, les dents serrées, sur les carottes.

— Eh! l'homme, là-haut! cria brusquement madame François.

Et, comme il ne bougeait pas, elle monta, le secoua. Alors, Florent se mit sur son séant. Il avait dormi, il ne sentait plus sa faim; il était tout hébété. La maraîchère le fit descendre, en lui disant :

— Vous allez m'aider à décharger, hein?

Il l'aida. Un gros homme, avec une canne et un chapeau de feutre, qui portait une plaque au revers gauche de son paletot, se fâchait, tapait du bout de sa canne sur le trottoir.

— Allons donc, allons donc, plus vite que ça! Faites avancer la voiture... Combien avez-vous de mètres? Quatre, n'est-ce pas?

Il délivra un bulletin à madame François, qui sortit des gros sous d'un petit sac de toile. Et il alla se fâcher et taper de sa canne un peu plus loin. La maraîchère avait pris Balthazar par la bride, le poussant, acculant la voiture, les roues contre le trottoir. Puis, la planche de derrière enlevée, après avoir marqué ses quatre mètres sur le trottoir avec des bouchons de paille, elle pria Florent de lui passer les légumes, bottes par bottes. Elle les rangea méthodiquement sur le carreau, parant la mar-

chandise, disposant les fanes de façon à enca-
drer les tas d'un filet de verdure, dressant avec
une singulière promptitude tout un étalage,
qui ressemblait, dans l'ombre, à une tapisserie
aux couleurs symétriques. Quand Florent lui
eut donné une énorme brassée de persil, qu'il
trouva au fond, elle lui demanda encore un
service.

— Vous seriez bien gentil de garder ma marchandise, pendant que je vais remiser la voiture... C'est à deux pas, rue Montorgueil, au
Compas d'or.

Il lui assura qu'elle pouvait être tranquille.
Le mouvement ne lui valait rien; il sentait sa
faim se réveiller, depuis qu'il se remuait. Il
s'assit contre un tas de choux, à côté de la marchandise de madame François, en se disant qu'il
était bien là, qu'il ne bougerait plus, qu'il attendrait. Sa tête lui paraissait toute vide, et il ne
s'expliquait pas nettement où il se trouvait. Dès
les premiers jours de septembre, les matinées
sont toutes noires. Des lanternes, autour de lui,
filaient doucement, s'arrêtaient dans les ténèbres.
Il était au bord d'une large rue, qu'il ne
reconnaissait pas. Elle s'enfonçait en pleine nuit,
très loin. Lui, ne distinguait guère que la marchandise qu'il gardait. Au-delà, confusément, le
long du carreau, des amoncellements vagues
moutonnaient. Au milieu de la chaussée, de
grands profils grisâtres de tombereaux barraient

la rue; et, d'un bout à l'autre, un souffle qui
passait faisait deviner une file de bêtes attelées
qu'on ne voyait point. Des appels, le bruit d'une
pièce de bois ou d'une chaîne de fer tombant
sur le pavé, l'éboulement sourd d'une charretée
de légumes, le dernier ébranlement d'une voiture butant contre la bordure d'un trottoir,
mettaient dans l'air encore endormi le murmure
doux de quelque retentissant et formidable
réveil, dont on sentait l'approche, au fond de
toute cette ombre frémissante. Florent, en tournant la tête, aperçut, de l'autre côté de ses
choux, un homme qui ronflait, roulé comme un
paquet dans une limousine, la tête sur des paniers de prunes. Plus près, à gauche, il reconnut
un enfant d'une dizaine d'années, assoupi avec
un sourire d'ange, dans le creux de deux montagnes de chicorées. Et, au ras du trottoir, il n'y
avait encore de bien éveillé que les lanternes
dansant au bout de bras invisibles, enjambant
d'un saut le sommeil qui traînait là, gens et
légumes en tas, attendant le jour. Mais ce qui
le surprenait, c'étaient, aux deux bords de la
rue, de gigantesques pavillons, dont les toits
superposés lui semblaient grandir, s'étendre, se
perdre, au fond d'un poudroiement de lueurs.
Il rêvait, l'esprit affaibli, à une suite de palais,
énormes et réguliers, d'une légèreté de cristal,
allumant sur leurs façades les mille raies de
flammes de persiennes continues et sans fin.

Entre les arêtes fines des piliers, ces minces
barres jaunes mettaient des échelles de lumière,.
qui montaient jusqu'à la ligne sombre des premiers toits, qui gravissaient l'entassement des
toits supérieurs, posant dans leur carrure les
grandes carcasses à jour de salles immenses, où
traînaient, sous le jaunissement du gaz, un pêle-
mêle de formes grises, effacées et dormantes. Il
tourna la tête, fâché d'ignorer où il était,
inquiété par cette vision colossale et fragile; et,
comme il levait les yeux, il aperçut le cadran
lumineux de Saint-Eustache, avec la masse grise
de l'église. Cela l'étonna profondément. Il était
à la pointe Saint-Eustache.

Cependant, madame François était revenue.
Elle discutait violemment avec un homme qui
portait un sac sur l'épaule, et qui voulait lui
payer ses carottes un sou la botte.

— Tenez, vous n'êtes pas raisonnable, Lacaille... Vous les revendez quatre et cinq sous
aux Parisiens, ne dites pas non... A deux sous,
si vous voulez.

Et, comme l'homme s'en allait :

— Les gens croient que ça pousse tout seul,
vraiment... Il peut en chercher, des carottes à
un sou, cet ivrogne de Lacaille... Vous verrez
qu'il reviendra.

Elle s'adressait à Florent. Puis, s'asseyant près
de lui :

— Dites donc, s'il y a longtemps que vous

êtes absent de Paris, vous ne connaissez peut-être
pas les nouvelles Halles? Voici cinq ans au plus
que c'est bâti... Là, tenez, le pavillon qui est à
côté de nous, c'est le pavillon aux fruits et aux
fleurs; plus loin, la marée, la volaille, et, derrière, les gros légumes, le beurre, le fromage...
Il y a six pavillons, de ce côté-là; puis, de l'autre
côté, en face, il y en a encore quatre : la viande,
la triperie, la vallée... C'est très grand, mais il
y fait rudement froid, l'hiver. On dit qu'on
bâtira encore deux pavillons, en démolissant les
maisons, autour de la Halle au blé. Est-ce que
vous connaissiez tout ça?

— Non, répondit Florent. J'étais à l'étranger... Et cette grande rue, celle qui est devant
nous, comment la nomme-t-on?

— C'est une rue nouvelle, la rue du Pont-
Neuf, qui part de la Seine et qui arrive jusqu'ici, à la rue Montmartre et à la rue Montorgueil... S'il avait fait jour, vous vous seriez
tout de suite reconnu.

Elle se leva, en voyant une femme penchée
sur ses navets.

— C'est vous, mère Chantemesse? dit-elle
amicalement.

Florent regardait le bas de la rue Montorgueil.
C'était là qu'une bande de sergents de ville
l'avait pris, dans la nuit du 4 décembre. Il suivait le boulevard Montmartre, vers deux heures,
marchant doucement au milieu de la foule. sou-

riant de tous ces soldats que l'Elysée promenait
sur le pavé pour se faire prendre au sérieux,
lorsque les soldats avaient balayé les trottoirs,
à bout portant, pendant un quart d'heure. Lui,
poussé, jeté à terre, tomba au coin de la rue
Vivienne; et il ne savait plus, la foule affolée
passait sur son corps, avec l'horreur affreuse des
coups de feu. Quand il n'entendit plus rien, il
voulut se relever. Il avait sur lui une jeune
femme, en chapeau rose, dont le châle glissait,
découvrant une guimpe plissée à petits plis. Au-
dessus de la gorge, dans la guimpe, deux balles
étaient entrées; et, lorsqu'il repoussa doucement
la jeune femme, pour dégager ses jambes, deux
filets de sang coulèrent des trous sur ses mains.
Alors, il se releva d'un bond, il s'en alla, fou,
sans chapeau, les mains humides. Jusqu'au soir,
il rôda, la tête perdue, voyant toujours la jeune
femme, en travers sur ses jambes, avec sa face
toute pâle, ses grands yeux bleus ouverts, ses
lèvres souffrantes, son étonnement d'être morte
là, si vite. Il était timide; à trente ans, il n'osait
regarder en face les visages de femme, et il avait
celui-là, pour la vie, dans sa mémoire et dans
son cœur. C'était comme une femme à lui qu'il
aurait perdue. Le soir, sans savoir comment,
encore dans l'ébranlement des scènes horribles
de l'après-midi, il se trouva rue Montorgueil,
chez un marchand de vin, où des hommes buvaient en parlant de faire des barricades. Il les

accompagna, les aida à arracher quelques pavés,
s'assit sur la barricade, las de sa course dans les
rues, se disant qu'il se battrait, lorsque les soldats allaient venir. Il n'avait pas même un couteau sur lui; il était toujours nu-tête. Vers onze
heures, il s'assoupit; il voyait les deux trous de
la guimpe blanche à petits plis qui le regardaient comme deux yeux rouges de larmes et
de sang. Lorsqu'il se réveilla, il était tenu par
quatre sergents de ville qui le bourraient de
coups de poing. Les hommes de la barricade
avaient pris la fuite. Mais les sergents de ville
devinrent furieux et faillirent l'étrangler, quand
ils s'aperçurent qu'il avait du sang aux mains.
C'était le sang de la jeune femme.

Florent, plein de ces souvenirs, levait les yeux
sur le cadran lumineux de Saint-Eustache, sans
même voir les aiguilles. Il était près de quatre
heures. Les Halles dormaient toujours. Madame
François causait avec la mère Chantemesse,
debout, discutant le prix de la botte de navets.
Et Florent se rappelait qu'on avait manqué le
fusiller là, contre le mur de Saint-Eustache. Un
peloton de gendarmes venait d'y casser la tête à
cinq malheureux, pris à une barricade de la rue
Grenéta. Les cinq cadavres traînaient sur le
trottoir, à un endroit où il croyait apercevoir
aujourd'hui des tas de radis roses. Lui, échappa
aux fusils, parce que les sergents de ville
n'avaient que des épées. On le conduisit à un

poste voisin, en laissant au chef du poste cette
ligne écrite au crayon sur un chiffon de papier :
« Pris les mains couvertes de sang. Très dangereux. » Jusqu'au matin, il fut traîné de poste
en poste. Le chiffon de papier l'accompagnait.
On lui avait mis les menottes, on le gardait
comme un fou furieux. Au poste de la rue de
la Lingerie, des soldats ivres voulurent le fusiller; ils avaient déjà allumé le falot, quand
l'ordre vint de conduire les prisonniers au Dépôt
de la préfecture de police. Le surlendemain, il
était dans une casemate du fort de Bicêtre.
C'était depuis ce jour qu'il souffrait de la faim;
il avait eu faim dans la casemate et la faim ne
l'avait plus quitté. Ils se trouvaient une centaine
parqués au fond de cette cave, sans air, dévorant
les quelques bouchées de pain qu'on leur jetait,
ainsi qu'à des bêtes enfermées. Lorsqu'il parut
devant un juge d'instruction, sans témoins d'aucune sorte, sans défenseur, il fut accusé de faire
partie d'une société secrète; et, comme il jurait
que ce n'était pas vrai, le juge tira de son dossier
le chiffon de papier : « Pris les mains couvertes
de sang. Très dangereux. » Cela suffit. On le
condamna à la déportation. Au bout de six
semaines, en janvier, un geôlier le réveilla, une
nuit, l'enferma dans une cour, avec quatre cents
et quelques autres prisonniers. Une heure plus
tard, ce premier convoi partait pour les pontons
et l'exil, les menottes aux poignets, entre deux

files de gendarmes, fusils chargés. Ils traversèrent le pont d'Austerlitz, suivirent la ligne des boulevards, arrivèrent à la gare du Hàvre. C'était une nuit heureuse de carnaval; les fenêtres des restaurants du boulevard luisaient; à la hauteur de la rue Vivienne, à l'endroit où il voyait toujours la morte inconnue dont il emportait l'image, Florent aperçut, au fond d'une grande calèche, des femmes masquées, les épaules nues, la voix rieuse, se fâchant de ne pouvoir passer, faisant les dégoûtées devant « ces forçats qui n'en finissaient plus ». De Paris au Havre, les prisonniers n'eurent pas une bouchée de pain, pas un verre d'eau; on avait oublié de leur distribuer des rations avant le départ. Ils ne mangèrent que trente-six heures plus tard, quand on les eut entassés dans la cale de la frégate *le Canada.*

Non, la faim ne l'avait plus quitté. Il fouillait ses souvenirs, ne se rappelait pas une heure de plénitude. Il était devenu sec, l'estomac rétréci, la peau collée aux os. Et il retrouvait Paris, gras, superbe, débordant de nourriture, au fond des ténèbres; il y rentrait, sur un lit de légumes; il y roulait, dans un inconnu de mangeailles, qu'il sentait pulluler autour de lui et qui l'inquiétait. La nuit heureuse de carnaval avait donc continué pendant sept ans. Il revoyait les fenêtres luisantes des boulevards, les femmes rieuses, la ville gourmande qu'il avait laissée par cette lointaine nuit de janvier; et il lui semblait que tout cela avait grandi, s'était épanoui dans cette énormité des Halles, dont il commençait à entendre le souffle colossal, épais encore de l'indigestion de la veille.

La mère Chantemesse s'était décidée à acheter douze bottes de navets. Elle les tenait dans son tablier, sur son ventre, ce qui arrondissait encore sa large taille; et elle restait là, causant toujours, de sa voix traînante. Quand elle fut partie, madame François vint se rasseoir à côté de Florent, en disant :

— Cette pauvre mère Chantemesse, elle a au moins soixante-douze ans. J'étais gamine, qu'elle achetait déjà des navets à mon père. Et pas un parent avec ça, rien qu'une coureuse qu'elle a ramassée je ne sais où, et qui la fait damner... Eh bien, elle vivote, elle vend au petit tas, elle se fait encore ses quarante sous par jour... Moi, je ne pourrais pas rester dans ce diable de Paris, toute la journée, sur un trottoir. Si l'on y avait quelques parents, au moins!

Et, comme Florent ne causait guère :

— Vous avez de la famille à Paris, n'est-ce pas? demanda-t-elle.

Il parut ne pas entendre. Sa méfiance revenait. Il avait la tête pleine d'histoires de police, d'agents guettant à chaque coin de rue, de femmes vendant les secrets qu'elles arrachaient aux pauvres diables. Elle était tout près de lui, elle lui semblait pourtant bien honnête, avec sa grande figure calme, serrée au front par un foulard noir et jaune. Elle pouvait avoir trente-cinq ans, un peu forte, belle de sa vie en plein air et de sa virilité adoucie par des yeux noirs d'une tendresse charitable. Elle était certainement très curieuse, mais d'une curiosité qui devait être toute bonne.

Elle reprit, sans s'offenser du silence de Florent :

— Moi, j'ai un neveu à Paris. Il a mal tourné, il s'est engagé... Enfin, c'est heureux quand on sait où descendre. Vos parents, peut-être, vont être bien surpris de vous voir. Et c'est une joie quand on revient, n'est-ce pas?

Tout en parlant, elle ne le quittait pas des yeux, apitoyée sans doute par son extrême maigreur, sentant que c'était un « monsieur », sous sa lamentable défroque noire, n'osant lui mettre une pièce blanche dans la main.

Enfin, timidement :

— Si, en attendant, murmura-t-elle, vous aviez besoin de quelque chose...

Mais il refusa avec une fierté inquiète; il dit qu'il avait tout ce qu'il lui fallait, qu'il savait où aller. Elle parut heureuse, elle répéta plusieurs fois, comme pour se rassurer elle-même sur son sort :

— Ah! bien, alors, vous n'avez qu'à attendre le jour.

Une grosse cloche, au-dessus de la tête de Florent, au coin du pavillon des fruits, se mit à
sonner. Les coups, lents et réguliers, semblaient
éveiller de proche en proche le sommeil traînant
sur le carreau. Les voitures arrivaient toujours;
les cris des charretiers, les coups de fouet, les
écrasements du pavé sous le fer des roues et le
sabot des bêtes, grandissaient; et les voitures
n'avançaient plus que par secousses, prenant la
file, s'étendant au-delà des regards, dans des profondeurs grises, d'où montait un brouhaha
confus. Tout le long de la rue du Pont-Neuf, on
déchargeait, les tombereaux acculés aux ruisseaux, les chevaux immobiles et serrés, rangés
comme dans une foire. Florent s'intéressa à une
énorme voiture de boueux, pleine de choux
superbes, qu'on avait eu grand-peine à faire
reculer jusqu'au trottoir; la charge dépassait un
grand diable de bec de gaz planté à côté, éclai-
rant en plein l'entassement des larges feuilles,
qui se rabattaient comme des pans de velours
gros vert, découpé et gaufré. Une petite paysanne
de seize ans, en casaquin et en bonnet de toile
bleue, montée dans le tombereau, ayant des
choux jusqu'aux épaules, les prenait un à un,
les lançait à quelqu'un que l'ombre cachait, en
bas. La petite, par moments, perdue, noyée,
glissait, disparaissait sous un éboulement; puis,
son nez rose reparaissait au milieu des verdures
épaisses; elle riait, et les choux se remettaient

à voler, à passer entre le bec de gaz et Florent. Il les comptait machinalement. Quand le tombereau fut vide, cela l'ennuya.

Sur le carreau, les tas déchargés s'étendaient maintenant jusqu'à la chaussée. Entre chaque tas, les maraîchers ménageaient un étroit sentier pour que le monde pût circuler. Tout le large trottoir, couvert d'un bout à l'autre, s'allongeait, avec les bosses sombres des légumes. On ne voyait encore, dans la clarté brusque et tournante des lanternes, que l'épanouissement charnu d'un paquet d'artichauts, les verts délicats des salades, le corail rose des carottes, l'ivoire mat des navets; et ces éclairs de couleurs intenses filaient le long des tas, avec les lanternes. Le trottoir s'était peuplé; une foule s'éveillait, allait entre les marchandises, s'arrêtant, causant, appelant. Une voix forte, au loin, criait : « Eh! la chicorée! » On venait d'ouvrir les grilles du pavillon aux gros légumes; les revendeuses de ce pavillon, en bonnets blancs, avec un fichu noué sur leur caraco noir, et les jupes relevées par des épingles pour ne pas se salir, faisaient leur provision du jour, chargeaient de leurs achats les grandes hottes des porteurs posées à terre. Du pavillon à la chaussée, le va-et-vient des hottes s'animait, au milieu des têtes cognées, des mots gras, du tapage des voix s'enrouant à discuter un quart d'heure pour un sou. Et Florent s'étonnait du calme des maraîchères, avec leurs madras et leur teint hâlé, dans ce chipotage bavard des Halles.

Derrière lui, sur le carreau de la rue Rambuteau, on vendait les fruits. Des rangées de bourriches, de paniers bas, s'alignaient, couverts de toile ou de paille; et une odeur de mirabelles trop mûres traînait. Une voix douce et lente, qu'il entendait depuis longtemps, lui fit tourner la tête. Il vit une adorable petite femme brune, assise par terre, qui marchandait.

— Dis donc, Marcel, vends-tu pour cent sous, dis?

L'homme, enfoui dans une limousine, ne répondait pas, et la jeune femme, au bout de cinq grandes minutes, reprenait :

— Dis, Marcel, cent sous ce panier-là, et quatre francs l'autre, ça fait-il neuf francs qu'il faut te donner?

Un nouveau silence se fit :

— Alors, qu'est-ce qu'il faut te donner?

— Eh! dix francs, tu le sais bien, je te l'ai dit... Et ton Jules, qu'est-ce que tu en fais, la Sarriette?

La jeune femme se mit à rire, en tirant une grosse poignée de monnaie.

— Ah bien! reprit-elle, Jules dort sa grasse matinée... Il prétend que les hommes, ce n'est pas fait pour travailler.

Elle paya, elle emporta les deux paniers dans le pavillon aux fruits qu'on venait d'ouvrir. Les

Halles gardaient leur légèreté noire, avec les
mille raies de flamme des persiennes; sous les
grandes rues couvertes, du monde passait, tandis
que les pavillons, au loin, restaient déserts, au
milieu du grouillement grandissant de leurs
trottoirs. A la pointe Saint-Eustache, les boulangers et les marchands de vin ôtaient leurs volets;
les boutiques rouges, avec leurs becs de gaz
allumés, trouaient les ténèbres, le long des maisons grises. Florent regardait une boulangerie,
rue Montorgueil, à gauche, toute pleine et toute
dorée de la dernière cuisson, et il croyait sentir
la bonne odeur du pain chaud. Il était quatre
heures et demie.

Cependant, madame François s'était débarras-
sée de sa marchandise. Il lui restait quelques
bottes de carottes, quand Lacaille reparut, avec
son sac.

— Eh bien, ça va-t-il à un sou? dit-il.

— J'étais bien sûre de vous revoir, vous,
répondit tranquillement la maraîchère. Voyons,
prenez mon reste. Il y a dix-sept bottes.

— Ça fait dix-sept sous.

— Non, trente-quatre.

Ils tombèrent d'accord à vingt-cinq. Madame
François était pressée de s'en aller. Lorsque
Lacaille se fut éloigné, avec ses carottes dans
son sac :

— Voyez-vous, il me guettait, dit-elle à Florent. Ce vieux-là *râle* sur tout le marché; il

attend quelquefois le dernier coup de cloche, pour acheter quatre sous de marchandise... Ah! ces Parisiens! ça se chamaille pour deux liards et ça va boire le fond de sa bourse chez le marchand de vin.

Quand madame François parlait de Paris, elle était pleine d'ironie et de dédain; elle le traitait en ville très éloignée, tout à fait ridicule et méprisable, dans laquelle elle ne consentait à mettre les pieds que la nuit.

— A présent, je puis m'en aller, reprit-elle en s'asseyant de nouveau près de Florent, sur les légumes d'une voisine.

Florent baissait la tête, il venait de commettre un vol. Quand Lacaille s'en était allé, il avait aperçu une carotte par terre. Il l'avait ramassée, il la tenait serrée dans sa main droite. Derrière lui, des paquets de céleris, des tas de persil mettaient des odeurs irritantes qui le prenaient à la gorge.

— Je vais m'en aller, répéta madame François.

Elle s'intéressait à cet inconnu, elle le sentait souffrir, sur ce trottoir, dont il n'avait pas remué. Elle lui fit de nouvelles offres de service; mais il refusa encore, avec une fierté plus âpre. Il se leva même, se tint debout, pour prouver qu'il était gaillard. Et, comme elle tournait la tête, il mit la carotte dans sa bouche. Mais il dut la garder un instant, malgré l'envie terrible qu'il avait de serrer les dents; elle le regardait de nouveau en face, elle l'interrogeait, avec sa curiosité de brave femme. Lui, pour ne pas parler, répondait par des signes de tête. Puis, doucement, lentement, il mangea la carotte.

La maraîchère allait décidément partir, lorsqu'une voix forte dit tout à côté d'elle :

— Bonjour, madame François.

C'était un garçon maigre, avec de gros os, une grosse tête, barbu, le nez très fin, les yeux minces et clairs. Il portait un chapeau de feutre noir, roussi, déformé, et se boutonnait au fond d'un immense paletot, jadis marron tendre, que les pluies avaient déteint en larges traînées verdâtres. Un peu courbé, agité d'un frisson d'inquiétude nerveuse qui devait lui être habituel, il restait planté dans ses gros souliers lacés; et son pantalon trop court montrait ses bas bleus.

— Bonjour, monsieur Claude, répondit gaiement la maraîchère. Vous savez, je vous ai attendu, lundi; et comme vous n'êtes pas venu, j'ai garé votre toile; je l'ai accrochée à un clou, dans ma chambre.

— Vous êtes trop bonne, madame François, j'irai terminer mon étude, un de ces jours... Lundi, je n'ai pas pu... Est-ce que votre grand prunier a encore toutes ses feuilles?

— Certainement.

— C'est que, voyez-vous, je le mettrai dans un coin du tableau. Il fera bien, à gauche du poulailler. J'ai réfléchi à ça toute la semaine... Hein! les beaux légumes, ce matin. Je suis descendu de bonne heure, me doutant qu'il y aurait un lever de soleil superbe sur ces gredins de choux.

Il montrait du geste toute la longueur du carreau. La maraîchère reprit :

— Eh bien, je m'en vais. Adieu... A bientôt, monsieur Claude!

Et comme elle partait, présentant Florent au jeune peintre :

— Tenez, voilà monsieur qui revient de loin, paraît-il. Il ne se reconnaît plus dans votre gueux de Paris. Vous pourriez peut-être lui donner un bon renseignement.

Elle s'en alla enfin, heureuse de laisser les deux hommes ensemble. Claude regardait Florent avec intérêt; cette longue figure, mince et flottante, lui semblait originale. La présentation de madame François suffisait; et, avec la familiarité d'un flâneur habitué à toutes les rencontres de hasard, il lui dit tranquillement :

— Je vous accompagne. Où allez-vous?

Florent resta gêné. Il se livrait moins vite; mais, depuis son arrivée, il avait une question sur les lèvres. Il se risqua, il demanda, avec la peur d'une réponse fâcheuse :

— Est-ce que la rue Pirouette existe toujours?

— Mais oui, dit le peintre. Un coin bien curieux du vieux Paris, cette rue-là! Elle tourne comme une danseuse, et les maisons y ont des

ventres de femme grosse... J'en ai fait une eau-
forte pas trop mauvaise. Quand vous viendrez
chez moi, je vous la montrerai... C'est là que
vous allez?

Florent, soulagé, ragaillardi par la nouvelle
que la rue Pirouette existait, jura que non,
assura qu'il n'avait nulle part à aller. Toute sa
méfiance se réveillait devant l'insistance de
Claude.

— Ça ne fait rien, dit celui-ci, allons tout de
même rue Pirouette. La nuit, elle est d'une couleur!... Venez donc, c'est à deux pas.

Il dut le suivre. Ils marchaient côte à côte,
comme deux camarades, enjambant les paniers
et les légumes. Sur le carreau de la rue Rambuteau, il y avait des tas gigantesques de choux-
fleurs, rangés en piles comme des boulets, avec
une régularité surprenante. Les chairs blanches
et tendres des choux s'épanouissaient, pareilles
à d'énormes roses, au milieu des grosses feuilles
vertes, et les tas ressemblaient à des bouquets
de mariée, alignés dans des jardinières colossales. Claude s'était arrêté, en poussant de petits
cris d'admiration.

Puis, en face, rue Pirouette, il montra, expliqua chaque maison. Un seul bec de gaz brûlait
dans un coin. Les maisons, tassées, renflées, avançaient leurs auvents comme « des ventres de
femme grosse », selon l'expression du peintre,
penchaient leurs pignons en arrière, s'appuyaient

aux épaules les unes des autres. Trois ou quatre,
au contraire, au fond de trous d'ombre, semblaient près de tomber sur le nez. Le bec de
gaz en éclairait une, très blanche, badigeonnée
à neuf, avec sa taille de vieille femme cassée
et avachie, toute poudrée à blanc, peinturlurée
comme une jeunesse. Puis la file bossuée des
autres s'en allait, s'enfonçant en plein noir,
lézardée, verdie par les écoulement des pluies,
dans une débandade de couleurs et d'attitudes
telle, que Claude en riait d'aise. Florent s'était
arrêté au coin de la rue de Mondétour, en face
de l'avant-dernière maison, à gauche. Les trois
étages dormaient, avec leurs deux fenêtres sans
persiennes, leurs petits rideaux blancs bien tirés
derrière les vitres; en haut, sur les rideaux de
l'étroite fenêtre du pignon, une lumière allait
et venait. Mais la boutique, sous l'auvent, paraissait lui causer une émotion extraordinaire. Elle
s'ouvrait. C'était un marchand d'herbes cuites;
au fond, des bassines luisaient; sur la table
d'étalage, des pâtés d'épinards et de chicorée,
dans des terrines, s'arrondissaient, se terminaient
en pointe, coupés, derrière, par de petites pelles,
dont on ne voyait que le manche de métal blanc.
Cette vue clouait Florent de surprise; il devait
ne pas reconnaître la boutique; il lut le nom
du marchand, *Godebœuf,* sur une enseigne
rouge, et resta consterné. Les bras ballants, il
examinait les pâtés d'épinards, de l'air désespéré

d'un homme auquel il arrive quelque malheur suprême.

Cependant, la fenêtre du pignon s'était ouverte, une petite vieille se penchait, regardait le ciel, puis les Halles, au loin.

— Tiens! mademoiselle Saget est matinale, dit Claude qui avait levé la tête.

Et il ajouta, en se tournant vers son compagnon :

— J'ai eu une tante, dans cette maison-là. C'est une boîte à cancans... Ah! voilà les Méhudin qui se remuent; il y a de la lumière au second.

Florent allait le questionner, mais il le trouva inquiétant, dans son grand paletot déteint; il le suivit, sans mot dire, tandis que l'autre lui parlait des Méhudin. C'étaient des poissonnières; l'aînée était superbe; la petite, qui vendait du poisson d'eau douce, ressemblait à une vierge de Murillo, toute blonde au milieu de ses carpes et de ses anguilles. Et il en vint à dire, en se fâchant, que Murillo peignait comme un polisson. Puis, brusquement, s'arrêtant au milieu de la rue:

— Voyons, où allez-vous, à la fin!

— Je ne vais nulle part, à présent, dit Florent accablé. Allons où vous voudrez.

Comme il sortait de la rue Pirouette, une voix appela Claude, du fond de la boutique d'un marchand de vin, qui faisait le coin. Claude entra, traînant Florent à sa suite. Il n'y avait

qu'un côté des volets enlevé. Le gaz brûlait dans
l'air encore endormi de la salle; un torchon
oublié, les cartes de la veille, traînaient sur les
tables, et le courant d'air de la porte grande
ouverte mettait sa pointe fraîche au milieu de
l'odeur chaude et renfermée du vin. Le patron,
monsieur Lebigre, servait les clients, en gilet
à manches, son collier de barbe tout chiffonné,
sa grosse figure régulière toute blanche de
sommeil. Des hommes, debout, par groupes,
buvaient devant le comptoir, toussant, crachant,
les yeux battus, achevant de s'éveiller dans le
vin blanc et dans l'eau-de-vie. Florent reconnut
Lacaille, dont le sac, à cette heure, débordait de
légumes. Il en était à la troisième tournée, avec
un camarade qui racontait longuement l'achat
d'un panier de pommes de terre. Quand il eut
vidé son verre, il alla causer avec monsieur
Lebigre, dans un petit cabinet vitré, au fond,
où le gaz n'était pas allumé.

— Que voulez-vous prendre? demanda Claude
à Florent.

En entrant, il avait serré la main de l'homme
qui l'invitait. C'était un fort, un beau garçon
de vingt-deux ans au plus, rasé, ne portant que
de petites moustaches, l'air gaillard, avec son
vaste chapeau enduit de craie et son colletin de
tapisserie, dont les bretelles serraient son bour-
geron bleu. Claude l'appelait Alexandre, lui
tapait sur les bras, lui demandait quand ils

iraient à Charentonneau. Et ils parlaient d'une grande partie qu'ils avaient faite ensemble, en canot, sur la Marne. Le soir, ils avaient mangé un lapin.

— Voyons, que prenez-vous? répéta Claude.

Florent regardait le comptoir, très embarrassé. Au bout, des théières de punch et de vin chaud, cerclées de cuivre, chauffaient sur les courtes flammes bleues et roses d'un appareil à gaz. Il confessa enfin qu'il prendrait volontiers quelque chose de chaud. Monsieur Lebigre servit trois verres de punch. Il y avait, près des théières, dans une corbeille, des petits pains au beurre qu'on venait d'apporter et qui fumaient. Mais les autres n'en prirent pas, et Florent but son verre de punch; il le sentit qui tombait dans son estomac vide, comme un filet de plomb fondu. Ce fut Alexandre qui paya.

— Un bon garçon, cet Alexandre, dit Claude, quand ils se retrouvèrent tous les deux sur le trottoir de la rue Rambuteau. Il est très amusant à la campagne; il fait des tours de force; puis, il est superbe, le gredin; je l'ai vu nu, et s'il voulait me poser des académies, en plein air... Maintenant, si cela vous plaît, nous allons faire un tour dans les Halles.

Florent le suivait, s'abandonnait. Une lueur claire, au fond de la rue Rambuteau, annonçait le jour. La grande voix des Halles grondait plus haut; par instants, des volées de cloche, dans

un pavillon éloigné, coupaient cette clameur
roulante et montante. Ils entrèrent sous une
des rues couvertes, entre le pavillon de la marée
et le pavillon de la volaille. Florent levait les
yeux, regardait la haute voûte, dont les boiseries
intérieures luisaient, entre les dentelles noires
des charpentes de fonte. Quand il déboucha dans
la grande rue du milieu, il songea à quelque
ville étrange, avec ses quartiers distincts, ses
faubourgs, ses villages, ses promenades et ses
routes, ses places et ses carrefours, mise tout
entière sous un hangar, un jour de pluie, par
quelque caprice gigantesque. L'ombre, sommeil-
lant dans les creux des toitures, multipliait la
forêt des piliers, élargissait à l'infini les nervures
délicates, les galeries découpées, les persiennes
transparentes; et c'était, au-dessus de la ville,
jusqu'au fond des ténèbres, toute une végétation,
toute une floraison, monstrueux épanouissement
de métal, dont les tiges qui montaient en fusée,
les branches qui se tordaient et se nouaient,
couvraient un monde avec les légèretés de feuil-
lage d'une futaie séculaire. Des quartiers dormaient encore, clos de leurs grilles. Les pavillons du beurre et de la volaille alignaient leurs
petites boutiques treillagées, allongeaient leurs
ruelles désertes sous les files des becs de gaz.
Le pavillon de la marée venait d'être ouvert; des
femmes traversaient les rangées de pierres
blanches, tachées de l'ombre des paniers et des

linges oubliés. Aux gros légumes, aux fleurs et
aux fruits, le vacarme allait grandissant. De
proche en proche, le réveil gagnait la ville, du
quartier populeux où les choux s'entassent dès
quatre heures du matin, au quartier paresseux
et riche qui n'accroche des poulardes et des faisans à ses maisons que vers les huit heures.

Mais, dans les grandes rues couvertes, la vie
affluait. Le long des trottoirs, aux deux bords,
des maraîchers étaient encore là, de petits culti-
vateurs, venus des environs de Paris, étalant sur
des paniers leur récolte de la veille au soir,
bottes de légumes, poignées de fruits. Au milieu
du va-et-vient incessant de la foule, des voitures
entraient sous les voûtes, en ralentissant le trot
sonnant de leurs chevaux. Deux de ces voitures,
laissées en travers, barraient la rue. Florent,
pour passer, dut s'appuyer contre un des sacs
grisâtres, pareils à des sacs de charbon, et dont
l'énorme charge faisait plier les essieux; les sacs,
mouillés, avaient une odeur fraîche d'algues
marines; un d'eux, crevé par un bout, laissait
couler un tas noir de grosses moules. A tous les
pas, maintenant, ils devaient s'arrêter. La marée
arrivait. les camions se succédaient, charriant les
hautes cages de bois pleines de bourriches, que
les chemins de fer apportent toutes chargées de
l'océan. Et, pour se garer des camions de la
marée de plus en plus pressés et inquiétants, ils
se jetaient sous les roues des camions du beurre,

des œufs et des fromages, de grands chariots
jaunes, à quatre chevaux, à lanternes de couleur;
des forts enlevaient les caisses d'œufs, les paniers
de fromages et de beurre, qu'ils portaient dans
le pavillon de la criée, où des employés en casquette écrivaient sur des calepins, à la lueur
du gaz. Claude était ravi de ce tumulte; il s'oubliait à un effet de lumière, à un groupe de
blouses, au déchargement d'une voiture. Enfin,
ils se dégagèrent. Comme ils longeaient toujours
la grande rue, ils marchèrent dans une odeur
exquise qui traînait autour d'eux et semblait les
suivre. Ils étaient au milieu du marché des
fleurs coupées. Sur le carreau, à droite et à
gauche, des femmes assises avaient devant elles
des corbeilles carrées, pleines de bottes de roses,
de violettes, de dahlias, de marguerites. Les
bottes s'assombrissaient, pareilles à des taches
de sang, pâlissaient doucement avec des gris
argentés d'une grande délicatesse. Près d'une
corbeille, une bougie allumée mettait là, sur
tout le noir d'alentour, une chanson aiguë de
couleur, les panachures vives des marguerites,
le rouge saignant des dahlias, le bleuissement
des violettes, les chairs vivantes des roses. Et rien
n'était plus doux ni plus printanier que les
tendresses de ce parfum rencontrées sur un trottoir, au sortir des souffles âpres de la marée et
de la senteur pestilentielle des beurres et des
fromages.

Claude et Florent revinrent sur leurs pas, flânant, s'attardant au milieu des fleurs. Ils s'arrêtèrent curieusement devant des femmes qui vendaient des bottes de fougère et des paquets de feuilles de vigne, bien réguliers, attachés par quarterons. Puis ils tournèrent dans un bout de rue couverte, presque désert, où leurs pas sonnaient comme sous la voûte d'une église. Ils y trouvèrent, attelé à une voiture grande comme une brouette, un tout petit âne qui s'ennuyait sans doute, et qui se mit à braire en les voyant, d'un ronflement si fort et si prolongé, que les vastes toitures des Halles en tremblaient. Des hennissements de chevaux répondirent; il y eut des piétinements, tout un vacarme au loin, qui grandit, roula, alla se perdre. Cependant, en face d'eux, rue Berger, les boutiques nues des commissionnaires, grandes ouvertes, montraient, sous la clarté vive du gaz, des amas de paniers et de fruits, entre les trois murs sales couverts d'additions au crayon. Et comme ils étaient là, ils aperçurent une dame bien mise, pelotonnée d'un air de lassitude heureuse dans le coin d'un fiacre, perdu au milieu de l'encombrement de la chaussée, et filant sournoisement.

— C'est Cendrillon qui rentre sans pantoufles, dit Claude avec un sourire.

Ils causaient maintenant, en retournant sous les Halles. Claude, les mains dans les poches, sifflant, racontait son grand amour pour ce

débordement de nourriture, qui monte au beau
milieu de Paris, chaque matin. Il rôdait sur le
carreau des nuits entières, rêvant des natures
mortes colossales, des tableaux extraordinaires.
Il en avait même commencé un; il avait fait
poser son ami Marjolin et cette gueuse de
Cadine; mais c'était dur, c'était trop beau, ces
diables de légumes, et les fruits, et les poissons,
et la viande! Florent écoutait, le ventre serré,
cet enthousiasme d'artiste. Et il était évident
que Claude, en ce moment-là, ne songeait même
pas que ces belles choses se mangeaient. Il les
aimait pour leur couleur. Brusquement, il se
tut, serra d'un mouvement qui lui était habituel la longue ceinture rouge qu'il portait sous
son paletot verdâtre, et reprit d'un air fin :

— Puis, je déjeune ici, par les yeux au moins,
et cela vaut encore mieux que de ne rien
prendre. Quelquefois, quand j'oublie de dîner,
la veille, je me donne une indigestion, le lendemain, à regarder arriver toutes sortes de bonnes
choses. Ces matins-là, j'ai encore plus de tendresses pour mes légumes... Non, tenez, ce qui
est exaspérant, ce qui n'est pas juste, c'est que
ces gredins de bourgeois mangent tout ça!

Il raconta un souper qu'un ami lui avait payé
chez Baratte, un jour de splendeur; ils avaient
eu des huîtres, du poisson, du gibier. Mais
Baratte était bien tombé; tout le carnaval de
l'ancien marché des Innocents se trouvait

enterré, à cette heure; on en était aux Halles
centrales, à ce colosse de fonte, à cette ville nouvelle, si originale. Les imbéciles avaient beau
dire, toute l'époque était là. Et Florent ne savait
plus s'il condamnait le côté pittoresque ou la
bonne chère de Baratte. Puis, Claude déblatéra
contre le romantisme; il préférait ses tas de
choux aux guenilles du Moyen Age. Il finit par
s'accuser de son eau-forte de la rue Pirouette
comme d'une faiblesse. On devait flanquer les
vieilles cambuses par terre et faire du moderne.

— Tenez, dit-il en s'arrêtant, regardez, au
coin du trottoir. N'est-ce pas un tableau tout
fait, et qui serait plus humain que leurs sacrées
peintures poitrinaires?

Le long de la rue couverte, maintenant, des
femmes vendaient du café, de la soupe. Au coin
du trottoir, un large rond de consommateurs
s'était formé autour d'une marchande de soupe
aux choux. Le seau de fer-blanc étamé, plein
de bouillon, fumait sur le petit réchaud bas,
dont les trous jetaient une lueur pâle de braise.
La femme, armée d'une cuiller à pot, prenant
de minces tranches de pain au fond d'une corbeille garnie d'un linge, trempait la soupe dans
des tasses jaunes. Il y avait là des marchandes
très propres, des maraîchers en blouse, des porteurs sales, le paletot gras des charges de nourriture qui avaient traîné sur les épaules, de
pauvres diables déguenillés, toutes les faims

matinales des Halles, mangeant, se brûlant, écartant un peu le menton pour ne pas se tacher de la bavure des cuillers. Et le peintre ravi clignait les yeux, cherchait le point de vue, afin de composer le tableau dans un bon ensemble. Mais cette diablesse de soupe aux choux avait une odeur terrible. Florent tournait la tête, gêné par ces tasses pleines, que les consommateurs vidaient sans mot dire, avec un regard de côté d'animaux méfiants. Alors, comme la femme servait un nouvel arrivé, Claude lui-même fut attendri par la vapeur forte d'une cuillerée qu'il reçut en plein visage.

Il serra sa ceinture, souriant, fâché; puis, se remettant à marcher, faisant allusion au verre de punch d'Alexandre, il dit à Florent d'une voix un peu basse :

— C'est drôle, vous avez dû remarquer cela, vous?... On trouve toujours quelqu'un pour vous payer à boire, on ne rencontre jamais personne qui vous paie à manger.

Le jour se levait. Au bout de la rue de la Cossonnerie, les maisons du boulevard Sébastopol étaient toutes noires; et, au-dessus de la ligne nette des ardoises, le cintre élevé de la grande rue couverte taillait, dans le bleu pâle, une demi-lune de clarté. Claude, qui s'était penché au-dessus de certains regards, garnis de grilles, s'ouvrant, au ras du trottoir, sur des profondeurs de cave où brûlaient des lueurs louches de gaz,

regardait en l'air maintenant, entre les hauts
piliers, cherchant sur les toits bleus, au bord
du ciel clair. Il finit par s'arrêter encore, les
yeux levés sur une des minces échelles de fer
qui relient les deux étages de toitures et per-
mettent de les parcourir. Florent lui demanda
ce qu'il voyait là-haut.

— C'est ce diable de Marjolin, dit le peintre
sans répondre. Il est, pour sûr, dans quelque
gouttière, à moins qu'il n'ait passé la nuit avec
les bêtes de la cave aux volailles... J'ai besoin
de lui pour une étude.

Et il raconta que son ami Marjolin fut trouvé,
un matin, par une marchande, dans un tas de
choux, et qu'il poussa sur le carreau, librement.
Quand on voulut l'envoyer à l'école, il tomba
malade, il fallut le ramener aux Halles. Il en
connaissait les moindres recoins, les aimait d'une
tendresse de fils, vivait avec des agilités d'écu-
reuil, au milieu de cette forêt de fonte. Ils faisaient un joli couple, lui et cette gueuse de
Cadine, que la mère Chantemesse avait ramassée, un soir, au coin de l'ancien marché des
Innocents. Lui, était splendide, ce grand bêta,
doré comme un Rubens, avec un duvet roussâtre
qui accrochait le jour; elle, la petite, futée et
mince, avait un drôle de museau, sous la brous-
saille noire de ses cheveux crépus.

Claude, tout en causant, hâtait le pas. Il
ramena son compagnon à la pointe Saint-

Eustache. Celui-ci se laissa tomber sur un banc,
près du bureau des omnibus, les jambes cassées
de nouveau. L'air fraîchissait. Au fond de la rue
Rambuteau, des lueurs roses marbraient le ciel
laiteux, sabré, plus haut, par de grandes déchi-
rures grises. Cette aube avait une odeur si bal-
samique, que Florent se crut un instant en
pleine campagne, sur quelque colline. Mais
Claude lui montra, de l'autre côté du banc, le
marché aux aromates. Le long du carreau de la
triperie, on eût dit des champs de thym, de
lavande, d'ail, d'échalote; et les marchandes
avaient enlacé, autour des jeunes platanes du
trottoir, de hautes branches de laurier qui faisaient des trophées de verdure. C'était l'odeur
puissante du laurier qui dominait.

Le cadran lumineux de Saint-Eustache pâlis-
sait, agonisait, pareil à une veilleuse surprise
par le matin. Chez les marchands de vin, au
fond des rues voisines, les becs de gaz s'éteignaient un à un, comme des étoiles tombant
dans de la lumière. Et Florent regardait les
grandes Halles sortir de l'ombre, sortir du rêve,
où il les avait vues, allongeant à l'infini leurs
palais à jour. Elles se solidifiaient, d'un gris
verdâtre, plus géantes encore, avec leur mâture
prodigieuse, supportant les nappes sans fin de
leurs toits. Elles entassaient leurs masses géométriques; et, quand toutes les clartés intérieures
furent éteintes, qu'elles baignèrent dans le jour

levant, carrées, uniformes, elles apparurent
comme une machine moderne, hors de toute
mesure, quelque machine à vapeur, quelque
chaudière destinée à la digestion d'un peuple,
gigantesque ventre de métal, boulonné, rivé, fait
de bois, de verre et de fonte, d'une élégance et
d'une puissance de moteur mécanique, fonction-
nant là, avec la chaleur du chauffage, l'étour-
dissement, le branle furieux des roues.

Mais Claude était monté debout sur le banc,
d'enthousiasme. Il força son compagnon à admirer le jour se levant sur les légumes. C'était
une mer. Elle s'étendait de la pointe Saint-
Eustache à la rue des Halles, entre les deux
groupes de pavillons. Et, aux deux bouts, dans
les deux carrefours, le flot grandissait encore,
les légumes submergeaient les pavés. Le jour
se levait lentement, d'un gris très doux, lavant
toutes choses d'une teinte claire d'aquarelle. Ces
tas moutonnants comme des flots pressés, ce
fleuve de verdure qui semblait couler dans
l'encaissement de la chaussée, pareil à la débâcle
des pluies d'automne, prenaient des ombres
délicates et perlées, des violets attendris, des
roses teintés de lait, des verts noyés dans des
jaunes, toutes les pâleurs qui font du ciel une
soie changeante au lever du soleil; et, à mesure
que l'incendie du matin montait en jets de
flamme, au fond de la rue Rambuteau, les
légumes s'éveillaient davantage, sortaient du

grand bleuissement traînant à terre. Les salades,
les laitues, les scaroles, les chicorées, ouvertes
et grasses encore de terreau, montraient leurs
cœurs éclatants; les paquets d'épinards, les
paquets d'oseille, les bouquets d'artichauts, les
entassements de haricots et de pois, les empilements de romaines, liées d'un brin de paille,
chantaient toute la gamme du vert, de la laque
verte des cosses au gros vert des feuilles; gamme
soutenue qui allait en se mourant, jusqu'aux
panachures des pieds de céleris et des bottes de
poireaux. Mais les notes aiguës, ce qui chantait
plus haut, c'étaient toujours les taches vives des
carottes, les taches pures des navets, semées en
quantité prodigieuse le long du marché, l'éclai-
rant du bariolage de leurs deux couleurs. Au
carrefour de la rue des Halles, les choux faisaient des montagnes; les énormes choux blancs,
serrés et durs comme des boulets de métal pâle;
les choux frisés, dont les grandes feuilles ressemblaient à des vasques de bronze; les choux
rouges, que l'aube changeait en des floraisons
superbes, lie de vin, avec des meurtrissures de
carmin et de pourpre sombre. A l'autre bout,
au carrefour de la pointe Saint-Eustache, l'ouverture de la rue Rambuteau était barrée par
une barricade de potirons orangés, sur deux
rangs, s'étalant, élargissant leurs ventres. Et le
vernis mordoré d'un panier d'oignons, le rouge
saignant d'un tas de tomates, l'effacement jau-

nâtre d'un lot de concombres, le violet sombre
d'une grappe d'aubergines, çà et là, s'allumaient;
pendant que de gros radis noirs, rangés en
nappes de deuil, laissaient encore quelques trous
de ténèbres au milieu des joies vibrantes du
réveil.

Claude battait des mains, à ce spectacle. Il
trouvait « ces gredins de légumes » extrava-
gants, fous, sublimes. Et il soutenait qu'ils
n'étaient pas morts, qu'arrachés de la veille, ils
attendaient le soleil du lendemain pour lui dire
adieu sur le pavé des Halles. Il les voyait vivre,
ouvrir leurs feuilles, comme s'ils eussent encore
les pieds tranquilles et chauds dans le fumier.
Il disait entendre là le râle de tous les pota-
gers de la banlieue. Cependant, la foule des
bonnets blancs, des caracos noirs, des blouses
bleues, emplissait les étroits sentiers, entre les
tas. C'était toute une campagne bourdonnante.
Les grandes hottes des porteurs filaient lourdement au-dessus des têtes. Les revendeuses, les
marchands des quatre-saisons, les fruitiers ache-
taient, se hâtaient. Il y avait des caporaux et des
bandes de religieuses autour des montagnes de
choux; tandis que des cuisiniers de collège flairaient, cherchant les bonnes aubaines. On
déchargeait toujours; des tombereaux jetaient
leur charge à terre, comme une charge de pavés,
ajoutant un flot aux autres flots, qui venaient
maintenant battre le trottoir opposé. Et, du fond

de la rue du Pont-Neuf, des files de voitures
arrivaient, éternellement.

— C'est crânement beau tout de même, murmurait Claude en extase.

Florent souffrait. Il croyait à quelque tentation surhumaine. Il ne voulait plus voir, il
regardait Saint-Eustache, posé de biais, comme
lavé à la sépia sur le bleu du ciel, avec ses
rosaces, ses larges fenêtres cintrées, son cloche-
ton, ses toits d'ardoises. Il s'arrêtait, à l'enfoncement sombre de la rue Montorgueil, où éclataient des bouts d'enseignes violentes, au pan
coupé de la rue Montmartre, dont les balcons
luisaient, chargées de lettres d'or. Et, quand il
revenait au carrefour, il était sollicité par d'autres enseignes, des *Droguerie et pharmacie,* des
Farines et légumes secs, aux grosses majuscules
rouges ou noires, sur des fonds déteints. Les
maisons des angles, à fenêtres étroites, s'éveillaient, mettaient, dans l'air large de la nouvelle
rue du Pont-Neuf, quelques jaunes et bonnes
vieilles façades de l'ancien Paris. Au coin de la
rue Rambuteau, debout au milieu des vitrines
vides du grand magasin de nouveautés, des
commis bien mis, en gilet, avec leur pantalon
collant et leurs larges manchettes éblouisssantes,
faisaient l'étalage. Plus loin, la maison Guil-
lout, sévère comme une caserne, étalait délicatement, derrière ses glaces, des paquets dorés
de biscuits et des compotiers pleins de petits

fours. Toutes les boutiques s'étaient ouvertes.
Des ouvriers en blouses blanches, tenant leurs
outils sous le bras, pressaient le pas, traversaient
la chaussée.

Claude n'était pas descendu de son banc. Il
se grandissait, pour voir jusqu'au fond des rues.
Brusquement, il aperçut, dans la foule qu'il
dominait, une tête blonde aux larges cheveux,
suivie d'une petite tête noire, toute crépue et
ébouriffée.

— Eh! Marjolin! eh! Cadine! cria-t-il.

Et, comme sa voix se perdait au milieu du
brouhaha, il sauta à terre, il prit sa course. Puis,
il songea qu'il oubliait Florent; il revint d'un
saut; il dit rapidement :

— Vous savez, au fond de l'impasse des Bour-
donnais... Mon nom est écrit à la craie sur la
porte, Claude Lantier... Venez voir l'eau-forte
de la rue Pirouette.

Il disparut. Il ignorait le nom de Florent; il
le quittait comme il l'avait pris, au bord d'un
trottoir, après lui avoir expliqué ses préférences
artistiques.

Florent était seul. Il fut d'abord heureux de
cette solitude. Depuis que madame François
l'avait recueilli, dans l'avenue de Neuilly, il
marchait au milieu d'une somnolence et d'une
souffrance qui lui étaient l'idée exacte des
choses. Il était libre enfin, il voulut se secouer,
secouer ce rêve intolérable de nourritures gigan-

tesques dont il se sentait poursuivi. Mais sa
tête restait vide, il n'arriva qu'à retrouver au
fond de lui une peur sourde. Le jour grandissait, on pouvait le voir maintenant; et il regardait son pantalon et sa redingote lamentables.
Il boutonna la redingote, épousseta le pantalon,
essaya un bout de toilette, croyant entendre ces
loques noires dire tout haut d'où il venait. Il
était assis au milieu du banc, à côté de pauvres
diables, de rôdeurs échoués là, en attendant le
soleil. Les nuits des Halles sont douces pour les
vagabonds. Deux sergents de ville, encore en
tenue de nuit, avec la capote et le képi, marchant côte à côte, les mains derrière le dos,
allaient et venaient le long du trottoir; chaque
fois qu'ils passaient devant le banc, ils jetaient
un coup d'œil sur le gibier qu'ils y flairaient.
Florent s'imagina qu'ils le reconnaissaient, qu'ils
se consultaient pour l'arrêter. Alors l'angoisse
le prit. Il eut une envie folle de se lever, de
courir. Mais il n'osait plus, il ne savait de quelle
façon s'en aller. Et les coups d'œil réguliers des
sergents de ville, cet examen lent et froid de
la police, le mettait au supplice. Enfin, il quitta
le banc, se retenant pour ne pas fuir de toute
la longueur de ses grandes jambes, s'éloignant
pas à pas, serrant les épaules, avec l'horreur de
sentir les mains rudes des sergents de ville le
prendre au collet, par-derrière.

Il n'eut plus qu'une pensée, qu'un besoin,

s'éloigner des Halles. Il attendait, il chercherait
encore, plus tard, quand le carreau serait libre.
Les trois rues du carrefour, la rue Montmartre,
la rue Montorgueil, la rue Turbigo, l'inquié-
tèrent; elles étaient encombrées de voitures de
toutes sortes; des légumes couvraient les trottoirs. Alors, il alla devant lui, jusqu'à la rue
Pierre-Lescot, où le marché au cresson et le
marché aux pommes de terre lui parurent
infranchissables. Il préféra suivre la rue Rambuteau. Mais, au boulevard Sébastopol, il se
heurta contre un tel embarras de tapissières, de
charrettes, de chars à bancs, qu'il revint prendre
la rue Saint-Denis. Là, il rentra dans les
légumes. Aux deux bords, les marchands forains
venaient d'installer leurs étalages, des planches
posées sur de hauts paniers, et le déluge de
choux, de carottes, de navets recommençait. Les
Halles débordaient. Il essaya de sortir de ce flot
qui l'atteignait dans sa fuite; il tenta la rue
de la Cossonnerie, la rue Berger, le square des
Innocents, la rue de la Ferronnerie, la rue des
Halles. Et il s'arrêta, découragé, effaré, ne pou-
vant se dégager de cette infernale ronde d'herbes
qui finissaient par tourner autour de lui en le
liant aux jambes de leurs minces verdures. Au
loin, jusqu'à la rue de Rivoli, jusqu'à la place
de l'Hôtel-de-Ville, les éternelles files de roues
et de bêtes attelées se perdaient dans le pêle-
mêle des marchandises qu'on chargeait; de

grandes tapissières emportaient les lots des
fruitiers de tout un quartier; des chars à bancs,
dont les flancs craquaient, partaient pour la
banlieue. Rue du Pont-Neuf, il s'égara tout à
fait; il vint trébucher au milieu d'une remise
de voitures à bras; des marchands des quatre-
saisons y paraient leur étalage roulant. Parmi
eux, il reconnut Lacaille, qui prit la rue Saint-
Honoré, en poussant devant lui une brouettée
de carottes et de choux-fleurs. Il le suivit, espérant qu'il l'aiderait à sortir de la cohue. Le pavé
était devenu gras, bien que le temps fût sec :
des tas de queues d'artichauts, des feuilles et
des fanes, rendaient la chaussée périlleuse. Il
butait à chaque pas. Il perdit Lacaille, rue Vauvilliers. Du côté de la Halle au blé, les bouts
de rues se barricadaient d'un nouvel obstacle de
charrettes et de tombereaux. Il ne tenta plus de
lutter, il était repris par les Halles, le flot le
ramenait. Il revint lentement, il se retrouva à
la pointe Saint-Eustache.

Maintenant il entendait le long roulement
qui partait des Halles. Paris mâchait les bouchées à ses deux millions d'habitants. C'était
comme un grand organe central battant furieusement, jetant le sang de la vie dans toutes les
veines. Bruit de mâchoires colossales, vacarme
fait du tapage de l'approvisionnement, depuis
les coups de fouet des gros revendeurs partant
pour les marchés de quartier, jusqu'aux savates

traînantes des pauvres femmes qui vont de porte
en porte offrir des salades, dans des paniers.

Il entra sous une rue couverte, à gauche,
dans le groupe des quatre pavillons, dont il avait
remarqué la grande ombre silencieuse pendant
la nuit. Il espérait s'y réfugier, y trouver quelque trou. Mais, à cette heure, ils s'étaient éveillés comme les autres. Il alla jusqu'au bout de
la rue. Des camions arrivaient au trot, encom-
brant le marché de la vallée de cageots pleins
de volailles vivantes, et de paniers carrés où des
volailles mortes étaient rangées par lits profonds. Sur le trottoir opposé, d'autres camions
déchargeaient des veaux entiers, emmaillotés
d'une nappe, couchés tout du long, comme des
enfants, dans des mannes qui ne laissaient passer
que les quatre moignons, écartés et saignants.
Il y avait aussi des moutons entiers, des quartiers de·bœuf, des cuisseaux, des épaules. Les
bouchers, avec de grands tabliers blancs, marquaient la viande d'un timbre, la voituraient,
la pesaient, l'accrochaient aux barres de la criée;
tandis que, le visage collé aux grilles, il regardait ces files de corps pendus, les bœufs et les
moutons rouges, les veaux plus pâles, tachés de
jaune par la graisse et les tendons, le ventre
ouvert. Il passa au carreau de la triperie, parmi
les têtes et les pieds de veaux blafards, les tripes
proprement roulées en paquets dans des boîtes,
les cervelles rangées délicatement sur des paniers

plats, les foies saignants, les rognons violâtres.
Il s'arrêta aux longues charrettes à deux roues,
couvertes d'une bâche ronde, qui apportent des
moitiés de cochon, accrochées des deux côtés
aux ridelles, au-dessus d'un lit de paille; les culs
des charrettes ouverts montraient des chapelles
ardentes, des enfoncements de tabernacle, dans
les lueurs flambantes de ces chairs régulières et
nues; et, sur le lit de paille, il y avait des boîtes
de fer-blanc, pleines du sang des cochons. Alors
Florent fut pris d'une rage sourde : l'odeur
fade de la boucherie, l'odeur âcre de la triperie l'exaspéraient. Il sortit de la rue couverte,
il préféra revenir une fois encore sur le trottoir
de la rue du Pont-Neuf.

C'était l'agonie. Le frisson du matin le prenait; il claquait des dents, il avait peur de tomber là et de rester par terre. Il chercha, ne trouva
pas un coin sur un banc; il y aurait dormi,
quitte à être réveillé par les sergents de ville.
Puis, comme un éblouissement l'aveuglait, il
s'adossa à un arbre, les yeux fermés, les oreilles
bourdonnantes. La carotte crue qu'il avait avalée, sans presque la mâcher, lui déchirait l'estomac, et le verre de punch l'avait grisé. Il était
gris de misère, de lassitude, de faim. Un feu
ardent le brûlait de nouveau au creux de la
poitrine; il y portait les deux mains, par
moments, comme pour boucher un trou par
lequel il croyait sentir tout son être s'en aller.

Le trottoir avait un large balancement; sa souffrance devenait si intolérable, qu'il voulut marcher encore pour la faire taire. Il marcha devant lui, entra dans les légumes. Il s'y perdit. Il prit un étroit sentier, tourna dans un autre, dut revenir sur ses pas, se trompa, se trouva au milieu des verdures. Certains tas étaient si hauts, que les gens circulaient entre deux murailles, bâties de paquets et de bottes. Les têtes dépassaient un peu; on les voyait filer avec la tache blanche ou noire de la coiffure; et les grandes hottes, balancées, ressemblaient, au ras des feuilles, à des nacelles d'osier nageant sur un lac de mousse. Florent se heurtait à mille obstacles, à des porteurs qui se chargeaient, à des marchandes qui discutaient de leurs voix rudes; il glissait sur le lit d'épluchures et de trognons qui couvrait la chaussée, il étouffait dans l'odeur puissante des feuilles écrasées. Alors, stupide, il s'arrêta, il s'abandonna aux poussées des uns, aux injures des autres; il ne fut plus qu'une chose battue, roulée, au fond de la mer montante.

Une grande lâcheté l'envahissait. Il aurait mendié. Sa sotte fierté de la nuit l'exaspérait. S'il avait accepté l'aumône de madame François, s'il n'avait point eu peur de Claude comme un imbécile, il ne se trouverait pas là, à râler parmi ces choux. Et il s'irritait surtout de ne pas avoir questionné le peintre, rue Pirouette. A cette heure, il était seul, il pouvait crever, sur le pavé, comme un chien perdu.

Il leva une dernière fois les yeux, il regarda les Halles. Elles flambaient dans le soleil. Un grand rayon entrait par le bout de la rue couverte, au fond, trouant la masse des pavillons d'un portique de lumière; et, battant la nappe des toitures, une pluie ardente tombait. L'énorme charpente de fonte se noyait, bleuissait, n'était plus qu'un profil sombre sur les flammes d'incendie du levant. En haut, une vitre s'allumait, une goutte de clarté roulait jusqu'aux gouttières, le long de la pente des larges plaques de zinc. Ce fut alors une cité tumultueuse dans une poussière d'or volante. Le réveil avait grandi, du ronflement des maraîchers, couchés sous leurs limousines, au roulement plus vif des arrivages. Maintenant, la ville entière repliait ses griffes; les carreaux bourdonnaient, les pavillons grondaient; toutes les voix donnaient, et l'on eût dit l'épanouissement magistral de cette phrase que Florent, depuis quatre heures du matin, entendait se traîner et se grossir dans l'ombre. A droite, à gauche, de tous côtés, des glapissements de criée mettaient des notes aiguës de petite flûte, au milieu des basses sourdes de la foule. C'était la marée, c'étaient les beurres, c'était la volaille, c'était la viande. Des volées de cloche passaient, secouant derrière elles le murmure des marchés qui s'ou-

vraient. Autour de lui, le soleil enflammait les
légumes. Il ne reconnaissait plus l'aquarelle
tendre des pâleurs de l'aube. Les cœurs élargis
des salades brûlaient, la gamme du vert éclatait
en vigueurs superbes, les carottes saignaient, les
navets devenaient incandescents, dans ce brasier
triomphal. A sa gauche, des tombereaux de
choux s'éboulaient encore. Il tourna les yeux,
il vit, au loin, des camions qui débouchaient
toujours de la rue Turbigo. La mer continuait
à monter. Il l'avait sentie à ses chevilles, puis
à son ventre; elle menaçait, à cette heure, de
passer par-dessus sa tête. Aveuglé, noyé, les
oreilles sonnantes, l'estomac écrasé par tout ce
qu'il avait vu, devinant de nouvelles et inces-
santes profondeurs de nourriture, il demanda
grâce, et une douleur folle le prit, de mourir
ainsi de faim, dans Paris gorgé, dans ce réveil
fulgurant des Halles. De grosses larmes chaudes
jaillirent de ses yeux.

Il était arrivé à une allée plus large. Deux
femmes, une petite vieille et une grande sèche,
passèrent devant lui, causant, se dirigeant vers
les pavillons.

— Et vous êtes venue faire vos provisions,
mademoiselle Saget? demanda la grande sèche.

— Oh! madame Lecœur, si on peut dire...
Vous savez, une femme seule... Je vis de rien...
J'aurais voulu un petit chou-fleur, mais tout est
si cher... Et le beurre, à combien, aujourd'hui?

— Trente-quatre sous... J'en ai du bien bon.
Si vous voulez venir me voir...

— Oui, oui, je ne sais pas, j'ai encore un peu
de graisse...

Florent, faisant un effort suprême, suivait les
deux femmes. Il se souvenait d'avoir entendu
nommer la petite vieille par Claude, rue
Pirouette; il se disait qu'il la questionnerait
quand elle aurait quitté la grande sèche.

— Et votre nièce? demanda mademoiselle
Saget.

— La Sarriette fait ce qu'il lui plaît, répondit aigrement madame Lecœur. Elle a voulu
s'établir. Ça ne me regarde plus. Quand les
hommes l'auront grugée, ce n'est pas moi qui
lui donnerai un morceau de pain.

— Vous étiez si bonne pour elle... Elle
devrait gagner de l'argent; les fruits sont avantageux, cette année... Et votre beau-frère?

— Oh! lui...

Madame Lecœur pinça les lèvres et parut ne
pas vouloir en dire davantage.

— Toujours le même, hein? continua mademoiselle Saget. C'est un bien brave homme... Je
me suis laissé dire qu'il mangeait son argent
d'une façon...

— Est-ce qu'on sait s'il mange son argent! dit
brutalement madame Lecœur. C'est un cachot-
tier, c'est un ladre, c'est un homme, voyez-vous,
mademoiselle, qui me laisserait crever plutôt que

de me prêter cent sous... Il sait parfaitement que
les beurres, pas plus que les fromages et les
œufs, n'ont marché cette saison. Lui, vend toute
la volaille qu'il veut... Eh bien, pas une fois,
non, pas une fois, il ne m'aurait offert ses services. Je suis bien trop fière pour accepter, vous
comprenez, mais ça m'aurait fait plaisir.

— Eh! le voilà, votre beau-frère, reprit mademoiselle Saget, en baissant la voix.

Les deux femmes se tournèrent, regardèrent
quelqu'un qui traversait la chaussée pour entrer
sous la grande rue couverte.

— Je suis pressée, murmura madame Lecœur,
j'ai laissé ma boutique toute seule. Puis, je
ne veux pas lui parler.

Florent s'était aussi retourné, machinalement.
Il vit un petit homme, carré, l'air heureux, les
cheveux gris et taillés en brosse, qui tenait sous
chacun de ses bras une oie grasse dont la tête
pendait et lui tapait sur les cuisses. Et, brusquement, il eut un geste de joie; il courut derrière cet homme, oubliant sa fatigue. Quand il
l'eut rejoint :

— Gavard! dit-il, en lui frappant sur l'épaule.

L'autre leva la tête, examina d'un air surpris cette longue figure noire qu'il ne reconnaissait pas. Puis, tout d'un coup :

— Vous! vous! s'écria-t-il au comble de la stupéfaction. Comment, c'est vous!

Il manqua laisser tomber ses oies grasses. Il ne

se calmait pas. Mais, ayant aperçu sa belle-sœur
et mademoiselle Saget, qui assistaient curieusement de loin à leur rencontre, il se remit à
marcher, en disant :

— Ne restons pas là, venez... Il y a des yeux
et des langues de trop.

Et, sous la rue couverte, ils causèrent. Florent
raconta qu'il était allé rue Pirouette. Gavard
trouva cela très drôle; il rit beaucoup, il lui
apprit que son frère Quenu avait déménagé et
rouvert sa charcuterie à deux pas, rue Rambuteau, en face des Halles. Ce qui l'amusa encore
prodigieusement, ce fut d'entendre que Florent
s'était promené tout le matin avec Claude Lantier, un drôle de corps, qui était justement le
neveu de madame Quenu. Il allait le conduire
à la charcuterie. Puis, quand il sut qu'il était
rentré en France avec de faux papiers, il prit
toutes sortes d'airs mystérieux et graves. Il voulut marcher devant lui, à cinq pas de distance,
pour ne pas éveiller l'attention. Après avoir
passé par le pavillon de la volaille, où il accrocha
ses deux oies à son étalage, il traversa la rue
Rambuteau, toujours suivi par Florent. Là, au
milieu de la chaussée, du coin de l'œil, il lui
désigna une grande et belle boutique de charcuterie.

Le soleil enfilait obliquement la rue Rambuteau, allumant les façades, au milieu desquelles
l'ouverture de la rue Pirouette faisait un trou

noir. A l'autre bout, le grand vaisseau de Saint-
Eustache était tout doré dans la poussière du
soleil, comme une immense châsse. Et, au milieu
de la cohue, du fond du carrefour, une armée
de balayeurs s'avançait, sur une ligne, à coups
réguliers de balai; tandis que des boueux
jetaient les ordures à la fourche dans des tombereaux qui s'arrêtaient, tous les vingt pas, avec
des bruits de vaisselles cassées. Mais Florent
n'avait d'attention que pour la grande charcuterie, ouverte et flambante au soleil levant.

Elle faisait presque le coin de la rue Pirouette.
Elle était une joie pour le regard. Elle riait,
toute claire, avec des pointes de couleurs vives
qui chantaient au milieu de la blancheur de ses
marbres. L'enseigne, où le nom de QUENU-
GRADELLE luisait en grosses lettres d'or, dans un
encadrement de branches et de feuilles, dessiné
sur un fond tendre, était faite d'une peinture
recouverte d'une glace. Les deux panneaux laté-
raux de la devanture, également peints et sous
verre, représentaient de petits Amours joufflus,
jouant au milieu de hures, de côtelettes de porc,
de guirlandes de saucisses; et ces natures mortes,
ornées d'enroulements et de rosaces, avaient une
telle tendresse d'aquarelle, que les viandes crues
y prenaient des tons roses de confitures. Puis,
dans ce cadre aimable, l'étalage montait. Il était
posé sur un lit de fines rognures de papier bleu;
par endroits, des feuilles de fougère, délicatement

rangées, changeaient certaines assiettes en bouquets entourés de verdure. C'était un monde de
bonnes choses, de choses fondantes, de choses
grasses. D'abord, tout en bas, contre la glace, il
y avait une rangée de pots de rillettes, entre-
mêlés de pots de moutarde. Les jambonneaux
désossés venaient au-dessus, avec leur bonne
figure ronde, jaune de chapelure, leur manche
terminé par un pompon vert. Ensuite arrivaient
les grands plats : les langues fourrées de Strasbourg, rouges et vernies, saignantes à côté de la
pâleur des saucisses et des pieds de cochon; les
boudins, noirs, roulés comme des couleuvres
bonnes filles; les andouilles, empilées deux à
deux, crevant de santé; les saucissons, pareils à
des échines de chantre, dans leurs chapes d'argent; les pâtés, tout chauds, portant les petits
drapeaux de leurs étiquettes; les gros jambons,
les grosses pièces de veau et de porc, glacées,
et dont la gelée avait des limpidités de sucre
candi. Il y avait encore de larges terrines au
fond desquelles dormaient des viandes et des
hachis, dans des lacs de graisse figée. Entre les
assiettes, entre les plats, sur le lit de rognures
bleues, se trouvaient jetés des bocaux d'aschards,
de coulis, de truffes conservées, des terrines de
foies gras, des boîtes moirées de thon et de sardines. Une caisse de fromages laiteux, et une
autre caisse, pleine d'escargots bourrés de beurre
persillé, étaient posées aux deux coins, négli-

gemment. Enfin, tout en haut, tombant d'une barre à dents de loup, des colliers de saucisses, de saucissons, de cervelas, pendaient, symétriques, semblables à des cordons et à des glands de tentures riches; tandis que, derrière, des lambeaux de crépine mettaient leur dentelle, leur fond de guipure blanche et charnue. Et là, sur le dernier gradin de cette chapelle du ventre, au milieu des bouts de la crépine, entre deux bouquets de glaïeuls pourpres, le reposoir se couronnait d'un aquarium carré, garni de rocailles, où deux poissons rouges nageaient, continuellement.

Florent sentit un frisson à fleur de peau; et il aperçut une femme, sur le seuil de la boutique, dans le soleil. Elle mettait un bonheur de plus, une plénitude solide et heureuse, au milieu de toutes ces gaietés grasses. C'était une belle femme. Elle tenait la largeur de la porte, point trop grosse pourtant, forte de la gorge, dans la maturité de la trentaine. Elle venait de se lever, et déjà ses cheveux, lissés, collés et comme vernis, lui descendaient en petits bandeaux plats sur les tempes. Cela la rendait très propre. Sa chair, paisible, avait cette blancheur transparente, cette peau fine et rosée des personnes qui vivent d'ordinaire dans les graisses et les viandes crues. Elle était sérieuse plutôt, très calme et très lente, s'égayant du regard, les lèvres graves. Son col de linge empesé bridant sur son cou, ses manches blanches qui lui montaient jusqu'aux coudes, son tablier blanc cachant la pointe de ses souliers, ne laissaient voir que des bouts de sa robe de cachemire noir, les épaules rondes, le corsage plein, dont le corset tendait l'étoffe, extrêmement. Dans tout ce blanc, le soleil brûlait. Mais, trempée de clarté, les cheveux bleus, la chair rose, les manches et la jupe éclatantes, elle ne clignait pas les paupières, elle prenait en toute tranquillité béate son bain de lumière matinale, les yeux doux, riant aux Halles débordantes. Elle avait un air de grande honnêteté.

— C'est la femme de votre frère, votre belle-sœur Lisa, dit Gavard à Florent.

Il l'avait saluée d'un léger signe de tête. Puis, il s'enfonça dans l'allée, continuant à prendre des précautions minutieuses, ne voulant pas que Florent entrât par la boutique qui était vide pourtant. Il était évidemment très heureux de se mettre dans une aventure qu'il croyait compromettante.

— Attendez, dit-il, je vais voir si votre frère est seul... Vous entrerez, quand je taperai dans mes mains.

Il poussa une porte, au fond de l'allée. Mais, lorsque Florent entendit la voix de son frère, derrière cette porte, il entra d'un bond. Quenu, qui l'adorait, se jeta à son cou. Ils s'embrassaient comme des enfants.

— Ah! saperlotte, ah! c'est toi, balbutiait Quenu, si je m'attendais, par exemple!... Je t'ai cru mort, je le disais hier encore à Lisa : « Ce pauvre Florent... »

Il s'arrêta, il cria, en penchant la tête dans la boutique :

— Eh! Lisa!... Lisa!...

Puis, se tournant vers une petite fille qui s'était réfugiée dans un coin :

— Pauline, va donc chercher ta mère.

Mais la petite ne bougea pas. C'était une superbe enfant de cinq ans, ayant une grosse figure ronde, d'une grande ressemblance avec la belle charcutière. Elle tenait, entre ses bras, un énorme chat jaune, qui s'abandonnait d'aise, les pattes pendantes; et elle le serrait de ses petites mains, pliant sous la charge, comme si elle eût craint que ce monsieur si mal habillé ne le lui volât.

Lisa arriva lentement.

— C'est Florent, c'est mon frère, répétait Quenu.

Elle l'appela « monsieur », fut très bonne. Elle le regardait paisiblement, de la tête aux pieds, sans montrer aucune surprise malhonnête. Ses lèvres seules avaient un léger pli. Et elle resta debout, finissant par sourire des embrassades de son mari. Celui-ci pourtant parut se calmer. Alors il vit la maigreur, la misère de Florent.

— Ah! mon pauvre ami, dit-il, tu n'as pas

embelli, là-bas... Moi, j'ai engraissé, que veux-tu!

Il était gras, en effet, trop gras pour ses trente ans. Il débordait dans sa chemise, dans son tablier, dans ses linges blancs qui l'emmaillotaient comme un énorme poupon. Sa face rasée s'était allongée, avait pris à la longue une lointaine ressemblance avec le groin de ces cochons, de cette viande, où ses mains s'enfonçaient et vivaient, la journée entière. Florent le reconnaissait à peine. Il s'était assis, il passait de son frère à la belle Lisa, à la petite Pauline. Ils suaient la santé; ils étaient superbes, carrés, luisants; ils le regardaient avec l'étonnement de gens très gras pris d'une vague inquiétude en face d'un maigre. Et le chat lui-même, dont la peau pétait de graisse, arrondissait ses yeux jaunes, l'examinait d'un air défiant.

— Tu attendras le déjeuner, n'est-ce pas? demanda Quenu. Nous mangeons de bonne heure, à dix heures.

Une odeur forte de cuisine traînait. Florent revit sa nuit terrible, son arrivée dans les légumes, son agonie au milieu des Halles, cet éboulement continu de nourriture auquel il venait d'échapper. Alors, il dit à voix basse, avec un sourire doux :

— Non, j'ai faim, vois-tu.

II

FLORENT venait de commencer son droit à Paris,
lorsque sa mère mourut. Elle habitait Le Vigan,
dans le Gard. Elle avait épousé en secondes noces
un Normand, un Quenu, d'Yvetot, qu'un sous-
préfet avait amené et oublié dans le Midi. Il
était resté employé à la sous-préfecture, trouvant
le pays charmant, le vin bon, les femmes
aimables. Une indigestion, trois ans après le
mariage, l'emporta. Il laissait pour tout héritage à sa femme un gros garçon qui lui ressemblait. La mère payait déjà très difficilement les
mois de collège de son aîné, Florent, l'enfant
du premier lit. Il lui donnait de grandes satis-
factions : il était très doux, travaillait avec
ardeur, remportait les premiers prix. Ce fut sur
lui qu'elle mit toutes ses tendresses, tous ses
espoirs. Peut-être préférait-elle, dans ce garçon
pâle et mince, son premier mari, un de ces
Provençaux d'une mollesse caressante, qui
l'avait aimée à en mourir. Peut-être Quenu,
dont la bonne humeur l'avait d'abord séduite,

s'était-il montré trop gras, trop satisfait, trop
certain de tirer de lui-même ses meilleures joies.
Elle décida que son dernier-né, le cadet, celui
que les familles méridionales sacrifient souvent
encore, ne ferait jamais rien de bon; elle se
contenta de l'envoyer à l'école, chez une vieille
fille sa voisine, où le petit n'apprit guère qu'à
galopiner. Les deux frères grandirent loin l'un
de l'autre, en étrangers.

Quand Florent arriva au Vigan, sa mère était
enterrée. Elle avait exigé qu'on lui cachât sa
maladie jusqu'au dernier moment, pour ne pas
le déranger dans ses études. Il trouva le petit
Quenu, qui avait douze ans, sanglotant tout seul
au milieu de la cuisine assis sur une table. Un
marchand de meubles, un voisin, lui conta
l'agonie de la malheureuse mère. Elle en était
à ses dernières ressources, elle s'était tuée au
travail pour que son fils pût faire son droit.
A un petit commerce de rubans d'un médiocre
rapport, elle avait dû joindre d'autres métiers
qui l'occupaient fort tard. L'idée fixe de voir
son Florent avocat, bien posé dans la ville, finissait par la rendre dure, avare, impitoyable pour
elle-même et pour les autres. Le petit Quenu
allait avec des culottes percées, des blouses dont
les manches s'effiloquaient; il ne se servait
jamais à table, il attendait que sa mère lui eût
coupé sa part de pain. Elle se taillait des tranches
tout aussi minces. C'était à ce régime qu'elle

avait succombé, avec le désespoir immense de ne pas achever sa tâche.

Cette histoire fit une impression terrible sur le caractère tendre de Florent. Les larmes l'étouffaient. Il prit son frère dans ses bras, le tint serré, le baisa comme pour lui rendre l'affection dont il l'avait privé. Et il regardait ses pauvres souliers crevés, ses coudes troués, ses mains sales, toute cette misère d'enfant abandonné. Il lui répétait qu'il allait l'emmener, qu'il serait heureux avec lui. Le lendemain, quand il examina la situation, il eut peur de ne pouvoir même réserver la somme nécessaire pour retourner à Paris. A aucun prix, il ne voulait rester au Vigan. Il céda heureusement la petite boutique de rubans. Et cela lui permit de payer les dettes que sa mère, très rigide sur les questions d'argent, s'était pourtant laissée peu à peu entraîner à contracter. Et comme il ne lui restait rien, le voisin, le marchand de meubles, lui offrit cinq cents francs du mobilier et du linge de la défunte. Il faisait une bonne affaire. Le jeune homme le remercia, les larmes aux yeux. Il habilla son frère à neuf, l'emmena, le soir même.

A Paris, il ne pouvait plus être question de suivre les cours de l'Ecole de droit. Florent remit à plus tard toute ambition. Il trouva quelques leçons, s'installa avec Quenu, rue Royer-Collard, au coin de la rue Saint-Jacques, dans

une grande chambre qu'il meubla de deux lits
de fer, d'une armoire, d'une table et de quatre
chaises. Dès lors, il eut un enfant. Sa paternité
le charmait. Dans les premiers temps, le soir,
quand il rentrait, il essayait de donner des
leçons au petit; mais celui-ci n'écoutait guère;
il avait la tête dure, refusait d'apprendre, sanglotant, regrettant l'époque où sa mère le laissait
courir les rues. Florent, désespéré, cessait la
leçon, le consolait, lui promettait des vacances
indéfinies. Et pour s'excuser de sa faiblesse, il se
disait qu'il n'avait pas pris le cher enfant avec
lui dans le but de le contrarier. Ce fut sa règle
de conduite, le regarder grandir en joie. Il l'adorait, était ravi de ses rires, goûtait des douceurs
infinies à le sentir autour de lui, bien portant,
ignorant de tout souci. Florent restait mince
dans ses paletots noirs râpés, et son visage commençait à jaunir, au milieu des taquineries
cruelles de l'enseignement. Quenu devenait un
petit bonhomme tout rond, un peu bête, sachant
à peine lire et écrire, mais d'une belle humeur
inaltérable qui emplissait de gaieté la grande
chambre sombre de la rue Royer-Collard.

Cependant, les années passaient. Florent, qui
avait hérité des dévouements de sa mère, gardait
Quenu au logis comme une grande fille paresseuse. Il lui évitait jusqu'aux menus soins de
l'intérieur; c'était lui qui allait chercher les
provisions, qui faisait le ménage et la cuisine.

Cela, disait-il, le tirait de ses mauvaises pensées. Il était sombre d'ordinaire, se croyait méchant. Le soir, quand il rentrait, crotté, la tête basse de la haine des enfants des autres, il était tout attendri par l'embrassade de ce gros et grand garçon, qu'il trouvait en train de jouer à la toupie, sur le carreau de la chambre. Quenu riait de sa maladresse à faire les omelettes et de la façon sérieuse dont il mettait le pot-au-feu. La lampe éteinte, Florent redevenait triste, parfois, dans son lit. Il songeait à reprendre ses études de droit, il s'ingéniait pour disposer son temps de façon à suivre les cours de la Faculté. Il y parvint, fut parfaitement heureux. Mais une petite fièvre, qui le retint huit jours à la maison, creusa un tel trou dans leur budget et l'inquiéta à un tel point, qu'il abandonna toute idée de terminer ses études. Son enfant grandissait. Il entra comme professeur dans une pension de la rue de l'Estrapade, aux appointements de dix-huit cents francs. C'était une fortune. Avec de l'économie, il allait mettre de l'argent de côté pour établir Quenu. A dix-huit ans, il le traitait encore en demoiselle qu'il faut doter.

Pendant la courte maladie de son frère, Quenu, lui aussi, avait fait des réflexions. Un matin, il déclara qu'il voulait travailler, qu'il était assez grand pour gagner sa vie. Florent fut profondément touché. Il y avait, en face d'eux, de l'autre côté de la rue, un horloger en chambre que l'enfant voyait toute la journée, dans la clarté crue de la fenêtre, penché sur sa petite table, maniant des choses délicates, les regardant à la loupe, patiemment. Il fut séduit, il prétendit qu'il avait du goût pour l'horlogerie. Mais, au bout de quinze jours, il devint inquiet, il pleura comme un garçon de dix ans, trouvant que c'était trop compliqué, que jamais il ne saurait « toutes les petites bêtises qui entrent dans une montre ». Maintenant, il préférerait être serrurier. La serrurerie le fatigua. En deux années, il tenta plus de dix métiers. Florent pensait qu'il avait raison, qu'il ne faut pas se mettre dans un état à contrecœur. Seulement, le beau dévouement de Quenu, qui voulait gagner sa vie, coûtait cher au ménage des deux jeunes gens. Depuis qu'il courait les ateliers, c'étaient sans cesse des dépenses nouvelles, des frais de vêtements, de nourriture prise au-dehors, de bienvenue payée aux camarades. Les dix-huit cents francs de Florent ne suffisaient plus. Il avait dû prendre deux leçons qu'il donnait le soir. Pendant huit ans, il porta la même redingote.

Les deux frères s'étaient fait un ami. La maison avait une façade sur la rue Saint-Jacques, et là s'ouvrait une grande rôtisserie, tenue par un digne homme nommé Gavard, dont la femme se mourait de la poitrine, au milieu de l'odeur grasse des volailles. Quand Florent rentrait trop tard pour faire cuire quelque bout de viande, il achetait en bas un morceau de dinde ou un morceau d'oie de douze sous. C'était des jours de grand régal. Gavard finit par s'intéresser à ce garçon maigre, il connut son histoire, il attira le petit. Et bientôt Quenu ne quitta plus la rôtisserie. Dès que son frère partait, il descendait, il s'installait au fond de la boutique, ravi des quatre broches gigantesques qui tournaient avec un bruit doux, devant les hautes flammes claires.

Les larges cuivres de la cheminée luisaient, les volailles fumaient, la graisse chantait dans la lèchefrite, les broches finissaient par causer entre elles, par adresser des mots aimables à Quenu, qui, une longue cuiller à la main, arrosait dévotement les ventres dorés des oies rondes et des grandes dindes. Il restait des heures, tout rouge des clartés dansantes de la flambée, un peu abêti, riant vaguement aux grosses bêtes qui cuisaient, et il ne se réveillait que lorsqu'on débrochait. Les volailles tombaient dans les plats; les broches sortaient des ventres, toutes fumantes; les ventres se vidaient, laissant couler le jus par les trous du derrière et de la gorge, emplissant la boutique d'une odeur forte de rôti. Alors, l'enfant, debout, suivant des yeux l'opération, battait des mains, parlait aux volailles, leur disait qu'elles étaient bien bonnes, qu'on les mangerait, que les chats n'auraient que les os. Et il tressautait, quand Gavard lui donnait

une tartine de pain, qu'il mettait mijoter dans
la lèchefrite, pendant une demi-heure.

Ce fut là sans doute que Quenu prit l'amour
de la cuisine. Plus tard, après avoir essayé de
tous les métiers, il revint fatalement aux bêtes
qu'on débroche, aux jus qui forcent à se lécher
les doigts. Il craignait d'abord de contrarier son
frère, petit mangeur parlant des bonnes choses
avec un dédain d'homme ignorant. Puis, voyant
Florent l'écouter, lorsqu'il lui expliquait quelque plat très compliqué. il lui avoua sa vocation,
il entra dans un grand restaurant. Dès lors, la
vie des deux frères fut réglée. Ils continuèrent
à habiter la chambre de la rue Royer-Collard,
où ils se retrouvaient chaque soir : l'un, la face
réjouie par ses fourneaux; l'autre, le visage battu
de sa misère de professeur crotté. Florent gardait
sa défroque noire, s'oubliait sur les devoirs de
ses élèves, tandis que Quenu, pour se mettre à
l'aise, reprenait son tablier, sa veste blanche et
son bonnet blanc de marmiton, tournant autour
du poêle, s'amusant à quelque friandise cuite au
four. Et parfois ils souriaient de se voir ainsi.
l'un tout blanc, l'autre tout noir. La vaste pièce
semblait moitié fâchée, moitié joyeuse, de ce
deuil et de cette gaieté. Jamais ménage plus dis-
parate ne s'entendit mieux. L'aîné avait beau
maigrir, brûlé par les ardeurs de son père; le
cadet avait beau engraisser, en digne fils de
Normand; ils s'aimaient dans leur mère com-

mune, dans cette femme qui n'était que tendresse.

Ils avaient un parent, à Paris, un frère de leur
mère, un Gradelle, établi charcutier, rue
Pirouette, dans le quartier des Halles. C'était un
gros avare, un homme brutal, qui les reçut
comme des meurt-de-faim, la première fois qu'ils
se présentèrent chez lui. Ils y retournèrent rarement. Le jour de la fête du bonhomme, Quenu
lui portait un bouquet, et en recevait·une pièce
de dix sous. Florent, d'une fierté maladive, souffrait, lorsque Gradelle examinait sa redingote
mince, de l'œil inquiet et soupçonneux d'un
ladre qui flaire la demande d'un dîner ou d'une
pièce de cent sous. Il eut la naïveté, un jour, de
changer chez son oncle un billet de cent francs.
L'oncle eut moins peur, en voyant venir les
petits, comme il les appelait. Mais les amitiés en
restèrent là.

Ces années furent pour Florent un long rêve
doux et triste. Il goûta toutes les joies amères
du dévouement. Au logis, il n'avait que des tendresses. Dehors, dans les humiliations de ses
élèves, dans le coudoiement des trottoirs, il se
sentait devenir mauvais. Ses ambitions mortes
s'aigrissaient. Il lui fallut de longs mois pour
plier les épaules et accepter ses souffrances
d'homme laid, médiocre et pauvre. Voulant
échapper aux tentations de méchanceté, il se jeta
en pleine bonté idéale, il se créa un refuge de

justice et de vérité absolues. Ce fut alors qu'il
devint républicain; il entra dans la république
comme les filles désespérées entrent au couvent.
Et ne trouvant pas une république assez tiède,
assez silencieuse, pour endormir ses maux, il
s'en créa une. Les livres lui déplaisaient; tout ce
papier noirci, au milieu duquel il vivait, lui
rappelait la classe puante, les boulettes de papier
mâché des gamins, la torture des longues heures
stériles. Puis, les livres ne lui parlaient que de
révolte, le poussaient à l'orgueil, et c'était
d'oubli et de paix dont il se sentait l'impérieux
besoin. Se bercer, s'endormir, rêver qu'il était
parfaitement heureux, que le monde allait le
devenir, bâtir la cité républicaine où il aurait
voulu vivre : telle fut sa récréation, l'œuvre
éternellement reprise de ses heures libres. Il ne
lisait plus, en dehors des nécessités de l'enseignement; il remontait la rue Saint-Jacques, jusqu'aux boulevards extérieurs, faisait une grande
course parfois, revenait par la barrière d'Italie;
et, tout le long de la route, les yeux sur le
quartier Mouffetard étalé à ses pieds, il arran-
geait des mesures morales, des projets de loi
humanitaires, qui auraient changé cette ville
souffrante en une ville de béatitude. Quand les
journées de février ensanglantèrent Paris, il fut
navré, il courut les clubs, demandant le rachat
de ce sang « par le baiser fraternel des républicains du monde entier ». Il devint un de ces

orateurs illuminés qui prêchèrent la révolution comme une religion nouvelle, toute de douceur et de rédemption. Il fallut les journées de décembre pour le tirer de sa tendresse universelle. Il était désarmé. Il se laissa prendre comme un mouton, et fut traité en loup. Quand il s'éveilla de son sermon sur la fraternité, il crevait la faim sur la dalle froide d'une casemate de Bicêtre.

Quenu, qui avait alors vingt-deux ans, fut pris d'une angoisse mortelle, en ne voyant pas rentrer son frère. Le lendemain, il alla chercher, au cimetière Montmartre, parmi les morts du boulevard, qu'on avait alignés sous de la paille; les têtes passaient, affreuses. Le cœur lui manquait, les larmes l'aveuglaient, il dut revenir à deux reprises, le long de la file. Enfin, à la préfecture de police, au bout de huit grands jours, il apprit que son frère était prisonnier. Il ne put le voir. Comme il insistait, on le menaça de l'arrêter lui-même. Il courut alors chez l'oncle Gradelle, qui était un personnage pour lui, espérant le déterminer à sauver Florent. Mais l'oncle Gradelle s'emporta, prétendit que c'était bien fait, que ce grand imbécile n'avait pas besoin de se fourrer avec ces canailles de républicains; il ajouta même que Florent devait mal tourner, que cela était écrit sur sa figure. Quenu pleurait toutes les larmes de son corps. Il restait là, suffoquant. L'oncle, un peu honteux, sentant qu'il devait faire quelque chose pour ce pauvre garçon, lui offrit de le prendre avec lui. Il le savait bon cuisinier, et avait besoin d'un aide. Quenu redoutait tellement de rentrer seul dans la grande chambre de la rue Royer-Collard, qu'il accepta. Il coucha chez son oncle, le soir même, tout en haut, au fond d'un trou noir où il pouvait à peine s'allonger. Il y pleura moins qu'il n'aurait pleuré en face du lit vide de son frère.

Il réussit enfin à voir Florent. Mais, en revenant de Bicêtre, il dut se coucher; une fièvre le tint pendant près de trois semaines dans une somnolence hébétée. Ce fut sa première et sa seule maladie. Gradelle envoyait son républicain de neveu à tous les diables. Quand il connut son départ pour Cayenne, un matin, il tapa dans les mains de Quenu, l'éveilla, lui annonça brutalement cette nouvelle, provoqua une telle crise que le lendemain le jeune homme était debout. Sa douleur se fondit; ses chairs molles semblèrent boire ses dernières larmes. Un mois plus tard, il riait, s'irritait, tout triste d'avoir ri; puis la belle humeur l'emportait, et il riait sans savoir.

Il apprit la charcuterie. Il y goûtait plus de jouissances encore que dans la cuisine. Mais l'oncle Gradelle lui disait qu'il ne devait pas trop négliger ses casseroles, qu'un charcutier bon cuisinier était rare, que c'était une chance

d'avoir passé par un restaurant avant d'entrer
chez lui. Il utilisait ses talents, d'ailleurs; il lui
faisait faire des dîners pour la ville, le chargeait
particulièrement des grillades et des côtelettes
de porc aux cornichons. Comme le jeune homme
lui rendait de réels services, il l'aima à sa
manière, lui pinçant les bras, les jours de belle
humeur. Il avait vendu le pauvre mobilier de
la rue Royer-Collard, et en gardait l'argent,
quarante et quelques francs, pour que ce farceur
de Quenu, disait-il, ne le jetât pas par les
fenêtres. Il finit pourtant par lui donner chaque
mois six francs pour ses menus plaisirs.

Quenu, serré d'argent, brutalisé parfois, était
parfaitement heureux. Il aimait qu'on lui
mâchât sa vie. Florent l'avait trop élevé en fille
paresseuse. Puis, il s'était fait une amie chez
l'oncle Gradelle. Quand celui-ci perdit sa
femme, il dut prendre une fille, pour le comptoir. Il la choisit bien portante, appétissante,
sachant que cela égaie le client et fait honneur
aux viandes cuites. Il connaissait, rue Cuvier,
près du Jardin des Plantes, une dame veuve,
dont le mari avait eu la direction des postes à
Plassans, une sous-préfecture du Midi. Cette
dame, qui vivait d'une petite rente viagère, très
modestement, avait amené de cette ville une
grosse et belle enfant, qu'elle traitait comme sa
propre fille. Lisa la soignait d'un air placide,
avec une humeur égale, un peu sérieuse, tout

à fait belle quand elle souriait. Son grand
charme venait de la façon exquise dont elle plaçait son rare sourire. Alors, son regard était une
caresse, sa gravité ordinaire donnait un prix
inestimable à cette science soudaine de séduc-
tion. La vieille dame disait souvent qu'un sourire de Lisa la conduirait en enfer. Lorsqu'un
asthme l'emporta, elle laissa à sa fille d'adoption
toutes ses économies, une dizaine de mille francs.
Lisa resta huit jours seule dans le logement de
la rue Cuvier; ce fut là que Gradelle vint la
chercher. Il la connaissait pour l'avoir souvent
vue avec sa maîtresse, quand cette dernière lui
rendait visite, rue Pirouette. Mais, à l'enterrement, elle lui parut si embellie, si solidement
bâtie, qu'il alla jusqu'au cimetière. Pendant
qu'on descendait le cercueil, il réfléchissait
qu'elle serait superbe dans la charcuterie. Il se
tâtait, se disait qu'il lui offrirait bien trente
francs par mois, avec le logement et la nourriture. Lorsqu'il lui fit des propositions, elle
demanda vingt-quatre heures pour lui rendre
réponse. Puis, un matin, elle arriva avec son
petit paquet, et ses dix mille francs, dans son
corsage. Un mois plus tard, la maison lui appartenait, Gradelle, Quenu, jusqu'au dernier des
marmitons. Quenu, surtout, se serait haché les
doigts pour elle. Quand elle venait à sourire, il
restait là, riant d'aise lui-même à la regarder.

Lisa, qui était la fille aînée des Macquart, de

Plassans, avait encore son père. Elle le disait à
l'étranger, ne lui écrivait jamais. Parfois, elle
laissait seulement échapper que sa mère était,
de son vivant, une rude travailleuse, et qu'elle
tenait d'elle. Elle se montrait, en effet, très
patiente au travail. Mais elle ajoutait que la
brave femme avait eu une belle constance de
se tuer pour faire aller le ménage. Elle parlait
alors des devoirs de la femme et des devoirs
du mari, très sagement, d'une façon honnête,
qui ravissait Quenu. Il lui affirmait qu'il avait
absolument ses idées. Les idées de Lisa étaient
que tout le monde doit travailler pour manger;
que chacun est chargé de son propre bonheur;
qu'on fait le mal en encourageant la paresse;
enfin, que, s'il y a des malheureux, c'est tant
pis pour les fainéants. C'était là une condamnation très nette de l'ivrognerie, des flâneries légen-
daires du vieux Macquart. Et, à son insu, Macquart parlait haut en elle; elle n'était qu'une
Macquart rangée, raisonnable, logique avec ses
besoins de bien-être, ayant compris que la meilleure façon de s'endormir dans une tiédeur
heureuse est encore de se faire soi-même un lit
de béatitude. Elle donnait à cette couche moel-
leuse toutes ses heures, toutes ses pensées. Dès
l'âge de six ans, elle consentait à rester bien
sage sur sa petite chaise, la journée entière, à la
condition qu'on la récompenserait d'un gâteau
le soir.

Chez le charcutier Gradelle, Lisa continua sa vie calme, régulière, éclairée par ses beaux sourires. Elle n'avait pas accepté l'offre du bonhomme à l'aventure; elle savait trouver en lui un chaperon, elle pressentait peut-être, dans cette boutique sombre de la rue Pirouette, avec le flair des personnes chanceuses, l'avenir solide qu'elle rêvait, une vie de jouissances saines, un travail sans fatigue, dont chaque heure amenât la récompense. Elle soigna son comptoir avec les soins tranquilles qu'elle avait donnés à la veuve du directeur des postes. Bientôt la propreté des tabliers de Lisa fut proverbiale dans le quartier. L'oncle Gradelle était si content de cette belle fille, qu'il disait parfois à Quenu, en ficelant ses saucissons :

— Si je n'avais pas soixante ans passés, ma parole d'honneur, je ferais la bêtise de l'épouser... C'est de l'or en barre, mon garçon, une femme comme ça dans le commerce.

Quenu renchérissait. Il rit pourtant à belles dents, un jour qu'un voisin l'accusa d'être amoureux de Lisa. Cela ne le tourmentait guère. Ils étaient très bons amis. Le soir, ils montaient ensemble se coucher. Lisa occupait, à côté du trou noir où s'allongeait le jeune homme, une chambre qu'elle avait rendue toute claire, en l'ornant partout de rideaux de mousseline. Ils restaient là, un instant, sur le palier, leur bougeoir à la main, causant, mettant la clef dans la

serrure. Et ils refermaient leur porte, disant
amicalement :

— Bonsoir mademoiselle Lisa.

— Bonsoir, monsieur Quenu.

Quenu se mettait au lit en écoutant Lisa faire
son petit ménage. La cloison était si mince, qu'il
pouvait suivre chacun de ses mouvements. Il
pensait : « Tiens, elle tire les rideaux de sa
fenêtre. Qu'est-ce qu'elle peut bien faire devant
sa commode? La voilà qui s'assoit et qui ôte
ses bottines. Ma foi, bonsoir, elle a soufflé sa
bougie. Dormons. » Et, s'il entendait craquer le
lit, il murmurait en riant : « Fichtre! elle n'est
pas légère, mademoiselle Lisa. » Cette idée
l'égayait : il finissait par s'endormir, en songeant
aux jambons et aux bandes de petit salé qu'il
devait préparer le lendemain.

Cela dura un an, sans une rougeur de Lisa,
sans un embarras de Quenu. Le matin, au fort
du travail, lorsque la jeune fille venait à la cuisine, leurs mains se rencontraient au milieu
des hachis. Elle l'aidait parfois, elle tenait les
boyaux de ses doigts potelés, pendant qu'il les
bourrait de viandes et de lardons. Ou bien ils
goûtaient ensemble la chair crue des saucisses,
du bout de la langue, pour voir si elle était
convenablement épicée. Elle était de bon
conseil, connaissait des recettes du Midi, qu'il
expérimenta avec succès. Souvent, il la sentait
derrière son épaule, regardant au fond des mar-

mites, s'approchant si près, qu'il avait sa forte
gorge dans le dos. Elle lui passait une cuiller,
un plat. Le grand feu leur mettait le sang sous
la peau. Lui, pour rien au monde, n'aurait cessé
de tourner les bouillies grasses qui s'épaississaient sur le fourneau; tandis que, toute grave,
elle discutait le degré de cuisson. L'après-midi,
lorsque la boutique se vidait, ils causaient tranquillement, pendant des heures. Elle restait
dans son comptoir, un peu renversée, tricotant
d'une façon douce et régulière. Il s'asseyait sur
un billot, les jambes ballantes, tapant des talons
contre le bloc de chêne. Et ils s'entendaient à
merveille; ils parlaient de tout, le plus ordinairement de cuisine, et puis de l'oncle Gradelle,
et encore du quartier. Elle lui racontait des histoires comme à un enfant; elle en savait de
très jolies, des légendes miraculeuses, pleines
d'agneaux et de petits anges, qu'elle disait d'une
voix flûtée, avec son grand air sérieux. Si quelque cliente entrait, pour ne pas se déranger,
elle demandait au jeune homme le pot du saindoux ou la boîte des escargots. A onze heures,
ils remontaient se coucher, lentement, comme
la veille. Puis, en refermant leur porte, de leur
voix calme :

— Bonsoir, mademoiselle Lisa.

— Bonsoir, monsieur Quenu.

Un matin, l'oncle Gradelle fut foudroyé par
une attaque d'apoplexie, en préparant une

galantine. Il tomba le nez sur la table à hacher.
Lisa ne perdit pas son sang-froid. Elle dit qu'il
ne fallait pas laisser le mort au beau milieu de
la cuisine; elle le fit porter au fond, dans un
cabinet où l'oncle couchait. Puis, elle arrangea
une histoire avec les garçons; l'oncle devait être
mort dans son lit, si l'on ne voulait pas dégoûter
le quartier et perdre la clientèle. Quenu aida
à porter le mort, stupide, très étonné de ne pas
trouver de larmes. Plus tard, Lisa et lui pleu-
rèrent ensemble. Il était seul héritier, avec son
frère Florent. Les commères des rues voisines
donnaient au vieux Gradelle une fortune consi-
dérable. La vérité fut qu'on ne découvrit pas
un écu d'argent sonnant. Lisa resta inquiète.
Quenu la voyait réfléchir, regarder autour d'elle
du matin au soir, comme si elle avait perdu
quelque chose. Enfin, elle décida un grand nettoyage, prétendant qu'on jasait, que l'histoire de
la mort du vieux courait, qu'il fallait montrer
une grande propreté. Un après-midi, comme
elle était depuis deux heures à la cave, où elle
lavait elle-même les cuves à saler, elle reparut,
tenant quelque chose dans son tablier. Quenu
hachait des foies de cochon. Elle attendit qu'il
eût fini, causant avec lui d'une voix indifférente.
Mais ses yeux avaient un éclat extraordinaire,
elle sourit de son beau sourire, en lui disant
qu'elle voulait lui parler. Elle monta l'escalier,
péniblement, les cuisses gênées par la chose

qu'elle portait, et qui tendait son tablier à le crever. Au troisième étage, elle soufflait, elle dut s'appuyer un instant contre la rampe. Quenu, étonné, la suivit sans mot dire, jusque dans sa chambre. C'était la première fois qu'elle l'invitait à y entrer. Elle ferma la porte; et, lâchant les coins du tablier que ses doigts roidis ne pouvaient plus tenir, elle laissa rouler doucement sur son lit une pluie de pièces d'argent et de pièces d'or. Elle avait trouvé, au fond d'un saloir, le trésor de l'oncle Gradelle. Le tas fit un grand trou, dans ce lit délicat et moelleux de jeune fille.

La joie de Lisa et de Quenu fut recueillie. Ils s'assirent sur le bord du lit, Lisa à la tête, Quenu au pied, aux deux côtés du tas; et ils comptèrent l'argent sur la couverture, pour ne pas faire de bruit. Il y avait quarante mille francs d'or, trois mille francs d'argent, et, dans un étui de fer-blanc, quarante-deux mille francs en billets de banque. Ils mirent deux bonnes heures pour additionner tout cela. Les mains de Quenu tremblaient un peu. Ce fut Lisa qui fit le plus de besogne. Ils rangeaient les piles d'or sur l'oreiller, laissant l'argent dans le trou de la couverture. Quand ils eurent trouvé le chiffre, énorme pour eux, de quatre-vingt-cinq mille francs, ils causèrent. Naturellement, ils parlèrent de l'avenir, de leur mariage, sans qu'il eût jamais été question d'amour entre eux. Cet

argent semblait leur délier la langue. Ils
s'étaient enfoncés davantage, s'adossant au mur
de la ruelle, sous les rideaux de mousseline
blanche, les jambes un peu allongées; et comme,
en bavardant, leurs mains fouillaient l'argent,
elles s'y étaient rencontrées, s'oubliant l'une
dans l'autre, au milieu des pièces de cent sous.
Le crépuscule les surprit. Alors seulement Lisa
rougit de se voir à côté de ce garçon. Ils avaient
bouleversé le lit, les draps pendaient, l'or, sur
l'oreiller qui les séparait, faisait des creux,
comme si des têtes s'y étaient roulées, chaudes
de passion.

Ils se levèrent gênés, de l'air confus de deux
amoureux qui viennent de commettre une première faute. Ce lit défait, avec tout cet argent,
les accusait d'une joie défendue, qu'ils avaient
goûtée, la porte close. Ce fut leur chute, à eux.
Lisa, qui rattachait ses vêtements comme si elle
avait fait le mal, alla chercher ses dix mille
francs. Quenu voulut qu'elle les mît avec les
quatre-vingt-cinq mille francs de l'oncle; il mêla
les deux sommes en riant, en disant que l'argent,
lui aussi, devait se fiancer; et il fut convenu
que ce serait Lisa qui garderait le « magot »
dans sa commode. Quand elle l'eut serré et
qu'elle eut refait le lit, ils descendirent paisiblement. Ils étaient mari et femme.

Le mariage eut lieu le mois suivant. Le quartier le trouva naturel, tout à fait convenable.

On connaissait vaguement l'histoire du trésor, la probité de Lisa était un sujet d'éloges sans fin; après tout, elle pouvait ne rien dire à Quenu, garder les écus pour elle; si elle avait parlé, c'était par honnêteté pure, puisque personne ne l'avait vue. Elle méritait bien que Quenu l'épousât. Ce Quenu avait de la chance, il n'était pas beau, et il trouvait une belle femme qui lui déterrait une fortune. L'admiration alla si loin, qu'on finit par dire tout bas que « Lisa était vraiment bête d'avoir fait ce qu'elle avait fait ». Lisa souriait, quand on lui parlait de ces choses à mots couverts. Elle et son mari vivaient comme auparavant, dans une bonne amitié, dans une paix heureuse. Elle l'aidait, rencontrait ses mains au milieu des hachis, se penchait au-dessus de son épaule pour visiter d'un coup d'œil les marmites. Et ce n'était toujours que le grand feu de la cuisine qui leur mettait le sang sous la peau.

Cependant, Lisa était une femme intelligente qui comprit vite la sottise de laisser dormir leurs quatre-vingt-quinze mille francs dans le tiroir de la commode. Quenu les aurait volontiers remis au fond du saloir, en attendant d'en avoir gagné autant; ils se seraient alors retirés à Suresnes, un coin de la banlieue qu'ils aimaient. Mais elle avait d'autres ambitions. La rue Pirouette blessait ses idées de propreté, son besoin d'air, de lumière, de santé robuste.

La boutique, où l'oncle Gradelle avait amassé
son trésor, sou à sou, était une sorte de boyau
noir, une de ces charcuteries douteuses des
vieux quartiers, dont les dalles usées gardent
l'odeur forte des viandes, malgré les lavages; et
la jeune femme rêvait une de ces claires boutiques modernes, d'une richesse de salon, mettant la limpidité de leurs glaces sur le trottoir
d'une large rue. Ce n'était pas, d'ailleurs, l'envie
mesquine de faire la dame, derrière un comptoir; elle avait une conscience très nette des
nécessités luxueuses du nouveau commerce.
Quenu fut effrayé, la première fois, quand elle
lui parla de déménager et de dépenser une partie de leur argent à décorer un magasin. Elle
haussait doucement les épaules, en souriant.

Un jour, comme la nuit tombait et que la
charcuterie était noire, les deux époux entendirent, devant leur porte, une femme du quartier qui disait à une autre :

— Ah bien! non, je ne me fournis plus chez
eux, je ne leurs prendrais pas un bout de boudin, voyez-vous, ma chère... Il y a eu un mort
dans leur cuisine.

Quenu en pleura. Cette histoire d'un mort
dans sa cuisine faisait du chemin. Il finissait
par rougir devant les clients, quand il les voyait
flairer de trop près sa marchandise. Ce fut lui
qui reparla à sa femme de son idée de déména-
gement. Elle s'était occupée, sans rien dire, de

la nouvelle boutique; elle en avait trouvé une,
à deux pas, rue Rambuteau, située merveilleu-
sement. Les Halles centrales, qu'on ouvrait en
face, tripleraient la clientèle, feraient connaître
la maison des quatre coins de Paris. Quenu se
laissa entraîner à des dépenses folles; il mit plus
de trente mille francs en marbres, en glaces et
en dorures. Lisa passait des heures avec les
ouvriers, donnait son avis sur les plus minces
détails. Quand elle put enfin s'installer dans son
comptoir, on vint en procession acheter chez
eux, uniquement pour voir la boutique. Le
revêtement des murs était tout en marbre blanc;
au plafond, une immense glace carrée s'enca-
drait dans un large lambris doré et très orné,
laissant pendre, au milieu, un lustre à quatre
branches; et, derrière le comptoir, tenant le
panneau entier, à gauche encore, et au fond,
d'autres glaces, prises entre les plaques de
marbre, mettaient des lacs de clarté, des portes
qui semblaient s'ouvrir sur d'autres salles, à
l'infini, toutes emplies des viandes étalées. A
droite, le comptoir, très grand, fut surtout
trouvé d'un beau travail; des losanges de marbre
rose y dessinaient des médaillons symétriques.
A terre, il y avait, comme dallage, des carreaux
blancs et roses, alternés, avec une grecque rouge
sombre pour bordure. Le quartier fut fier de
sa charcuterie, personne ne songea plus à parler
de la cuisine de la rue Pirouette, où il y avait

eu un mort. Pendant un mois, les voisines s'arrêtèrent sur le trottoir, pour regarder Lisa, à travers les cervelas et les crépines de l'étalage. On
s'émerveillait de sa chair blanche et rosée, autant
que des marbres. Elle parut l'âme, la clarté
vivante, l'idole saine et solide de la charcuterie;
et on ne la nomma plus que la belle Lisa.

A droite de la boutique, se trouvait la salle
à manger, une pièce très propre, avec un buffet,
une table et des chaises cannées de chêne clair.
La natte qui couvrait le parquet, le papier
jaune tendre, la toile cirée imitant le chêne, la
rendaient un peu froide, égayée seulement par
les luisants d'une suspension de cuivre tombant
du plafond, élargissant, au-dessus de la table,
son grand abat-jour de porcelaine transparente.
Une porte de la salle à manger donnait dans
la vaste cuisine carrée. Et, au bout de celle-ci,
il y avait une petite cour dallée, qui servait
de débarras, encombrée de terrines, de tonneaux, d'ustensiles hors d'usage; à gauche de la
fontaine, les pots de fleurs fanées de l'étalage
achevaient d'agoniser, le long de la gargouille
où l'on jetait les eaux grasses.

Les affaires furent excellentes. Quenu, que
les avances avaient épouvanté, éprouvait presque du respect pour sa femme, qui, selon lui,
« était une forte tête ». Au bout de cinq ans,
ils avaient près de quatre-vingt mille francs
placés en bonnes rentes. Lisa expliquait qu'ils

n'étaient pas ambitieux, qu'ils ne tenaient pas à
entasser trop vite; sans cela, elle aurait fait
gagner à son mari « des mille et des cents »,
en le poussant dans le commerce en gros des
cochons. Ils étaient jeunes encore, ils avaient du
temps devant eux; puis, ils n'aimaient pas le
travail salopé, ils voulaient travailler à leur aise,
sans se maigrir de soucis, en bonnes gens qui
tiennent à bien vivre.

— Tenez, ajoutait Lisa, dans ses heures
d'expansion, j'ai un cousin à Paris... Je ne le
vois pas, les deux familles sont brouillées. Il a
pris le nom de Saccard, pour faire oublier certaines choses... Eh bien, ce cousin, m'a-t-on dit,
gagne des millions. Ça ne vit pas, ça se brûle
le sang, c'est toujours par voies et par chemins,
au milieu de trafics d'enfer. Il est impossible,
n'est-ce pas? que ça mange tranquillement son
dîner, le soir. Nous autres, nous savons au moins
ce que nous mangeons, nous n'avons pas ces
tracasseries. On n'aime l'argent que parce qu'il
en faut pour vivre. On tient au bien-être, c'est
naturel. Quant à gagner pour gagner, à se donner plus de mal qu'on ne goûtera ensuite de
plaisir, ma parole, j'aimerais mieux me croiser
les bras... Et puis, je voudrais bien les voir ses
millions, à mon cousin. Je ne crois pas aux
millions comme ça. Je l'ai aperçu, l'autre jour,
en voiture; il était tout jaune, il avait l'air
joliment sournois. Un homme qui gagne de

l'argent n'a pas une mine de cette couleur-là. Enfin, ça le regarde... Nous préférons ne gagner que cent sous, et profiter des cent sous.

Le ménage profitait, en effet. Ils avaient eu une fille, dès la première année de leur mariage. A eux trois, ils réjouissaient les yeux. La maison allait largement, heureusement, sans trop de fatigue, comme le voulait Lisa. Elle avait soigneusement écarté toutes les causes possibles de trouble, laissant couler les journées au milieu de cet air gras, de cette prospérité alourdie. C'était un coin de bonheur raisonné, une mangeoire confortable, où la mère, le père et la fille s'étaient mis à l'engrais. Quenu seul avait des tristesses parfois, quand il songeait à son pauvre Florent. Jusqu'en 1856, il reçut des lettres de lui, de loin en loin. Puis, les lettres cessèrent; il apprit par un journal que trois déportés avaient voulu s'évader de l'île du Diable et s'étaient noyés avant d'atteindre la côte. A la préfecture de police, on ne put lui donner de renseignements précis; son frère devait être mort. Il conserva pourtant quelque espoir; mais les mois se passèrent. Florent, qui battait la Guyane hollandaise, se gardait d'écrire, espérant toujours rentrer en France. Quenu finit par le pleurer comme un mort auquel on n'a pu dire adieu. Lisa ne connaissait pas Florent. Elle trouvait de très bonnes paroles toutes les fois que son mari se désespérait devant elle; elle le

laissait lui raconter pour la centième fois des
histoires de jeunesse, la grande chambre de la
rue Royer-Collard, les trente-six métiers qu'il
avait appris, les friandises qu'il faisait cuire dans
le poêle, tout habillé de blanc, tandis que Florent était tout habillé de noir. Elle l'écoutait
tranquillement, avec des complaisances infinies.

Ce fut au milieu de ces joies sagement culti-
vées et mûries que Florent tomba, un matin de
septembre, à l'heure où Lisa prenait son bain
de soleil matinal, et où Quenu, les yeux gros
encore de sommeil, mettait paresseusement les
doigts dans les graisses figées de la veille. La
charcuterie fut toute bouleversée. Gavard voulut qu'on cachât le « proscrit », comme il le
nommait, en gonflant un peu les joues. Lisa,
plus pâle et plus grave que d'ordinaire, le fit
enfin monter au cinquième, où elle lui donna la
chambre de sa fille de boutique. Quenu avait
coupé du pain et du jambon. Mais Florent put
à peine manger; il était pris de vertiges et de
nausées; il se coucha, resta cinq jours au lit,
avec un gros délire, un commencement de fièvre
cérébrale, qui fut heureusement combattu avec
énergie. Quand il revint à lui, il aperçut Lisa
à son chevet, remuant sans bruit une cuiller
dans une tasse. Comme il voulait la remercier,
elle lui dit qu'il devait se tenir tranquille, qu'on
causerait plus tard. Au bout de trois jours, le
malade fut sur pied. Alors, un matin, Quenu

monta le chercher en lui disant que Lisa les
attendait, au premier, dans sa chambre.

Ils occupaient là un petit appartement, trois
pièces et un cabinet. Il fallait traverser une
pièce nue, où il n'y avait que des chaises, puis
un petit salon, dont le meuble, caché sous des
housses blanches, dormait discrètement dans le
demi-jour des persiennes toujours tirées, pour
que la clarté trop vive ne mangeât pas le bleu
tendre du reps, et l'on arrivait à la chambre
à coucher, la seule pièce habitée, meublée
d'acajou, très confortable. Le lit surtout était
surprenant, avec ses quatre matelas, ses quatre
oreillers, ses épaisseurs de couvertures, son édredon, son assoupissement ventru au fond de
l'alcôve moite. C'était un lit fait pour dormir.
L'armoire à glace, la toilette-commode, le gué-
ridon couvert d'une dentelle au crochet, les
chaises protégées par des carrés de guipure,
mettaient là un luxe bourgeois net et solide.
Contre le mur de gauche, aux deux côtés de la
cheminée garnie de vases à paysages montés
sur cuivre, et d'une pendule représentant un
Gutenberg pensif, tout doré, le doigt appuyé
sur un livre, étaient pendus les portraits à
l'huile de Quenu et de Lisa, dans des cadres
ovales, très chargés d'ornements. Quenu souriait;
Lisa avait l'air comme il faut; tous deux en
noir, la figure lavée, délayée, d'un rose fluide et
d'un dessin flatteur. Une moquette, où des

rosaces compliquées se mêlaient à des étoiles,
cachait le parquet. Devant le lit, s'allongeait un
de ces tapis de mousse, fait de longs brins de
laine frisés, œuvre de patience que la belle charcutière avait tricotée dans son comptoir. Mais
ce qui étonnait, au milieu de ces choses neuves,
c'était, adossé au mur de droite, un grand secrétaire, carré, trapu, qu'on avait fait revernir sans
pouvoir réparer les ébréchures du marbre, ni
cacher les éraflures de l'acajou noir de vieillesse.
Lisa avait voulu conserver ce meuble, dont
l'oncle Gradelle s'était servi pendant plus de
quarante ans : elle disait qu'il leur porterait
bonheur. A la vérité, il avait des ferrures terribles, une serrure de prison, et il était si lourd
qu'on ne pouvait le bouger de place.

Lorsque Florent et Quenu entrèrent, Lisa,
assise devant le tablier baissé du secrétaire, écrivait, alignait des chiffres, d'une grosse écriture
ronde, très lisible. Elle fit un signe pour qu'on
ne la dérangeât pas. Les deux hommes s'assirent.
Florent, surpris, regardait la chambre, les deux
portraits, la pendule, le lit.

— Voici, dit enfin Lisa, après avoir vérifié
posément toute une page de calculs. Ecoutez-
moi... Nous avons des comptes à vous rendre,
mon cher Florent.

C'était la première fois qu'elle le nommait
ainsi. Elle prit la page de calculs et continua :

— Votre oncle Gradelle est mort sans testa-

ment; vous étiez, vous et votre frère, les deux
seuls héritiers... Aujourd'hui, nous devons vous
donner votre part.

— Mais je ne demande rien, s'écria Florent,
je ne veux rien!

Quenu devait ignorer les intentions de sa
femme. Il était devenu un peu pâle, il la regardait d'un air fâché. Vraiment, il aimait bien son
frère; mais il était inutile de lui jeter ainsi
l'héritage de l'oncle à la tête. On aurait vu plus
tard.

— Je sais bien, mon cher Florent, reprit Lisa,
que vous n'êtes pas revenu pour nous réclamer
ce qui vous appartient. Seulement, les affaires
sont les affaires; il vaut mieux en finir tout de
suite... Les économies de votre oncle se montaient à quatre-vingt-cinq mille francs. J'ai donc
porté à votre compte quarante-deux mille cinq
cents francs. Les voici.

Elle lui montra le chiffre sur la feuille de
papier.

— Il n'est pas aussi facile malheureusement
d'évaluer la boutique, matériel, marchandises,
clientèle. Je n'ai pu mettre que des sommes
approximatives; mais je crois avoir compté tout,
très largement... Je suis arrivée au total de
quinze mille trois cent dix francs, ce qui fait
pour vous sept mille six cent cinquante-cinq
francs, et en tout cinquante mille cent cinquante-cinq francs... Vous vérifierez, n'est-ce pas?

Elle avait épelé les chiffres d'une voix nette, et elle lui tendit la feuille de papier, qu'il dut prendre.

— Mais, cria Quenu, jamais la charcuterie du vieux n'a valu quinze mille francs! Je n'en aurais pas donné dix mille, moi!

Sa femme l'exaspérait, à la fin. On ne pousse pas l'honnêteté à ce point. Est-ce que Florent lui parlait de la charcuterie? D'ailleurs, il ne voulait rien, il l'avait dit.

— La charcuterie valait quinze mille trois cent dix francs, répéta tranquillement Lisa... Vous comprenez, mon cher Florent, il est inutile de mettre un notaire là-dedans. C'est à nous de faire notre partage, puisque vous ressuscitez... Dès votre arrivée, j'ai nécessairement songé à cela, et pendant que vous aviez la fièvre, là-haut, j'ai tâché de dresser ce bout d'inventaire tant bien que mal... Vous voyez, tout y est détaillé. J'ai fouillé nos anciens livres, j'ai fait appel à mes souvenirs. Lisez à voix haute, je vous donnerai les renseignements que vous pourriez désirer.

Florent avait fini par sourire. Il était ému de cette probité aisée et comme naturelle. Il posa la page de calculs sur les genoux de la jeune femme; puis, lui prenant la main :

— Ma chère Lisa, dit-il, je suis heureux de voir que vous faites de bonnes affaires; mais je ne veux pas de votre argent. L'héritage est à mon frère et à vous, qui avez soigné l'oncle jusqu'à la fin... Je n'ai besoin de rien, je n'entends pas vous déranger dans votre commerce.

Elle insista, se fâcha même, tandis que, sans parler, se contenant, Quenu mordait ses pouces.

— Eh! reprit Florent en riant, si l'oncle Gradelle vous entendait, il serait capable de venir vous reprendre l'argent... Il ne m'aimait guère, l'oncle Gradelle.

— Ah! pour ça, non, il ne t'aimait guère, murmura Quenu à bout de forces.

Mais Lisa discutait encore. Elle disait qu'elle ne voulait pas avoir dans son secrétaire de l'argent qui ne fût pas à elle, que cela la troublerait, qu'elle n'allait plus vivre tranquille avec cette pensée. Alors Florent, continuant à plaisanter, lui offrit de placer son argent chez elle, dans sa charcuterie. D'ailleurs, il ne refusait pas leurs services; il ne trouverait sans doute pas du travail tout de suite; puis, il n'était guère présentable, il lui faudrait un habillement complet.

— Pardieu! s'écria Quenu, tu coucheras chez nous, tu mangeras chez nous, et nous allons t'acheter le nécessaire. C'est une affaire entendue... Tu sais bien que nous ne te laisserons pas sur le pavé, que diable!

Il était tout attendri. Il avait même quelque honte d'avoir eu peur de donner une grosse somme, en un coup. Il trouva des plaisanteries:

il dit à son frère qu'il se chargeait de le rendre
gras. Celui-ci hocha doucement la tête. Cependant, Lisa pliait la page de calculs. Elle la mit
dans un tiroir du secrétaire.

— Vous avez tort, dit-elle, comme pour
conclure. J'ai fait ce que je devais faire. Maintenant, ce sera comme vous voudrez... Moi,
voyez-vous, je n'aurais pas vécu en paix. Les
mauvaises pensées me dérangent trop.

Ils parlèrent d'autre chose. Il fallait expliquer
la présence de Florent, en évitant de donner
l'éveil à la police. Il leur apprit qu'il était rentré
en France, grâce aux papiers d'un pauvre diable,
mort entre ses bras de la fièvre jaune, à Suri-
nam. Par une rencontre singulière, ce garçon
se nommait également Florent, mais de son prénom. Florent Laquerrière n'avait laissé qu'une
cousine à Paris, dont on lui avait écrit la mort
en Amérique; rien n'était plus facile que de
jouer son rôle. Lisa s'offrit d'elle-même pour
être la cousine. Il fut entendu qu'on raconterait
une histoire de cousin revenu de l'étranger, à
la suite de tentatives malheureuses, et recueilli
par les Quenu-Gradelle, comme on nommait le
ménage dans le quartier, en attendant qu'il
pût trouver une position. Quand tout fut réglé,
Quenu voulut que son frère visitât le logement;
il ne lui fit pas grâce du moindre tabouret. Dans
la pièce nue, où il n'y avait que des chaises,
Lisa poussa une porte, lui montra un cabinet,

en disant que la fille de boutique coucherait
là, et que lui garderait la chambre du cinquième.

Le soir, Florent était tout habillé de neuf. Il
s'était entêté à prendre encore un paletot et
un pantalon noirs, malgré les conseils de Quenu,
que cette couleur attristait. On ne le cacha plus.
Lisa conta à qui voulut l'entendre l'histoire du
cousin. Il vivait dans la charcuterie, s'oubliait
sur une chaise de la cuisine, revenait s'adosser
contre les marbres de la boutique. A table,
Quenu le bourrait de nourriture, se fâchait
parce qu'il était petit mangeur et qu'il laissait
la moitié des viandes dont on lui emplissait son
assiette. Lisa avait repris ses allures lentes et
béates; elle le tolérait, même le matin, quand il
gênait le service; elle l'oubliait, puis, lorsqu'elle
le rencontrait, noir devant elle, elle avait un
léger sursaut, et elle trouvait un de ses beaux
sourires pourtant, afin de ne point le blesser.
Le désintéressement de cet homme maigre
l'avait frappée; elle éprouvait pour lui une sorte
de respect, mêlé d'une peur vague. Florent ne
sentait qu'une grande affection autour de lui.

A l'heure du coucher, il montait, un peu las
de sa journée vide, avec les deux garçons de la
charcuterie, qui occupaient des mansardes voisines de la sienne. L'apprenti, Léon, n'avait
guère plus de quinze ans; c'était un enfant,
mince, l'air très doux, qui volait les entames

de jambon et les bouts de saucissons oubliés;
il les cachait sous son oreiller, les mangeait, la
nuit, sans pain. Plusieurs fois, Florent crut
comprendre que Léon donnait à souper vers
une heure du matin; des voix contenues chuchotaient, puis venaient des bruits de mâchoires,
des froissements de papier, et il y avait un rire
perlé, un rire de gamine qui ressemblait à un
trille adouci de flageolet, dans le grand silence
de la maison endormie. L'autre garçon, Auguste
Landois, était de Troyes; gras d'une mauvaise
graisse, la tête trop grosse, et chauve déjà, il
n'avait que vingt-huit ans. Le premier soir, en
montant, il conta son histoire à Florent, d'une
façon longue et confuse. Il n'était d'abord venu
à Paris que pour se perfectionner et retourner
ouvrir une charcuterie à Troyes, où sa cousine
germaine, Augustine Landois, l'attendait. Ils
avaient eu le même parrain, ils portaient le
même prénom. Puis l'ambition le prit, il rêva
de s'établir à Paris avec l'héritage de sa mère
qu'il avait déposé chez un notaire, avant de
quitter la Champagne. Là, comme ils étaient
arrivés au cinquième, Auguste retint Florent,
en lui disant beaucoup de bien de madame
Quenu. Elle avait consenti à faire venir Augustine Landois, pour remplacer une fille de boutique qui avait mal tourné. Lui, savait son
métier à présent; elle, achevait d'apprendre le
commerce. Dans un an, dix-huit mois, ils s'épou-

seraient; ils auraient une charcuterie, sans doute
à Plaisance, à quelque bout populeux de Paris.
Ils n'étaient pas pressés de se marier, parce que
les lards ne valaient rien, cette année-là. Il
raconta encore qu'ils s'étaient fait photographier
ensemble, à une fête de Saint-Ouen. Alors, il
entra dans la mansarde, désireux de revoir la
photographie qu'elle n'avait pas cru devoir enlever de la cheminée, pour que le cousin de
madame Quenu eût une jolie chambre. Il
s'oublia un instant, blafard dans la lueur jaune
de son bougeoir, regardant la pièce encore toute
pleine de la jeune fille, s'approchant du lit,
demandant à Florent s'il était bien couché. Elle,
Augustine, couchait en bas, maintenant; elle
serait mieux, les mansardes étaient très froides,
l'hiver. Enfin, il s'en alla, laissant Florent seul
avec le lit et en face de la photographie. Auguste
était un Quenu blême; Augustine, une Lisa pas
mûre.

Florent, ami des garçons, gâté par son frère,
accepté par Lisa, finit par s'ennuyer terriblement. Il avait cherché des leçons sans pouvoir
en trouver. Il évitait, d'ailleurs, d'aller dans le
quartier des Ecoles, où il craignait d'être
reconnu. Lisa, doucement, lui disait qu'il ferait
bien de s'adresser aux maisons de commerce;
il pouvait faire la correspondance, tenir les écritures. Elle revenait toujours à cette idée, et finit
par s'offrir pour lui trouver une place. Elle

s'irritait peu à peu de le rencontrer sans cesse dans ses jambes, oisif, ne sachant que faire de son corps. D'abord, ce ne fut qu'une haine raisonnée des gens qui se croisent les bras et qui mangent, sans qu'elle songeât encore à lui reprocher de manger chez elle. Elle lui disait :

— Moi, je ne pourrais pas vivre à rêvasser toute la journée. Vous ne devez pas avoir faim, le soir... Il faut vous fatiguer, voyez-vous.

Gavard, de son côté, cherchait une place pour Florent. Mais il cherchait d'une façon extraordinaire et tout à fait souterraine. Il aurait voulu trouver quelque emploi dramatique ou simplement une ironie amère, qui convînt à un « proscrit ». Gavard était un homme d'opposition. Il venait de dépasser la cinquantaine, et se vantait d'avoir déjà dit leur fait à quatre gouvernements. Charles X, les prêtres, les nobles, toute cette racaille qu'il avait flanquée à la porte, lui faisaient encore hausser les épaules; Louis-Philippe était un imbécile, avec ses bourgeois, et il racontait l'histoire des bas de laine, dans lesquels le roi-citoyen cachait ses gros sous; quant à la république de 48, c'était une farce, les ouvriers l'avaient trompé; mais il n'avouait plus qu'il avait applaudi au Deux-Décembre, parce que, maintenant, il regardait Napoléon III comme son ennemi personnel, une canaille qui s'enfermait avec de Morny et les autres, pour faire des « gueuletons ». Sur ce chapitre, il ne

tarissait pas; il baissait un peu la voix, il affirmait que, tous les soirs, des voitures fermées
amenaient des femmes aux Tuileries, et que
lui, lui qui vous parlait, avait, une nuit, de la
place du Carrousel, entendu le bruit de l'orgie.
La religion de Gavard était d'être le plus désa-
gréable possible au gouvernement. Il lui faisait
des farces atroces, dont il riait en dessous pendant des mois. D'abord, il votait pour le candidat qui devait « embêter les ministres » au
Corps législatif. Puis, s'il pouvait voler le fisc,
mettre la police en déroute, amener quelque
échauffourée, il travaillait à rendre l'aventure
très insurrectionnelle. Il mentait, d'ailleurs, se
posait en homme dangereux, parlait comme si la
« séquelle des Tuileries » l'eût connu et eût
tremblé devant lui, disait qu'il fallait guillotiner
la moitié de ces gredins et déporter l'autre moitié
« au prochain coup de chien ». Toute sa politique bavarde et violente se nourrissait de la
sorte de hâbleries, de contes à dormir debout,
de ce besoin goguenard de tapage et de drôle-
ries qui pousse un boutiquier parisien à ouvrir
ses volets, un jour de barricades, pour voir les
morts. Aussi, quand Florent revint de Cayenne,
flaira-t-il un tour abominable, cherchant de
quelle façon, particulièrement spirituelle, il
allait pouvoir se moquer de l'empereur, du
ministère, des hommes en place, jusqu'au dernier des sergents de ville.

L'attitude de Gavard devant Florent était pleine d'une joie défendue. Il le couvait avec des clignements d'yeux, lui parlait bas pour lui dire les choses les plus simples du monde, mettait dans ses poignées de main des confidences maçonniques. Enfin, il avait donc rencontré une aventure; il tenait un camarade réellement compromis; il pouvait, sans trop mentir, parler des dangers qu'il courait. Il éprouvait certainement une peur inavouée, en face de ce garçon qui revenait du bagne, et dont la maigreur disait les longues souffrances; mais cette peur délicieuse le grandissait lui-même, lui persuadait qu'il faisait un acte très étonnant en accueillant en ami un homme des plus dangereux. Florent devint sacré; il ne jura que par Florent; il nommait Florent, quand les arguments lui manquaient, et qu'il voulait écraser le gouvernement une fois pour toutes.

Gavard avait perdu sa femme, rue Saint-Jacques, quelques mois après le coup d'Etat. Il garda la rôtisserie jusqu'en 1856. A cette époque, le bruit courut qu'il avait gagné des sommes considérables en s'associant avec un épicier son voisin, chargé d'une fourniture de légumes secs pour l'armée d'Orient. La vérité fut qu'après avoir vendu la rôtisserie, il vécut de ses rentes pendant un an. Mais il n'aimait pas parler de l'origine de sa fortune; cela le gênait, l'empêchait de dire tout net son opinion sur la guerre

de Crimée, qu'il traitait d'expédition aventu-
reuse, « faite uniquement pour consolider le
trône et emplir certaines poches ». Au bout d'un
an, il s'ennuya mortellement dans son logement
de garçon. Comme il rendait visite aux Quenu-
Gradelle presque journellement, il se rapprocha
d'eux, vint habiter rue de la Cossonnerie. Ce
fut là que les Halles le séduisirent, avec leur
vacarme, leurs commérages énormes. Il se décida
à louer une place au pavillon de la volaille,
uniquement pour se distraire, pour occuper ses
journées vides des cancans du marché. Alors, il
vécut dans des jacasseries sans fin, au courant
des plus minces scandales du quartier, la tête
bourdonnante du continuel glapissement de voix
qui l'entourait. Il y goûtait mille joies chatouillantes, béat, ayant trouvé son élément, s'y
enfonçant avec des voluptés de carpe nageant
au soleil. Florent allait parfois lui serrer la main,
à sa boutique. Les après-midi étaient encore
très chauds. Le long des allées étroites, les
femmes, assises, plumaient. Des rais de soleil
tombaient entre les tentes relevées, les plumes
volaient sous les doigts, pareilles à une neige
dansante, dans l'air ardent, dans la poussière
d'or des rayons. Des appels, toute une traînée
d'offres et de caresses, suivaient Florent. « Un
beau canard, monsieur?... Venez me voir... J'ai
de bien jolis poulets gras... Monsieur, monsieur,
achetez-moi cette paire de pigeons... » Il se

dégageait, gêné, assourdi. Les femmes continuaient à plumer en se le disputant, et des vols
de fin duvet s'abattaient, le suffoquaient d'une
fumée, comme chauffée et épaissie encore par
l'odeur forte des volailles. Enfin, au milieu de
l'allée, près des fontaines, il trouvait Gavard,
en manches de chemise, les bras croisés sur la
bavette de son tablier bleu, pérorant devant sa
boutique. Là, Gavard régnait, avec des mines de
bon prince, au milieu d'un groupe de dix à
douze femmes. Il était le seul homme du marché.
Il avait la langue tellement longue, qu'après
s'être fâché avec les cinq ou six filles qu'il prit
successivement pour tenir sa boutique, il se
décida à vendre sa marchandise lui-même, disant
naïvement que ces pécores passaient leur sainte
journée à cancaner, et qu'il ne pouvait en venir
à bout. Comme il fallait pourtant que quelqu'un
gardât sa place, lorsqu'il s'absentait, il recueillit
Marjolin qui battait le pavé, après avoir tenté
tous les menus métiers des Halles. Et Florent
restait parfois une heure avec Gavard, émerveillé
de son intarissable commérage, de sa carrure et
de son aisance parmi tous ces jupons, coupant la
parole à l'une, se querellant avec une autre, à
dix boutiques de distance, arrachant un client
à une troisième, faisant plus de bruit à lui seul
que les cent et quelques bavardes ses voisines,
dont la clameur secouait les plaques de fonte du
pavillon d'un frisson sonore de tam-tam.

Le marchand de volailles, pour toute famille, n'avait plus qu'une belle-sœur et une nièce. Quand sa femme mourut, la sœur aînée de celle-ci, madame Lecœur, qui était veuve depuis un an, la pleura d'une façon exagérée, en allant presque chaque soir porter ses consolations au malheureux mari. Elle dut nourrir, à cette époque, le projet de lui plaire et de prendre la place encore chaude de la morte. Mais Gavard détestait les femmes maigres; il disait que cela lui faisait de la peine de sentir les os sous la peau; il ne caressait jamais que les chats et les chiens très gras, goûtant une satisfaction personnelle aux échines rondes et nourries. Madame Lecœur, blessée, furieuse de voir les pièces de cent sous du rôtisseur lui échapper, amassa une rancune mortelle. Son beau-frère fut l'ennemi dont elle occupa toutes ses heures. Lorsqu'elle le vit s'établir aux Halles, à deux pas du pavillon où elle vendait du beurre, des fromages et des œufs, elle l'accusa d'avoir « inventé ça pour la taquiner et lui porter mauvaise chance ». Dès lors, elle se lamenta, jaunit encore, se frappa tellement l'esprit, qu'elle finit réellement par perdre sa clientèle et faire de mauvaises affaires. Elle avait gardé longtemps avec elle la fille d'une de ses sœurs, une paysanne qui lui envoya la petite, sans plus s'en occuper. L'enfant grandit au milieu des Halles. Comme elle se nommait Sarriet de son nom de famille, on ne l'appela

bientôt que la Sarriette. A seize ans, la Sarriette
était une jeune coquine si délurée, que des
messieurs venaient acheter des fromages uniquement pour la voir. Elle ne voulut pas des messieurs, elle était populacière, avec son visage
pâle de vierge brune et ses yeux qui brûlaient
comme des tisons. Ce fut un porteur qu'elle
choisit, un garçon de Ménilmontant qui faisait
les commissions de sa tante. Lorsque, à vingt
ans, elle s'établit marchande de fruits, avec quelques avances dont on ne connut jamais bien la
source, son amant, qu'on appelait monsieur
Jules, se soigna les mains, ne porta plus que
des blouses propres et une casquette de velours,
vint seulement aux Halles l'après-midi, en pantoufles. Ils logeaient ensemble, rue Vauvilliers,
au troisième étage d'une grande maison, dont
un café borgne occupait le rez-de-chaussée. L'in-
gratitude de la Sarriette acheva d'aigrir madame
Lecœur, qui la traitait avec une furie de paroles
ordurières. Elles se fâchèrent, la tante exaspérée,
la nièce inventant avec monsieur Jules des histoires qu'il allait raconter dans le pavillon aux
beurres. Gavard trouvait la Sarriette drôle; il se
montrait plein d'indulgence pour elle, il lui
tapait sur les joues, quand il la rencontrait; elle
était dodue et exquise de chair.

Un après-midi, comme Florent était assis
dans la charcuterie, fatigué de courses vaines
qu'il avait faites le matin à la recherche d'un

emploi, Marjolin entra. Ce grand garçon, d'une épaisseur et d'une douceur flamandes, était le protégé de Lisa. Elle le disait pas méchant, un peu bêta, d'une force de cheval, tout à fait inté-ressant, d'ailleurs, puisqu'on ne lui connaissait ni père, ni mère. C'était elle qui l'avait placé chez Gavard.

Lisa était au comptoir, agacée par les souliers crottés de Florent, qui tachaient le dallage blanc et rose; deux fois déjà elle s'était levée pour jeter de la sciure dans la boutique. Elle sourit à Marjolin.

— Monsieur Gavard, dit le jeune homme, m'envoie pour vous demander...

Il s'arrêta, regarda autour de lui, et baissant la voix :

— Il m'a bien recommandé d'attendre qu'il n'y eût personne et de vous répéter ces paroles, qu'il m'a fait apprendre par cœur : « Demande-leur s'il n'y a aucun danger, et si je puis aller causer avec eux de ce qu'ils savent. »

— Dis à monsieur Gavard que nous l'atten-dons, répondit Lisa, habituée aux allures mys-térieuses du marchand de volailles.

Mais Marjolin ne s'en alla pas; il restait en extase devant la belle charcutière, d'un air de soumission câline. Comme touchée de cette ado-ration muette, elle reprit :

— Te plais-tu chez monsieur Gavard? Ce

n'est pas un méchant homme, tu feras bien de le contenter.

— Oui, madame Lisa.

— Seulement, tu n'es pas raisonnable, je t'ai encore vu sur les toits des Halles, hier; puis, tu fréquentes un tas de gueux et de gueuses. Te voilà homme, maintenant; il faut pourtant que tu songes à l'avenir.

— Oui, madame Lisa.

Elle dut répondre à une dame qui venait commander une livre de côtelettes aux cornichons. Elle quitta le comptoir, alla devant le billot, au fond de la boutique. Là, avec un couteau mince, elle sépara trois côtelettes d'un carré de porc; et, levant un couperet, de son poignet nu et solide, elle donna trois coups secs. Derrière, à chaque coup, sa robe de mérinos noir se levait légèrement; tandis que les baleines de son corset marquaient sur l'étoffe tendue du corsage. Elle avait un grand sérieux, les lèvres pincées, les yeux clairs, ramassant les côtelettes et les pesant d'une main lente.

Quand la dame fut partie et qu'elle aperçut Marjolin ravi de lui avoir vu donner ces trois coups de couperet, si nets et si roides :

— Comment! tu es encore là? cria-t-elle.

Et il allait sortir de la boutique, lorsqu'elle le retint.

— Ecoute, lui dit-elle, si je te revois avec ce petit torchon de Cadine... Ne dis pas non. Ce matin, vous étiez encore ensemble à la triperie, à regarder casser des têtes de mouton... Je ne comprends pas comment un bel homme comme toi puisse se plaire avec cette traînée, cette sauterelle... Allons, va, dis à monsieur Gavard qu'il vienne tout de suite, pendant qu'il n'y a personne.

Marjolin s'en alla confus, l'air désespéré, sans répondre.

La belle Lisa resta debout dans son comptoir, la tête un peu tournée du côté des Halles; et Florent la contemplait, muet, étonné de la trouver si belle. Il l'avait mal vue jusque-là, il ne savait pas regarder les femmes. Elle lui apparaissait au-dessus des viandes du comptoir. Devant elle, s'étalaient, dans des plats de porcelaine blanche, les saucissons d'Arles et de Lyon entamés, les langues et les morceaux de petit salé cuits à l'eau, la tête de cochon noyée de gelée, un pot de rillettes ouvert et une boîte de sardines dont le métal crevé montrait un lac d'huile; puis, à droite et à gauche, sur des planches, des pains de fromage d'Italie et de fromage de cochon, un jambon ordinaire d'un rose pâle, un jambon d'York à la chair saignante, sous une large bande de graisse. Et il y avait encore des plats ronds et ovales, les plats de la langue fourrée, de la galantine truffée, de la hure aux pistaches; tandis que, tout près d'elle, sous sa main, étaient le veau piqué, le pâté de

foie, le pâté de lièvre, dans des terrines jaunes.
Comme Gavard ne venait pas, elle rangea le lard
de poitrine sur la petite étagère de marbre, au
bout du comptoir; elle aligna le pot de saindoux
et le pot de graisse de rôti, essuya les plateaux
des deux balances de melchior, tâta l'étuve dont
le réchaud mourait; et. silencieuse, elle tourna
la tête de nouveau, elle se remit à regarder au
fond des Halles. Le fumet des viandes montait,
elle était comme prise, dans sa paix lourde, par
l'odeur des truffes. Ce jour-là, elle avait une
fraîcheur superbe; la blancheur de son tablier
et de ses manches continuait la blancheur des
plats, jusqu'à son cou gras, à ses joues rosées,
où revivaient les tons tendres des jambons et
les pâleurs des graisses transparentes. Intimidé
à mesure qu'il la regardait, inquiété par cette
carrure correcte, Florent finit par l'examiner à
la dérobée dans les glaces, autour de la boutique. Elle s'y reflétait de dos, de face, de côté;
même au plafond, il la retrouvait, la tête en
bas, avec son chignon serré, ses minces bandeaux, collés sur les tempes. C'était toute une
foule de Lisa, montrant la largeur des épaules,
l'emmanchement puissant des bras, la poitrine
arrondie, si muette et si tendue qu'elle n'éveillait aucune pensée charnelle et qu'elle ressemblait à un ventre. Il s'arrêta, il se plut surtout
à un de ses profils, qu'il avait dans une glace,
à côté de lui, entre deux moitiés de porcs. Tout

le long des marbres et des glaces, accrochés aux
barres à dents de loup, des porcs et des bandes
de lard à piquer pendaient; et le profil de Lisa,
avec sa forte encolure, ses lignes rondes, sa gorge
qui avançait, mettait une effigie de reine empâ-
tée, au milieu de ce lard et de ces chairs crues.
Puis, la belle charcutière se pencha, sourit d'une
façon amicale aux deux poissons rouges qui
nageaient dans l'aquarium de l'étalage, continuellement.

Gavard entrait. Il alla chercher Quenu dans
la cuisine, l'air important. Quand il se fut assis
de biais sur une petite table de marbre. laissant
Florent sur sa chaise, Lisa dans son comptoir, et
Quenu adossé contre un demi-porc, il annonça
enfin qu'il avait trouvé une place pour Florent,
et qu'on allait rire, et que le gouvernement
serait joliment pincé!

Mais il s'interrompit brusquement, en voyant
entrer mademoiselle Saget, qui avait poussé la
porte de la boutique, après avoir aperçu de la
chaussée la nombreuse société causant chez les
Quenu-Gradelle. La petite vieille, en robe
déteinte, accompagnée de l'éternel cabas noir
qu'elle portait au bras, coiffée du chapeau de
paille noire, sans rubans, qui mettait sa face
blanche au fond d'une ombre sournoise, eut
un léger salut pour les hommes et un sourire
pointu pour Lisa. C'était une connaissance; elle
habitait encore la maison de la rue Pirouette,

où elle vivait depuis quarante ans, sans doute
d'une petite rente dont elle ne parlait pas. Un
jour, pourtant, elle avait nommé Cherbourg, en
ajoutant qu'elle y était née. On n'en sut jamais
davantage. Elle ne causait que des autres, racontait leur vie jusqu'à dire le nombre de chemises
qu'ils faisaient blanchir par mois, poussait le
besoin de pénétrer dans l'existence des voisins,
au point d'écouter aux portes et de décacheter
les lettres. Sa langue était redoutée, de la rue
Saint-Denis à la rue Jean-Jacques Rousseau, et de
la rue Saint-Honoré à la rue Mauconseil. Tout le
long du jour, elle s'en allait avec son cabas vide,
sous le prétexte de faire des provisions, n'achetant
rien, colportant des nouvelles, se tenant au courant des plus minces faits, arrivant ainsi à loger
dans sa tête l'histoire complète des maisons, des
étages, des gens du quartier. Quenu l'avait toujours accusée d'avoir ébruité la mort de l'oncle
Gradelle sur la planche à hacher; depuis ce
temps, il lui tenait rancune. Elle était très ferrée, d'ailleurs, sur l'oncle Gradelle et sur les
Quenu; elle les détaillait, les prenait par tous
les bouts, les savait « par cœur ». Mais depuis
une quinzaine de jours, l'arrivée de Florent la
désorientait, la brûlait d'une véritable fièvre de
curiosité. Elle tombait malade, quand il se produisait quelque trou imprévu dans ses notes. Et
pourtant elle jurait qu'elle avait déjà vu ce
grand escogriffe quelque part.

Elle resta devant le comptoir, regardant les plats, les uns après les autres, disant de sa voix fluette :

— On ne sait plus que manger. Quand l'après-midi arrive, je suis comme une âme en peine pour mon dîner... Puis, je n'ai envie de rien... Est-ce qu'il vous reste des côtelettes panées, madame Quenu?

Sans attendre la réponse, elle souleva un des couvercles de l'étuve de melchior. C'était le côté des andouilles, des saucisses et des boudins. Le réchaud était froid, il n'y avait plus qu'une saucisse plate, oubliée sur la grille.

— Voyez de l'autre côté, mademoiselle Saget, dit la charcutière. Je crois qu'il reste une côtelette.

— Non, ça ne me dit pas, murmura la petite vieille, qui glissa toutefois son nez sous le second couvercle. J'avais un caprice, mais les côtelettes panées, le soir, c'est trop lourd... J'aime mieux quelque chose que je ne sois pas même obligée de faire chauffer.

Elle s'était tournée du côté de Florent, elle le regardait, elle regardait Gavard, qui battait la retraite du bout de ses doigts, sur la table de marbre; et elle les invitait d'un sourire à continuer la conversation.

— Pourquoi n'achetez-vous pas un morceau de petit salé? demanda Lisa.

— Un morceau de petit salé, oui, tout de même...

Elle prit la fourchette à manche de métal blanc posée au bord du plat, chipotant, piquant chaque morceau de petit salé. Elle donnait de légers coups sur les os pour juger de leur épaisseur, les retournait, examinait les quelques lambeaux de viande rose, en répétant :

— Non, non, ça ne me dit pas.

— Alors, prenez une langue, un morceau de tête de cochon, une tranche de veau piqué, dit la charcutière patiemment.

Mais mademoiselle Saget branlait la tête. Elle resta là encore un instant, faisant des mines dégoûtées au-dessus des plats; puis, voyant que décidément on se taisait et qu'elle ne saurait rien, elle s'en alla, en disant :

— Non, voyez-vous, j'avais envie d'une côtelette panée, mais celle qui vous reste est trop grasse... Ce sera pour une autre fois.

Lisa se pencha pour la suivre du regard, entre les crépines de l'étalage. Elle la vit traverser la chaussée et entrer dans le pavillon aux fruits.

— La vieille bique! grogna Gavard.

Et, comme ils étaient seuls, il raconta quelle place il avait trouvée pour Florent. Ce fut toute une histoire. Un de ses amis, monsieur Verlaque, inspecteur à la marée, était tellement souffrant, qu'il se trouvait forcé de prendre un congé. Le matin même le pauvre homme lui

disait qu'il serait bien aise de proposer lui-
même son remplaçant, pour se ménager la place,
s'il venait à guérir.

— Vous comprenez, ajouta Gavard, Verlaque
n'en a pas pour six mois. Florent gardera la
place. C'est une jolie situation... Et nous mettons
la police dedans! La place dépend de la préfecture. Hein! sera-ce assez amusant, quand Florent ira toucher l'argent de ces argousins!

Il riait d'aise, il trouvait cela profondément
comique.

— Je ne veux pas de cette place, dit nettement Florent. Je me suis juré de ne rien accepter de l'empire. Je crèverais de faim, que je
n'entrerais pas à la préfecture. C'est impossible,
entendez-vous, Gavard!

Gavard entendait et restait un peu gêné.
Quenu avait baissé la tête. Mais Lisa s'était tournée, regardait fixement Florent, le cou gonflé,
la gorge crevant le corsage. Elle allait ouvrir la
bouche, quand la Sarriette entra. Il y eut un
nouveau silence.

— Ah! bien, s'écria la Sarriette avec son rire
tendre, j'allais oublier d'acheter du lard...
Madame Quenu, coupez-moi douze bardes, mais
bien minces, n'est-ce pas? pour des alouettes...
C'est Jules qui a voulu manger des alouettes...
Tiens, vous allez bien, mon oncle?

Elle emplissait la boutique de ses jupes folles.
Elle souriait à tout le monde, d'une fraîcheur de

lait, décoiffée d'un côté par le vent des Halles.
Gavard lui avait pris les mains; et elle, avec
son effronterie :

— Je parie que vous parliez de moi, quand
je suis entrée. Qu'est-ce que vous disiez donc,
mon oncle?

Lisa l'appela.

— Voyez, est-ce assez mince comme cela?

Sur un bout de planche, devant elle, elle
coupait des bardes, délicatement. Puis, en les
enveloppant :

— Il ne vous faut rien autre chose?

— Ma foi, puisque je me suis dérangée, dit
la Sarriette, donnez-moi une livre de saindoux...
Moi, j'adore les pommes de terre frites, je fais
un déjeuner avec deux sous de pommes de terre
frites et une botte de radis... Oui, une livre de
saindoux, madame Quenu.

La charcutière avait mis une feuille de papier
fort sur une balance. Elle prenait le saindoux
dans le pot, sous l'étagère, avec une spatule de
buis, augmentant à petits coups, d'une main
douce, le tas de graisse qui s'étalait un peu.
Quand la balance tomba, elle enleva le papier,
le plia, le corna vivement, du bout des doigts.

— C'est vingt-quatre sous, dit-elle, et six sous
de bardes, ça fait trente sous... Il ne vous faut
rien autre chose?

La Sarriette dit que non. Elle paya, riant
toujours, montrant ses dents, regardant les

hommes en face, avec sa jupe grise qui avait tourné, son fichu rouge mal attaché, qui laissait voir une ligne blanche de sa gorge, au milieu. Avant de sortir, elle alla menacer Gavard en répétant :

— Alors vous ne voulez pas me dire ce que vous racontiez quand je suis entrée? Je vous ai vu rire, du milieu de la rue... Oh! le sournois. Tenez, je ne vous aime plus.

Elle quitta la boutique, elle traversa la rue en courant. La belle Lisa dit sèchement :

— C'est mademoiselle Saget qui nous l'a envoyée.

Puis le silence continua. Gavard était consterné de l'accueil que Florent faisait à sa proposition. Ce fut la charcutière qui reprit la première, d'une voix très amicale :

— Vous avez tort, Florent, de refuser cette place d'inspecteur à la marée... Vous savez combien les emplois sont pénibles à trouver. Vous êtes dans une position à ne pas vous montrer difficile.

— J'ai dit mes raisons, répondit-il.

Elle haussa les épaules.

— Voyons, ce n'est pas sérieux... Je comprends à la rigueur que vous n'aimiez pas le gouvernement. Mais ça n'empêche pas de gagner son pain, ce serait trop bête... Et puis, l'empereur n'est pas un méchant homme, mon cher. Je vous laisse dire quand vous racontez vos souffrances.

Est-ce qu'il le savait seulement, lui, si vous mangiez du pain moisi et de la viande gâtée? Il ne peut pas être à tout, cet homme... Vous voyez que, nous autres, il ne nous a pas empêchés de faire nos affaires... Vous n'êtes pas juste, non, pas juste du tout.

Gavard était de plus en plus gêné. Il ne pouvait tolérer devant lui ces éloges de l'empereur.

— Ah! non, non, madame Quenu, murmura-t-il, vous allez trop loin. C'est tout de la canaille...

— Oh! vous, interrompit la belle Lisa en s'animant, vous ne serez content que le jour où vous vous serez fait voler et massacrer avec vos histoires. Ne parlons pas politique, parce que ça me mettrait en colère... Il ne s'agit que de Florent, n'est-ce pas? Eh bien, je dis qu'il doit absolument accepter la place d'inspecteur. Ce n'est pas ton avis, Quenu?

Quenu, qui ne soufflait mot, fut très ennuyé de la question brusque de sa femme.

— C'est une bonne place, dit-il sans se compromettre.

Et, comme un nouveau silence embarrassé se faisait :

— Je vous en prie, laissons cela, reprit Florent. Ma résolution est bien arrêtée. J'attendrai.

— Vous attendrez! s'écria Lisa perdant patience.

Deux flammes roses étaient montées à ses

joues. Les hanches élargies, plantée debout dans
son tablier blanc, elle se contenait pour ne pas
laisser échapper une mauvaise parole. Une nouvelle personne entra, qui détourna sa colère.
C'était madame Lecœur.

— Pourriez-vous me donner une assiette assor-
tie d'une demi-livre, à cinquante sous la livre?
demanda-t-elle.

Elle feignit d'abord de ne pas voir son beau-
frère; puis elle le salua d'un signe de tête, sans
parler. Elle examinait les trois hommes de la
tête aux pieds, espérant sans doute surprendre
leur secret, à la façon dont ils attendaient qu'elle
ne fût plus là. Elle sentait qu'elle les dérangeait;
cela la rendait plus anguleuse, plus aigre,
dans ses jupes tombantes, avec ses grands bras
d'araignée, ses mains nouées qu'elle tenait
sous son tablier. Comme elle avait une légère
toux :

— Est-ce que vous êtes enrhumée? dit Gavard
gêné par le silence.

Elle répondit un non bien sec. Aux endroits
où les os perçaient son visage, la peau, tendue,
était d'un rouge brique, et la flamme sourde
qui brûlait ses paupières annonçait quelque
maladie de foie, couvant dans ses aigreurs
jalouses. Elle se retourna vers le comptoir, suivit chaque geste de Lisa qui la servait, de cet
œil méfiant d'une cliente persuadée qu'on va
la voler.

— Ne me donnez pas de cervelas, dit-elle, je n'aime pas ça.

Lisa avait pris un couteau mince et coupait des tranches de saucisson. Elle passa au jambon fumé et au jambon ordinaire, détachant des filets délicats, un peu courbée, les yeux sur le couteau. Ses mains potelées, d'un rose vif, qui touchaient aux viandes avec des légèretés molles, en gardaient une sorte de souplesse grasse, des doigts ventrus aux phalanges. Elle avança une terrine, en demandant :

— Vous voulez du veau piqué, n'est-ce pas?

Madame Lecœur parut se consulter longuement; puis elle accepta. La charcutière coupait maintenant dans des terrines. Elle prenait sur le bout d'un couteau à large lame des tranches de veau piqué et de pâté de lièvre. Et elle posait chaque tranche au milieu de la feuille de papier, sur les balances.

— Vous ne me donnez pas de la hure aux pistaches? fit remarquer madame Lecœur, de sa voix mauvaise.

Elle dut donner de la hure aux pistaches. Mais la marchande de beurre devenait exigeante. Elle voulut deux tranches de galantine; elle aimait ça. Lisa, irritée, déjà, jouant d'impatience avec le manche des couteaux, eut beau lui dire que la galantine était truffée, qu'elle ne pouvait en mettre que dans les assiettes assorties à trois francs la livre. L'autre conti-

nuait à fouiller les plats, cherchant ce qu'elle
allait demander encore. Quand l'assiette assor-
tie fut pesée, il fallut que la charcutière ajoutât
de la gelée et des cornichons. Le bloc de gelée,
qui avait la forme d'un gâteau de Savoie, au
milieu d'une plaque de porcelaine, trembla sous
sa main brutale de colère; et elle fit jaillir le
vinaigre, en prenant, du bout des doigts, deux
gros cornichons dans le pot, derrière l'étuve.

— C'est vingt-cinq sous, n'est-ce pas? dit
madame Lecœur, sans se presser.

Elle voyait parfaitement la sourde irritation
de Lisa. Elle en jouissait, tirant sa monnaie avec
lenteur, comme perdue dans les gros sous de
sa poche. Elle regardait Gavard en dessous, goûtait le silence embarrassé que sa présence prolongeait, jurant qu'elle ne s'en irait pas, puisqu'on faisait des « cachotteries » avec elle. La
charcutière lui mit enfin son paquet dans la
main, et elle dut se retirer. Elle s'en alla, sans
dire un mot, avec un long regard, tout autour
de la boutique.

Quand elle ne fut plus là, Lisa éclata :

— C'est encore la Saget qui nous l'a envoyée,
celle-là! Est-ce que cette vieille gueuse va faire
défiler toutes les Halles ici, pour savoir ce que
nous disons!... Et comme elles sont malignes!
A-t-on jamais vu acheter des côtelettes panées
et des assiettes assorties à cinq heures du soir!
Elles se donneraient des indigestions, plutôt que

de ne pas savoir... Par exemple, si la Saget m'en renvoie une autre, vous allez voir comme je la recevrai. Ce serait ma sœur que je la flanquerais à la porte.

Devant la colère de Lisa, les trois hommes se taisaient. Gavard était venu s'accouder sur la balustrade de l'étalage, à rampe de cuivre; il s'absorbait, faisait tourner un des balustres de cristal taillé, détaché de sa tringle de laiton. Puis, levant la tête :

— Moi, dit-il, j'avais regardé ça comme une farce.

— Quoi donc? demanda Lisa encore toute secouée.

— La place d'inspecteur à la marée.

Elle leva les mains, regarda Florent une dernière fois, s'assit sur la banquette rembourrée du comptoir, ne desserra plus les dents. Gavard expliquait tout au long son idée : le plus attrapé, en somme, ce serait le gouvernement qui donnerait ses écus. Il répétait avec complaisance :

— Mon cher, ces gueux-là vous ont laissé crever de faim, n'est-ce pas? Eh bien, il faut vous faire nourrir par eux, maintenant... C'est très fort, ça m'a séduit tout de suite.

Florent souriait, disait toujours non. Quenu, pour faire plaisir à sa femme, tenta de trouver de bons conseils. Mais celle-ci semblait ne plus écouter. Depuis un instant, elle regardait avec attention du côté des Halles. Brusquement, elle se remit debout, en s'écriant :

— Ah! c'est la Normande qu'on envoie maintenant. Tant pis! la Normande paiera pour les autres.

Une grande brune poussait la porte de la boutique. C'était la belle poissonnière, Louise Méhudin, dite la Normande. Elle avait une beauté hardie, très blanche et délicate de peau, presque aussi forte que Lisa, mais d'œil plus effronté et de poitrine plus vivante. Elle entra, cavalière, avec sa chaîne d'or sonnant sur son tablier, ses cheveux nus peignés à la mode, son nœud de gorge, un nœud de dentelle qui faisait d'elle une des reines coquettes des Halles. Elle portait une vague odeur de marée; et, sur une de ses mains, près du petit doigt, il y avait une écaille de hareng qui mettait là une mouche de nacre. Les deux femmes, ayant habité la même maison, rue Pirouette, étaient des amies intimes, très liées par une pointe de rivalité qui les faisait s'occuper l'une de l'autre, continuellement. Dans le quartier, on disait la belle Normande, comme on disait la belle Lisa. Cela les opposait, les comparait, les forçait à soutenir chacune sa renommée de beauté. En se penchant un peu, la charcutière, de son comptoir, apercevait dans le pavillon, en face, la poissonnière, au milieu de ses saumons et de ses turbots. Elles se surveillaient toutes deux. La belle Lisa se serrait davantage dans ses corsets. La belle Normande ajoutait des bagues à ses doigts et des nœuds à ses épaules. Quand elles se rencontraient, elles étaient très douces, très complimenteuses, l'œil furtif sous la paupière à demi close, cherchant les défauts. Elles affectaient de se servir l'une chez l'autre et de s'aimer beaucoup.

— Dites, c'est bien demain soir que vous faites le boudin? demanda la Normande de son air riant.

Lisa resta froide. La colère, très rare chez elle, était tenace et implacable. Elle répondit oui, sèchement, du bout des lèvres.

— C'est que, voyez-vous, j'adore le boudin chaud, quand il sort de la marmite... Je viendrai vous en chercher.

Elle avait conscience du mauvais accueil de sa rivale. Elle regarda Florent, qui semblait l'intéresser; puis, comme elle ne voulait pas s'en aller sans dire quelque chose, sans avoir le dernier mot, elle eut l'imprudence d'ajouter :

— Je vous en ai acheté·avant-hier, du boudin... Il n'était pas bien frais.

— Pas bien frais! répéta la charcutière, toute blanche, les lèvres tremblantes.

Elle se serait peut-être contenue encore, pour que la Normande ne crût pas qu'elle prenait du dépit, à cause de son nœud de dentelle. Mais on ne se contentait pas de l'espionner, on venait l'insulter, cela dépassait la mesure. Elle se courba, les poings sur son comptoir; et, d'une voix un peu rauque :

— Dites donc, la semaine dernière, quand vous m'avez vendu cette paire de soles, vous savez, est-ce que je suis allée vous dire qu'elles étaient pourries devant le monde!

— Pourries!... mes soles pourries!... s'écria la poissonnière, la face empourprée.

Elles restèrent un instant suffoquées, muettes et terribles, au-dessus des viandes. Toute leur belle amitié s'en allait; un mot avait suffi pour montrer les dents aiguës sous le sourire.

— Vous êtes une grossière, dit la belle Normande. Si jamais je remets les pieds ici, par exemple!

— Allez donc, allez donc, dit la belle Lisa. On sait bien à qui on a affaire.

La poissonnière sortit, sur un gros mot qui laissa la charcutière toute tremblante. La scène s'était passée si rapidement, que les trois hommes, abasourdis, n'avaient pas eu le temps d'intervenir. Lisa se remit bientôt. Elle reprenait la conversation, sans faire aucune allusion à ce qui venait de se passer, lorsque Augustine, la fille de boutique, rentra de course. Alors, elle dit à Gavard, en le prenant en particulier, de ne pas rendre réponse à monsieur Verlaque; elle se chargeait de décider son beau-frère, elle demandait deux jours, au plus. Quenu retourna à la cuisine. Comme Gavard emmenait Florent, et qu'ils entraient prendre un vermouth chez monsieur Lebigre, il lui montra trois femmes, sous la rue couverte, entre le pavillon de la marée et le pavillon de la volaille.

— Elles en débitent! murmura-t-il, d'un air envieux.

Les Halles se vidaient, et il y avait là, en effet, mademoiselle Saget, madame Lecœur et la Sarriette, au bord du trottoir. La vieille fille pérorait.

— Quand je vous le disais, madame Lecœur, votre beau-frère est toujours fourré dans leur boutique... Vous l'avez vu, n'est-ce pas?

— Oh! de mes yeux vu! Il était assis sur une table, il semblait chez lui.

— Moi, interrompit la Sarriette, je n'ai rien entendu de mal... Je ne sais pas pourquoi vous vous montez la tête.

Mademoiselle Saget haussa les épaules.

— Ah! bien, reprit-elle, vous êtes encore d'une bonne pâte, vous, ma belle!... Vous ne voyez donc pas pourquoi les Quenu attirent monsieur Gavard?... Je parie, moi, qu'il laissera tout ce qu'il possède à la petite Pauline.

— Vous croyez cela! s'écria madame Lecœur, blême de fureur.

Puis, elle reprit d'une voix dolente, comme si elle venait de recevoir un grand coup :

— Je suis toute seule, je n'ai pas de défense,

il peut bien faire ce qu'il voudra, cet homme...
Vous avez entendu, sa nièce est pour lui. Elle
a oublié ce qu'elle m'a coûté, elle me livrerait
pieds et poings liés.

— Mais non, ma tante, dit la Sarriette, c'est
vous qui n'avez jamais eu que de vilaines paroles
pour moi.

Elles se réconcilièrent sur-le-champ, elles s'em-
brassèrent. La nièce promit de ne plus être
taquine; la tante jura, sur ce qu'elle avait de
plus sacré, qu'elle regardait la Sarriette comme
sa propre fille. Alors mademoiselle Saget leur
donna des conseils sur la façon dont elles
devaient se conduire pour forcer Gavard à ne
pas gaspiller son bien. Il fut convenu que les
Quenu-Gradelle étaient des pas-grand-chose, et
qu'on les surveillerait.

— Je ne sais quel micmac il y a chez eux,
dit la vieille fille, mais ça ne sent pas bon... ce
Florent, ce cousin de madame Quenu, qu'est-ce
que vous en pensez, vous autres?

Les trois femmes se rapprochèrent, baissant
la voix.

— Vous savez bien, reprit madame Lecœur,
que nous l'avons vu, un matin, les souliers per-
cés, les habits couverts de poussière, avec l'air
d'un voleur qui a fait un mauvais coup... Il me
fait peur, ce garçon-là.

— Non, il est maigre, mais il n'est pas vilain
homme, murmura la Sarriette.

Mademoiselle Saget réfléchissait. Elle pensait
tout haut :

— Je cherche depuis quinze jours, je donne
ma langue aux chiens... Monsieur Gavard le
connaît certainement... J'ai dû le rencontrer
quelque part, je ne me souviens plus...

Elle fouillait encore sa mémoire, quand la Normande arriva comme une tempête. Elle sortait
de la charcuterie.

— Elle est polie, cette grande bête de Quenu!
s'écria-t-elle, heureuse de se soulager. Est-ce
qu'elle ne vient pas de me dire que je ne vendais
que du poisson pourri! Ah! je vous l'ai arran-
gée!... En voilà une baraque, avec leurs cochonneries gâtées qui empoisonnent le monde!

— Qu'est-ce que vous lui aviez donc dit?
demanda la vieille, toute frétillante, enchantée
d'apprendre que les deux femmes s'étaient dis-
putées.

— Moi! mais rien du tout! pas ça, tenez!...
J'étais entrée très poliment la prévenir que je
prendrais du boudin demain soir, et alors elle
m'a agonie de sottises... Fichue hypocrite, va,
avec ses airs d'honnêteté! Elle paiera ça plus
cher qu'elle ne pense.

Les trois femmes sentaient que la Normande
ne disait pas la vérité; mais elles n'en épousèrent
pas moins sa querelle avec un flot de paroles
mauvaises. Elles se tournaient du côté de la rue
Rambuteau, insultantes, inventant des histoires

sur la saleté de la cuisine des Quenu, trouvant des accusations vraiment prodigieuses. Ils auraient vendu de la chair humaine que l'explosion de leur colère n'aurait pas été plus menaçante. Il fallut que la poissonnière recommençât trois fois son récit.

— Et le cousin, qu'est-ce qu'il a dit? demanda méchamment mademoiselle Saget.

— Le cousin! répondit la Normande d'une voix aiguë, vous croyez au cousin, vous!... Quelque amoureux, ce grand dadais!

Les trois autres commères se récrièrent. L'honnêteté de Lisa était un des actes de foi du quartier.

— Laissez donc! est-ce qu'on sait jamais, avec ces grosses sainte-nitouche, qui ne sont que graisse? Je voudrais bien la voir sans chemise, sa vertu!... Elle a un mari trop serin pour ne pas le faire cocu.

Mademoiselle Saget hochait la tête, comme pour dire qu'elle n'était pas éloignée de se ranger à cette opinion. Elle reprit doucement :

— D'autant plus que le cousin est tombé on ne sait d'où, et que l'histoire racontée par les Quenu est bien louche.

— Eh! c'est l'amant de la grosse! affirma de nouveau la poissonnière. Quelque vaurien, quelque rouleur qu'elle aura ramassé dans la rue. Ça se voit bien.

— Les hommes maigres sont de rudes

hommes, déclara la Sarriette d'un air convaincu.

— Elle l'a habillé tout à neuf, fit remarquer madame Lecœur. Il doit lui coûter bon.

— Oui, oui, vous pourriez avoir raison, murmura la vieille demoiselle. Il faudra savoir...

Alors, elles s'engagèrent à se tenir au courant de ce qui se passerait dans la baraque des Quenu-Gradelle. La marchande de beurre prétendait qu'elle voulait ouvrir les yeux de son beau-frère sur les maisons qu'il fréquentait. Cependant, la Normande s'était un peu calmée; elle s'en alla, bonne fille au fond, lassée d'en avoir trop conté. Quand elle ne fut plus là, madame Lecœur dit sournoisement :

— Je suis sûre que la Normande aura été insolente, c'est son habitude... Elle ferait bien de ne pas parler des cousins qui tombent du ciel, elle qui a trouvé un enfant dans sa boutique à poisson.

Elles se regardèrent en riant toutes les trois. Puis, lorsque madame Lecœur se fut éloignée à son tour :

— Ma tante a tort de s'occuper de ces histoires, ça la maigrit, reprit la Sarriette. Elle me battait quand les hommes me regardaient. Allez, elle peut chercher, elle ne trouvera pas de mioche sous son traversin, ma tante.

Mademoiselle Saget eut un nouveau rire. Et quand elle fut seule, comme elle retournait rue Pirouette, elle pensa que « ces trois pécores »

ne valaient pas la corde pour les pendre. D'ailleurs, on avait pu la voir, il serait très mauvais
de se brouiller avec les Quenu-Gradelle, des
gens riches et estimés après tout. Elle fit un
détour, alla rue Turbigo, à la boulangerie
Taboureau, la plus belle boulangerie du quartier. Madame Taboureau, qui était une amie
intime de Lisa, avait, sur toutes choses, une autorité incontestée. Quand on disait : « Madame
Taboureau a dit ceci, madame Taboureau a dit
cela », il n'y avait plus qu'à s'incliner. La vieille
demoiselle, sous prétexte, ce jour-là, de savoir
à quelle heure le four était chaud, pour apporter un plat de poires, dit le plus grand bien
de la charcutière, se répandit en éloges sur la
propreté et sur l'excellence de son boudin. Puis,
contente de cet alibi moral, enchantée d'avoir
soufflé sur l'ardente bataille qu'elle flairait, sans
s'être fâchée avec personne, elle rentra décidément, l'esprit plus libre, retournant cent fois
dans sa mémoire l'image du cousin de madame
Quenu.

Ce même jour, le soir, après le dîner, Florent
sortit, se promena quelque temps, sous une des
rues couvertes des Halles. Un fin brouillard
montait, les pavillons vides avaient une tristesse
grise, piquée des larmes jaunes du gaz. Pour la
première fois, Florent se sentait importun; il
avait conscience de la façon malapprise dont il
était tombé au milieu de ce monde gras, en

maigre naïf; il s'avouait nettement qu'il dérangeait tout le quartier, qu'il devenait une gêne
pour les Quenu, un cousin de contrebande, de
mine par trop compromettante. Ces réflexions
le rendaient fort triste, non pas qu'il eût remarqué chez son frère ou chez Lisa la moindre
dureté; il souffrait de leur bonté même; il
s'accusait de manquer de délicatesse en s'installant ainsi chez eux. Des doutes lui venaient. Le
souvenir de la conversation dans la boutique,
l'après-midi, lui causait un malaise vague. Il
était comme envahi par cette odeur des viandes
du comptoir, il se sentait glisser à une lâcheté
molle et repue. Peut-être avait-il eu tort de
refuser cette place d'inspecteur qu'on lui offrait.
Cette pensée mettait en lui une grande lutte;
il fallait qu'il se secouât pour retrouver ses roi-
deurs de conscience. Mais un vent humide s'était
levé, soufflant sous la rue couverte. Il reprit
quelque calme et quelque certitude, lorsqu'il
fut obligé de boutonner sa redingote. Le vent
emportait de ses vêtements cette senteur grasse
de la charcuterie, dont il était tout alangui.

Il rentrait, quand il rencontra Claude Lantier. Le peintre, renfermé au fond de son paletot verdâtre, avait la voix sourde, pleine de
colère. Il s'emporta contre la peinture, dit que
c'était un métier de chien, jura qu'il ne toucherait de sa vie à un pinceau. L'après-midi,
il avait crevé d'un coup de pied une tête d'étude

qu'il faisait d'après cette gueuse de Cadine. Il
était sujet à ces emportements d'artiste impuis-
sant en face des œuvres solides et vivantes qu'il
rêvait. Alors, rien n'existait plus pour lui, il
battait les rues, voyait noir, attendait le lendemain comme une résurrection. D'ordinaire, il
disait qu'il se sentait gai le matin et horriblement malheureux le soir; chacune de ses journées était un long effort désespéré. Florent eut
peine à reconnaître le flâneur insouciant des
nuits de la Halle. Ils s'étaient déjà retrouvés à la
charcuterie. Claude, qui connaissait l'histoire du
déporté, lui avait serré la main, en lui disant
qu'il était un brave homme. Il allait, d'ailleurs,
très rarement chez les Quenu.

— Vous êtes toujours chez ma tante? dit
Claude. Je ne sais pas comment vous faites pour
rester au milieu de cette cuisine. Ça pue là-
dedans. Quand j'y passe une heure, il me semble
que j'ai assez mangé pour trois jours. J'ai eu
tort d'y entrer ce matin; c'est ça qui m'a fait
manquer mon étude.

Et, au bout de quelques pas faits en silence :
— Ah! les braves gens! reprit-il. Ils me font
de la peine, tant ils se portent bien. J'avais
songé à faire leurs portraits, mais je n'ai jamais
su dessiner ces figures rondes où il n'y a pas
d'os... Allez, ce n'est pas ma tante Lisa qui
donnerait des coups de pied dans ses casseroles.
Suis-je assez bête d'avoir crevé la tête de Cadine!

Maintenant, quand j'y songe, elle n'était peut-être pas mal.

Alors, ils causèrent de la tante Lisa. Claude dit que sa mère ne voyait plus la charcutière depuis longtemps. Il donna à entendre que celle-ci avait quelque honte de sa sœur mariée à un ouvrier; d'ailleurs, elle n'aimait pas les gens malheureux. Quant à lui, il raconta qu'un brave homme s'était imaginé de l'envoyer au collège, séduit par les ânes et les bonnes femmes qu'il dessinait, dès l'âge de huit ans; le brave homme était mort, en lui laissant mille francs de rente, ce qui l'empêchait de mourir de faim.

— N'importe, continua-t-il, j'aurais mieux aimé être un ouvrier... Tenez, menuisier, par exemple. Ils sont très heureux, les menuisiers. Ils ont une table à faire, n'est-ce pas? ils la font, et ils se couchent, heureux d'avoir fini leur table, absolument satisfaits... Moi, je ne dors guère la nuit. Toutes ces sacrées études que je ne peux achever me trottent dans la tête. Je n'ai jamais fini, jamais, jamais.

Sa voix se brisait presque dans des sanglots. Puis, il essaya de rire. Il jurait, cherchait des mots orduriers, s'abîmait en pleine boue, avec la rage froide d'un esprit tendre et exquis qui doute de lui et qui rêve de se salir. Il finit par s'accroupir devant un des regards donnant sur les caves des Halles, où le gaz brûle éternellement. Là, dans ces profondeurs, il montra à Flo-

rent, Marjolin et Cadine qui soupaient tranquillement, assis sur une des pierres d'abattage des
resserres aux volailles. Les gamins avaient des
moyens à eux pour se cacher et habiter les caves,
après la fermeture des grilles.

— Hein! quelle brute, quelle belle brute!
répétait Claude en parlant de Marjolin avec une
admiration envieuse. Et dire que cet animal-là
est heureux!... Quand ils vont avoir achevé leurs
pommes, ils se coucheront ensemble dans un de
ces grands paniers pleins de plumes. C'est une
vie, ça, au moins!... Ma foi, vous avez raison de
rester dans la charcuterie; peut-être que ça vous
engraissera.

Il partit brusquement. Florent remonta à sa
mansarde, troublé par ces inquiétudes nerveuses
qui réveillaient ses propres incertitudes. Il évita,
le lendemain, de passer la matinée à la charcuterie; il fit une grande promenade le long des
quais. Mais, au déjeuner, il fut repris par la
douceur fondante de Lisa. Elle lui reparla de
la place d'inspecteur à la marée, sans trop insister, comme d'une chose qui méritait réflexion.
Il l'écoutait, l'assiette pleine, gagné malgré lui
par la propreté dévote de la salle à manger;
la natte mettait une mollesse sous ses pieds; les
luisants de la suspension de cuivre, le jaune
tendre du papier peint et du chêne clair des
meubles, le pénétraient d'un sentiment d'honnêteté dans le bien-être, qui troublait ses idées du

faux et du vrai. Il eut cependant la force de
refuser encore, en répétant ses raisons, tout en
ayant conscience du mauvais goût qu'il y avait à
faire un étalage brutal de ses entêtements et
de ses rancunes, en un pareil lieu. Lisa ne se
fâcha pas; elle souriait au contraire, d'un beau
sourire qui embarrassait plus Florent que la
sourde irritation de la veille. Au dîner, on ne
causa que des grandes salaisons d'hiver, qui
allaient tenir tout le personnel de la charcuterie
sur pied.

Les soirées devenaient froides. Dès qu'on
avait dîné, on passait dans la cuisine. Il y faisait
très chaud. Elle était si vaste, d'ailleurs, que
plusieurs personnes y tenaient à l'aise, sans
gêner le service, autour d'une table carrée, pla-
cée au milieu. Les murs de la pièce éclairée au
gaz étaient recouverts de plaques de faïence
blanches et bleues, à hauteur d'homme. A
gauche, se trouvait le grand fourneau de fonte,
percé de trois trous, dans lesquels trois marmites
trapues enfonçaient leurs culs noirs de la suie
du charbon de terre; au bout, une petite cheminée, montée sur un four et garnie d'un
fumoir, servait pour les grillades; et, au-dessus
du fourneau, plus haut que les écumoires, les
cuillers, les fourchettes à longs manches, dans
une rangée de tiroirs numérotés, s'alignaient les
chapelures, la fine et la grosse, les mies de pain
pour paner, les épices, le girofle, la muscade,

les poivres. A droite, la table à hacher, énorme
bloc de chêne appuyé contre la muraille, s'appe-
santissait, toute couturée et toute creusée; tandis
que plusieurs appareils, fixés sur le bloc, une
pompe à injecter, une machine à pousser, une
hacheuse mécanique, mettaient là, avec leurs
rouages et leurs manivelles, l'idée mystérieuse et
inquiétante de quelque cuisine de l'enfer. Puis,
tout autour des murs, sur des planches, et jusque sous les tables, s'entassaient des pots, des
terrines, des seaux, des plats, des ustensiles de
fer-blanc, une batterie de casseroles profondes,
d'entonnoirs élargis, des râteliers de couteaux et
de couperets, des files de lardoires et d'aiguilles,
tout un monde noyé dans la graisse. La graisse
débordait, malgré la propreté excessive, suintait
entre les plaques de faïence, cirait les carreaux
rouges du sol, donnait un reflet grisâtre à la
fonte du fourneau, polissait les bords de la table
à hacher d'un luisant et d'une transparence de
chêne verni. Et, au milieu de cette buée amassée
goutte à goutte, de cette évaporation continue
des trois marmites, où fondaient les cochons, il
n'était certainement pas, du plancher au plafond, un clou qui ne pissât la graisse.

Les Quenu-Gradelle fabriquaient tout chez
eux. Ils ne faisaient guère venir du dehors que
les terrines des maisons renommées, les rillettes,
les bocaux de conserves, les sardines, les fromages, les escargots. Aussi, dès septembre, s'agis-

sait-il de remplir la cave, vidée pendant l'été.
Les veillées se prolongeaient même après la fermeture de la boutique. Quenu, aidé d'Auguste
et de Léon, emballait les saucissons, préparait
les jambons, fondait les saindoux, faisait les
lards de poitrine, les lards maigres, les lards à
piquer. C'était un bruit formidable de marmites
et de hachoirs, des odeurs de cuisine qui montaient dans la maison entière. Cela sans pré-
judice de la charcuterie courante, de la charcuterie fraîche, les pâtés de foie et de lièvre, les
galantines, les saucisses et les boudins.

Ce soir-là, vers onze heures, Quenu, qui avait
mis en train deux marmites de saindoux, dut
s'occuper du boudin. Auguste l'aida. A un coin
de la table carrée, Lisa et Augustine raccommo-
daient du linge; tandis que, devant elles, de
l'autre côté de la table, Florent était assis, la
face tournée vers le fourneau, souriant à la
petite Pauline qui, montée sur ses pieds, voulait
qu'il la fît « sauter en l'air ». Derrière eux, Léon
hachait de la chair à saucisse, sur le bloc de
chêne, à coups lents et réguliers.

Auguste alla d'abord chercher dans la cour
deux brocs pleins de sang de cochon. C'était lui
qui saignait à l'abattoir. Il prenait le sang et
l'intérieur des bêtes, laissant aux garçons
d'échaudoir le soin d'apporter, l'après-midi, les
porcs tout préparés dans leur voiture. Quenu
prétendait qu'Auguste saignait comme pas un

garçon charcutier de Paris. La vérité était qu'Auguste se connaissait à merveille à la qualité du sang; le boudin était bon, toutes les fois qu'il disait : « Le boudin sera bon. »

— Eh bien, aurons-nous du bon boudin? demanda Lisa.

Il déposa ses deux brocs, et, lentement :

— Je le crois, madame Quenu, oui, je le crois... Je vois d'abord ça à la façon dont le sang coule. Quand je retire le couteau, si le sang part trop doucement, ce n'est pas un bon signe, ça prouve qu'il est pauvre...

— Mais, interrompit Quenu, c'est aussi selon comme le couteau a été enfoncé.

La face blême d'Auguste eut un sourire.

— Non, non, répondit-il, j'enfonce toujours quatre doigts du couteau; c'est la mesure... Mais, voyez-vous, le meilleur signe, c'est encore lorsque le sang coule et que je le reçois en le battant avec la main, dans le seau. Il faut qu'il soit d'une bonne chaleur, crémeux, sans être trop épais.

Augustine avait laissé son aiguille. Les yeux levés, elle regardait Auguste. Sa figure rougeaude, aux durs cheveux châtains, prenait un air d'attention profonde. D'ailleurs, Lisa et la petite Pauline elle-même écoutaient également avec un grand intérêt.

— Je bats, je bats, je bats, n'est-ce pas? continua le garçon, en faisant aller sa main dans le

vide, comme s'il fouettait une crème. Eh bien,
quand je retire ma main et que je la regarde,
il faut qu'elle soit comme graissée par le sang
de façon à ce que le gant rouge soit bien du
même rouge partout... Alors, on peut dire sans
se tromper : « Le boudin sera bon. »

Il resta un instant la main en l'air, complaisamment, l'attitude molle; cette main qui vivait
dans des seaux de sang était toute rose, avec des
ongles vifs, au bout de la manche blanche.
Quenu avait approuvé de la tête. Il y eut un
silence. Léon hachait toujours. Pauline, qui était
restée songeuse, remonta sur les pieds de son
cousin, en criant de sa voix claire :

— Dis, cousin, raconte-moi l'histoire du monsieur qui a été mangé par les bêtes.

Sans doute, dans cette tête de gamine, l'idée
du sang des cochons avait éveillé celle « du
monsieur mangé par les bêtes ». Florent ne
comprenait pas, demandait quel monsieur. Lisa
se mit à rire.

— Elle demande l'histoire de ce malheureux,
vous savez, cette histoire que vous avez dite un
soir à Gavard. Elle l'aura entendue.

Florent était devenu tout grave. La petite alla
prendre dans ses bras le gros chat jaune,
l'apporta sur les genoux du cousin, en disant
que Mouton, lui aussi, voulait écouter l'histoire.
Mais Mouton sauta sur la table. Il resta là, assis,
le dos arrondi, contemplant ce grand garçon

maigre qui, depuis quinze jours, semblait être
pour lui un continuel sujet de profondes
réflexions. Cependant, Pauline se fâchait, elle
tapait des pieds, elle voulait l'histoire. Comme
elle était vraiment insupportable :

— Eh! racontez-lui donc ce qu'elle demande,
dit Lisa à Florent, elle nous laissera tranquille.

Florent garda le silence un instant encore. Il
avait les yeux à terre. Puis, levant la tête lentement, il s'arrêta aux deux femmes qui tiraient
leurs aiguilles, regarda Quenu et Auguste qui
préparaient la marmite pour le boudin. Le gaz
brûlait tranquille, la chaleur du fourneau était
très douce, toute la graisse de la cuisine luisait
dans un bien-être de digestion large. Alors, il
posa la petite Pauline sur l'un de ses genoux,
et, souriant d'un sourire triste, s'adressant à
l'enfant :

— Il était une fois un pauvre homme. On
l'envoya, très loin, très loin, de l'autre côté de
la mer... Sur le bateau qui l'emportait, il y avait
quatre cents forçats avec lesquels on le jeta. Il
dut vivre cinq semaines au milieu de ces bandits,
vêtu comme eux de toile à voile, mangeant à
leur gamelle. De gros poux le dévoraient, des
sueurs terribles le laissaient sans force. La cuisine, la boulangerie, la machine du bateau,
chauffaient tellement les faux ponts, que dix
des forçats moururent de chaleur. Dans la journée, on les faisait monter cinquante à la fois,

pour leur permettre de prendre l'air de la mer;
et, comme on avait peur d'eux, deux canons
étaient braqués sur l'étroit plancher où ils se
promenaient. Le pauvre homme était bien
content, quand arrivait son tour. Ses sœurs se
calmaient un peu. Il ne mangeait plus, il était
très malade. La nuit, lorsqu'on l'avait remis aux
fers, et que le gros temps le roulait entre ses
deux voisins, il se sentait lâche, il pleurait, heureux de pleurer sans être vu...

Pauline écoutait, les yeux agrandis, ses deux
petits mains croisées dévotement.

— Mais, interrompit-elle, ce n'est pas l'histoire du monsieur qui a été mangé par les bêtes...
C'est une autre histoire, dis, mon cousin?

— Attends, tu verras, répondit doucement
Florent. J'y arriverai, à l'histoire du monsieur...
Je te raconte l'histoire tout entière.

— Ah! bien, murmura l'enfant d'un air heureux.

Pourtant elle resta pensive, visiblement pré-
occupée par quelque grosse difficulté qu'elle ne
pouvait résoudre. Enfin, elle se décida.

— Qu'est-ce qu'il avait donc fait, le pauvre
homme, demanda-t-elle, pour qu'on le renvoyât
et qu'on le mît dans le bateau?

Lisa et Augustine eurent un sourire. L'esprit
de l'enfant les ravissait. Et Lisa, sans répondre
directement, profita de la circonstance pour lui
faire la morale; elle la frappa beaucoup, en lui

disant qu'on mettait aussi dans le bateau les enfants qui n'étaient pas sages.

— Alors, fit remarquer judicieusement Pauline, c'était bien fait, si le pauvre homme de mon cousin pleurait la nuit.

Lisa reprit sa couture, en baissant les épaules. Quenu n'avait pas entendu. Il venait de couper dans la marmite des rondelles d'oignon qui prenaient, sur le feu, des petites voix claires et aiguës de cigales pâmées de chaleur. Ça sentait très bon. La marmite, lorsque Quenu y plongeait sa grande cuiller de bois, chantait plus fort, emplissant la cuisine de l'odeur pénétrante de l'oignon cuit. Auguste préparait, dans un plat, des gras de lard. Et le hachoir de Léon allait à coups plus vifs, raclant la table par moments, pour ramener la chair à saucisse qui commençait à se mettre en pâte.

— Quand on fut arrivé, continua Florent, on conduisit l'homme dans une île nommée l'île du Diable. Il était là avec d'autres camarades qu'on avait aussi chassés de leur pays. Tous furent très malheureux. On les obligea d'abord à travailler comme des forçats. Le gendarme qui les gardait les comptait trois fois par jour, pour être bien sûr qu'il ne manquait personne. Plus tard, on les laissa libres de faire ce qu'ils voulaient; on les enfermait seulement la nuit, dans une grande cabane de bois, où ils dormaient sur des hamacs tendus entre deux barres. Au bout d'un an, ils

allaient nu-pieds, et leurs vêtements étaient si
déchirés, qu'ils montraient leur peau. Ils
s'étaient construit des huttes avec des troncs
d'arbre, pour s'abriter contre le soleil, dont la
flamme brûle tout dans ce pays-là; mais les
huttes ne pouvaient les préserver des mous-
tiques qui, la nuit, les couvraient de boutons
et d'enflures. Il en mourut plusieurs; les autres
devinrent tout jaunes, si secs, si abandonnés,
avec leurs grandes barbes, qu'ils faisaient
pitié...

— Auguste, donnez-moi les gras, cria Quenu.

Et lorsqu'il tint le plat, il fit glisser doucement dans la marmite les gras de lard, en les
délayant du bout de la cuiller. Les gras fondaient. Une vapeur plus épaisse monta du fourneau.

— Qu'est-ce qu'on leur donnait à manger?
demanda la petite Pauline profondément inté-
ressée.

— On leur donnait du riz plein de vers et de
la viande qui sentait mauvais, répondit Florent,
dont la voix s'assourdissait. Il fallait enlever les
vers pour manger le riz. La viande, rôtie et très
cuite, s'avalait encore; mais bouillie, elle puait
tellement, qu'elle donnait souvent des coliques.

— Moi, j'aime mieux être au pain sec, dit
l'enfant après s'être consultée.

Léon, ayant fini de hacher, apporta la chair
à saucisse dans un plat, sur la table carrée. Mou-

ton, qui était resté assis, les yeux sur Florent, comme extrêmement surpris par l'histoire, dut se reculer un peu, ce qu'il fit de très mauvaise grâce. Il se pelotonna, ronronnant, le nez sur la chair à saucisse. Cependant, Lisa paraissait ne pouvoir cacher son étonnement ni son dégoût; le riz plein de vers et la viande qui sentait mauvais lui semblaient sûrement des saletés à peine croyables, tout à fait déshono-rantes pour celui qui les avait mangées. Et, sur son beau visage calme, dans le gonflement de son cou, il y avait une vague épouvante, en face de cet homme nourri de choses immondes.

— Non, ce n'était pas un lieu de délices, reprit-il, oubliant la petite Pauline, les yeux vagues sur la marmite qui fumait. Chaque jour des vexations nouvelles, un écrasement continu, une violation de toute justice, un mépris de la charité humaine, qui exaspéraient les prison-niers et les brûlaient lentement d'une fièvre de rancune maladive. On vivait en bête, avec le fouet éternellement levé sur les épaules. Ces misérables voulaient tuer l'homme... On ne peut pas oublier, non, ce n'est pas possible. Ces souf-frances crieront vengeance un jour.

Il avait baissé la voix, et les lardons qui sif-flaient joyeusement dans la marmite la cou-vraient de leur bruit de friture bouillante. Mais Lisa l'entendait, effrayée de l'expression impla-cable que son visage avait prise brusquement.

Elle le jugea hypocrite, avec cet air doux qu'il savait feindre.

Le ton sourd de Florent avait mis le comble au plaisir de Pauline. Elle s'agitait sur le genou du cousin, enchantée de l'histoire.

— Et l'homme, et l'homme? murmura-t-elle.

Florent regarda la petite Pauline, parut se souvenir, retrouva son sourire triste.

— L'homme, dit-il, n'était pas content d'être dans l'île. Il n'avait qu'une idée, s'en aller, traverser la mer pour atteindre la côte, dont on voyait, par les beaux temps, la ligne blanche à l'horizon. Mais ce n'était pas commode. Il fallait construire un radeau. Comme des prisonniers s'étaient sauvés déjà, on avait abattu tous les arbres de l'île, afin que les autres ne pussent se procurer du bois. L'île était toute pelée, si nue, si aride sous les grands soleils, que le séjour en devenait plus dangereux et plus affreux encore. Alors l'homme eut l'idée, avec deux de ses camarades, de se servir des troncs d'arbres de leurs huttes. Un soir, ils partirent sur quelques mauvaises poutres qu'ils avaient liées avec des branches sèches. Le vent les portait vers la côte. Le jour allait paraître, quand leur radeau échoua sur un banc de sable, avec une telle violence, que les troncs d'arbres détachés furent emportés par les vagues. Les trois malheureux faillirent rester dans le sable; ils enfonçaient jusqu'à la ceinture; même il y en eut un qui

disparut jusqu'au menton, et que les deux autres
durent retirer. Enfin ils atteignirent un rocher,
où ils avaient à peine assez de place pour
s'asseoir. Quand le soleil se leva, ils aperçurent
en face d'eux la côte, une barre de falaises grises
tenant tout un côté de l'horizon. Deux, qui
savaient nager, se décidèrent à gagner ces
falaises. Ils aimaient mieux risquer de se noyer
tout de suite que de mourir lentement de faim
sur leur écueil. Ils promirent à leur compagnon
de venir le chercher, lorsqu'ils auraient touché
terre et qu'ils se seraient procuré une barque.

— Ah! voilà, je sais maintenant! cria la petite
Pauline, tapant de joie dans ses mains. C'est
l'histoire du monsieur qui a été mangé par les
bêtes.

— Ils purent atteindre la côte, poursuivit Florent; mais l'île était déserte, ils ne trouvèrent
une barque qu'au bout de quatre jours... Quand
ils revinrent à l'écueil, ils virent leur compagnon étendu sur le dos, les pieds et les mains
dévorés, la face rongée, le ventre plein d'un
grouillement de crabes qui agitaient la peau des
flancs, comme si un râle furieux eût traversé
ce cadavre a moitié mangé et frais encore.

Un murmure de répugnance échappa à Lisa
et à Augustine. Léon, qui préparait des boyaux
de porc pour le boudin, fit une grimace. Quenu
s'arrêta dans son travail, regarda Auguste pris
de nausées. Et il n'y avait que Pauline qui riait.

Ce ventre, plein d'un grouillement de crabes, s'étalait étrangement au milieu de la cuisine, mêlait des odeurs suspectes aux parfums du lard et de l'oignon.

— Passez-moi le sang! cria Quenu, qui, d'ailleurs, ne suivait pas l'histoire.

Auguste apporta les deux brocs. Et, lentement, il versa le sang dans la marmite, par minces filets rouges, tandis que Quenu le recevait, en tournant furieusement la bouillie qui s'épaississait. Lorsque les brocs furent vides, ce dernier, atteignant un à un les tiroirs, au-dessus du fourneau, prit des pincées d'épices. Il poivra surtout fortement.

— Ils le laissèrent là, n'est-ce pas? demanda Lisa. Ils revinrent sans danger?

— Comme ils revenaient, répondit Florent, le vent tourna, ils furent poussés en pleine mer. Une vague leur enleva une rame, et l'eau entrait à chaque souffle, si furieusement qu'ils n'étaient occupés qu'à vider la barque avec leurs mains. Ils roulèrent ainsi en face des côtes, emportés par une rafale, ramenés par la marée, ayant achevé leurs quelques provisions, sans une bouchée de pain. Cela dura trois jours.

— Trois jours! s'écria la charcutière stupéfaite, trois jours sans manger!

— Oui, trois jours sans manger. Quand le vent d'est les poussa enfin à terre, l'un d'eux était si affaibli, qu'il resta sur le sable toute une matinée. Il mourut le soir. Son compagnon avait vainement essayé de lui faire mâcher des feuilles d'arbre.

A cet endroit, Augustine eut un léger rire; puis, confuse d'avoir ri, ne voulant pas qu'on pût croire qu'elle manquait de cœur :

— Non, non, balbutia-t-elle, ce n'est pas de ça que je ris. C'est de Mouton... Regardez donc Mouton, madame.

Lisa, à son tour, s'égaya, Mouton, qui avait toujours sous le nez le plat de chair à saucisse, se trouvait probablement incommodé et dégoûté par toute cette viande. Il s'était levé, grattant la table de la patte, comme pour couvrir le plat, avec la hâte des chats qui veulent enterrer leurs ordures. Puis il tourna le dos au plat, il s'allongea sur le flanc, en s'étirant, les yeux demi-clos, la tête roulée dans une caresse béate. Alors tout le monde complimenta Mouton; on affirma que jamais il ne volait, qu'on pouvait laisser la viande à sa portée. Pauline racontait très confusément qu'il lui léchait les doigts et qu'il la débarbouillait, après le dîner, sans la mordre.

Mais Lisa revint à la question de savoir si l'on peut rester trois jours sans manger. Ce n'était pas possible.

— Non! dit-elle, je ne crois pas ça... D'ailleurs, il n'y a personne qui soit resté trois jours sans manger. Quand on dit : « Un tel crève de faim », c'est une façon de parler. On mange toujours, plus ou moins... Il faudrait des misérables tout à fait abandonnés, des gens perdus...

Elle allait dire sans doute « des canailles sans aveu »; mais elle se retint, en regardant Florent. Et la moue méprisante de ses lèvres, son regard clair avouaient carrément que les gredins seuls jeûnaient de cette façon désordonnée. Un homme capable d'être resté trois jours sans manger était pour elle un être absolument dangereux. Car, enfin, jamais les honnêtes gens ne se mettent dans des positions pareilles.

Florent étouffait maintenant. En face de lui, le fourneau, dans lequel Léon venait de jeter plusieurs pelletées de charbon, ronflait comme un chantre dormant au soleil. La chaleur devenait très forte. Auguste, qui s'était chargé des marmites de saindoux, les surveillait, tout en sueur; tandis que, s'épongeant le front avec sa manche, Quenu attendait que le sang se fût bien délayé. Un assoupissement de nourriture, un air chargé d'indigestion flottait.

— Quand l'homme eut enterré son camarade dans le sable, reprit Florent lentement, il s'en alla seul, droit devant lui. La Guyane hollandaise, où il se trouvait, est un pays de forêts, coupé de fleuves et de marécages. L'homme marcha pendant plus de huit jours, sans rencontrer une habitation. Tout autour de lui, il sentait la mort qui l'attendait. Souvent, l'estomac

tenaillé par la faim, il n'osait mordre aux fruits
éclatants qui pendaient des arbres; il avait peur
de ces baies aux reflets métalliques, dont les
bosses noueuses suaient le poison. Pendant des
journées entières, il marchait sous des voûtes
de branches épaisses, sans apercevoir un coin
de ciel, au milieu d'une ombre verdâtre, toute
pleine d'une horreur vivante. De grands oiseaux
s'envolaient sur sa tête avec un bruit d'ailes
terrible et des cris subits qui ressemblaient à
des râles de mort; des sauts de singes, des galops
de bêtes traversaient les fourrés, devant lui,
pliant les tiges, faisant tomber une pluie de
feuilles, comme sous un coup de vent; et c'était
surtout les serpents qui le glaçaient, quand il
posait le pied sur le sol mouvant de feuilles
sèches, et qu'il voyait des têtes minces filer entre
les enlacements monstrueux des racines. Certains coins, les coins d'ombre humide, grouil-
laient d'un pullulement de reptiles, noirs,
jaunes, violacés, zébrés, tigrés, pareils à des
herbes mortes, brusquement réveillées et
fuyantes. Alors, il s'arrêtait, il cherchait une
pierre pour sortir de cette terre molle où il
enfonçait; il restait là des heures, avec l'épouvante de quelque boa, entrevu au fond d'une
clairière, la queue roulée, la tête droite, se
balançant comme un tronc énorme, taché de
plaques d'or. La nuit, il dormait sur les arbres,
inquiété par le moindre frôlement, croyant

entendre des écailles sans fin glisser dans les
ténèbres. Il étouffait sous ces feuillages interminables; l'ombre y prenait une chaleur renfermée
de fournaise, une moiteur d'humidité, une sueur
pestilentielle, chargée des arômes rudes des bois
odorants et des fleurs puantes. Puis, lorsqu'il
se dégageait enfin, lorsque, au bout de longues
heures de marche, il revoyait le ciel, l'homme
se trouvait en face de larges rivières qui lui
barraient la route; il les descendait, surveillant
les échines grises des caïmans, fouillant du
regard les herbes charriées, passant à la nage,
quand il avait trouvé des eaux plus rassurantes.
Au-delà, les forêts recommençaient. D'autres
fois, c'étaient de vastes plaines grasses, des lieues
couvertes d'une végétation drue, bleuies de loin
en loin du miroir clair d'un petit lac. Alors,
l'homme faisait un grand détour, il n'avançait
plus qu'en tâtant le terrain, ayant failli mourir,
enseveli sous une de ces plaines riantes qu'il
entendait craquer à chaque pas. L'herbe géante,
nourrie par l'humus amassé, recouvre des marécages empestés, des profondeurs de boue liquide;
et il n'y a, parmi les nappes de verdure, s'allongeant sur l'immensité glauque, jusqu'au bord
de l'horizon, que d'étroites jetées de terre ferme,
qu'il faut connaître si l'on ne veut pas disparaître à jamais. L'homme, un soir, s'était
enfoncé jusqu'au ventre. A chaque secousse qu'il
tentait pour se dégager, la boue semblait monter

à sa bouche. Il resta tranquille pendant près de deux heures. Comme la lune se levait, il put heureusement saisir une branche d'arbre, au-dessus de sa tête. Le jour où il arriva à une habitation, ses pieds et ses mains saignaient, meurtris, gonflés par des piqûres mauvaises. Il était si pitoyable, si affamé, qu'on eut peur de lui. On lui jeta à manger à cinquante pas de la maison, pendant que le maître gardait sa porte avec un fusil.

Florent se tut, la voix coupée, les regards au loin. Il semblait ne plus parler que pour lui. La petite Pauline, que le sommeil prenait, s'abandonnait, la tête renversée, faisant des efforts pour tenir ouverts ses yeux émerveillés. Et Quenu se fâchait.

— Mais, animal! criait-il à Léon, tu ne sais donc pas tenir un boyau... Quand tu me regarderas! Ce n'est pas moi qu'il faut regarder, c'est le boyau... Là, comme cela. Ne bouge plus, maintenant.

Léon, de la main droite, soulevait un long bout de boyau vide, dans l'extrémité duquel un entonnoir très évasé était adapté; et, de la main gauche, il enroulait le boudin autour d'un bassin, d'un plat rond de métal, à mesure que le charcutier emplissait l'entonnoir à grandes cuillerées. La bouillie coulait, toute noire et toute fumante, gonflant peu à peu le boyau, qui retombait ventru, avec des courbes molles.

Comme Quenu avait retiré la marmite du feu, ils apparaissaient tous deux, lui et Léon, l'enfant, d'un profil mince, lui d'une face large, dans l'ardente lueur du brasier, qui chauffait leurs visages pâles et leurs vêtements blancs d'un ton rose.

Lisa et Augustine s'intéressaient à l'opération, Lisa surtout, qui gronda à son tour Léon, parce qu'il pinçait trop le boyau avec les doigts, ce qui produisait des nœuds, disait-elle. Quand le boudin fut emballé, Quenu le glissa doucement dans une marmite d'eau bouillante. Il parut tout soulagé, il n'avait plus qu'à le laisser cuire.

— Et l'homme, et l'homme? murmura de nouveau Pauline, rouvrant les yeux, surprise de ne plus entendre le cousin parler.

Florent la berçait sur son genou, ralentissant encore son récit, le murmurant comme un chant de nourrice.

— L'homme, dit-il, parvint à une grande ville. On le prit d'abord pour un forçat évadé; il fut retenu plusieurs mois en prison... Puis on le relâcha, il fit toutes sortes de métiers, tint des comptes, apprit à lire aux enfants; un jour même, il entra, comme homme de peine, dans des travaux de terrassement... L'homme rêvait toujours de revenir dans son pays. Il avait économisé l'argent nécessaire, lorsqu'il eut la fièvre jaune. On le crut mort, on s'était partagé ses habits; et quand il en réchappa, il ne retrouva pas même une chemise... Il fallut recommencer. L'homme était très malade. Il avait peur de rester là-bas... Enfin, l'homme put partir, l'homme revint.

La voix avait baissé de plus en plus. Elle mourut, dans un dernier frisson des lèvres. La petite Pauline dormait, ensommeillée par la fin de l'histoire, la tête abandonnée sur l'épaule du cousin. Il la soutenait du bras, il la berçait encore du genou, insensiblement, d'une façon douce. Et, comme on ne faisait plus attention à lui, il resta là, sans bouger, avec cette enfant endormie.

C'était le grand coup de feu, comme disait Quenu. Il retirait le boudin de la marmite. Pour ne point crever ni nouer les bouts ensemble, il les prenait avec un bâton, les enroulait, les portait dans la cour, où ils devaient sécher rapidement sur des claies. Léon l'aidait, soutenait les bouts trop longs. Ces guirlandes de boudin, qui traversaient la cuisine, toutes suantes, laissaient des traînées d'une fumée forte qui achevaient d'épaissir l'air. Auguste, donnant un dernier coup d'œil à la fonte du saindoux, avait, de son côté, découvert les deux marmites, où les graisses bouillaient lourdement, en laissant échapper, de chacun de leurs bouillons crevés, une légère explosion d'âcre vapeur. Le flot gras avait monté depuis le commencement de la veillée; maintenant il noyait le gaz, emplissait

la pièce, coulait partout, mettant dans un brouillard les blancheurs roussies de Quenu et de ses
deux garçons. Lisa et Augustine s'étaient levées.
Tous soufflaient comme s'ils venaient de trop
manger.

Augustine monta sur ses bras Pauline endormie. Quenu, qui aimait à fermer lui-même la
cuisine, congédia Auguste et Léon, en disant
qu'il rentrerait le boudin. L'apprenti se retira
très rouge; il avait glissé dans sa chemise près
d'un mètre de boudin, qui devait le griller.
Puis, les Quenu et Florent, restés seuls, gardèrent le silence. Lisa, debout, mangeait un
morceau de boudin tout chaud, qu'elle mordait
à petits coups de dents, écartant ses belles lèvres
pour ne pas les brûler; et le bout noir s'en
allait peu à peu dans tout ce rose.

— Ah! bien, dit-elle, la Normande a eu tort
d'être mal polie... Il est bon, aujourd'hui, le
boudin.

On frappa à la porte de l'allée, Gavard entra.
Il restait tous les soirs chez monsieur Lebigre
jusqu'à minuit. Il venait pour avoir une réponse
définitive, au sujet de la place d'inspecteur à
la marée.

— Vous comprenez, expliqua-t-il, monsieur
Verlaque ne peut attendre davantage, il est
vraiment trop malade... Il faut que Florent se
décide. J'ai promis de donner une réponse
demain, à la première heure.

— Mais Florent accepte, répondit tranquillement Lisa, en donnant un nouveau coup de dents dans son boudin.

Florent, qui n'avait pas quitté sa chaise, pris d'un étrange accablement, essaya vainement de se lever et de protester.

— Non, non, reprit la charcutière, c'est chose entendue... Voyons, mon cher Florent, vous avez assez souffert. Ça fait frémir, ce que vous racontiez tout à l'heure... Il est temps que vous vous rangiez. Vous appartenez à une famille honorable, vous avez reçu de l'éducation, et c'est peu convenable, vraiment, de courir les chemins, en véritable gueux... A votre âge, les enfantillages ne sont plus permis... Vous avez fait des folies, eh bien, on les oubliera, on vous les pardonnera. Vous rentrerez dans votre classe, dans la classe des honnêtes gens, vous vivrez comme tout le monde, enfin.

Florent l'écoutait, étonné, ne trouvant pas une parole. Elle avait raison, sans doute. Elle était si saine, si tranquille, qu'elle ne pouvait vouloir le mal. C'était lui, le maigre, le profil noir et louche, qui devait être mauvais et rêver des choses inavouables. Il ne savait plus pourquoi il avait résisté jusque-là.

Mais elle continua, abondamment, le gourmandant comme un petit garçon qui a fait des fautes et qu'on menace des gendarmes. Elle était très maternelle, elle trouvait des raisons très convaincantes. Puis, comme dernier argument :

— Faites-le pour nous, Florent, dit-elle. Nous tenons une certaine position dans le quartier, qui nous force à beaucoup de ménagements... J'ai peur qu'on ne jase, là, entre nous. Cette place arrangera tout, vous serez quelqu'un, même vous nous ferez honneur.

Elle devenait caressante. Une plénitude emplissait Florent; il était comme pénétré par cette odeur de la cuisine, qui le nourrissait de toute la nourriture dont l'air était chargé; il glissait à la lâcheté heureuse de cette digestion continue du milieu gras où il vivait depuis quinze jours. C'était, à fleur de peau, mille chatouillements de graisse naissante, un lent envahissement de l'être entier, une douceur molle et boutiquière. A cette heure avancée de la nuit, dans la chaleur de cette pièce, ses âpretés, ses volontés se fondaient en lui; il se sentait si alangui par cette soirée calme, par les parfums du boudin et du saindoux, par cette grosse Pauline endormie sur ses genoux, qu'il se surprit à vouloir passer d'autres soirées semblables, des soirées sans fin, qui l'engraisseraient. Mais ce fut surtout Mouton qui le détermina. Mouton dormait profondément, le ventre en l'air, une patte sur son nez, la queue ramenée contre ses flancs comme pour lui servir d'édredon; et il dormait avec un tel bonheur de chat, que Florent murmura, en le regardant :

— Non! c'est trop bête, à la fin... J'accepte. Dites que j'accepte, Gavard.

Alors, Lisa acheva son boudin, s'essuyant les doigts, doucement, au bord de son tablier. Elle voulut préparer le bougeoir de son beau-frère, pendant que Gavard et Quenu le félicitaient de sa détermination. Il fallait faire une fin après tout; les casse-cou de la politique ne nourrissent pas. Et elle, debout, le bougeoir allumé, regardait Florent d'un air satisfait, avec sa belle face tranquille de vache sacrée.

III

Trois jours plus tard, les formalités étaient
faites, la préfecture acceptait Florent des mains
de monsieur Verlaque, presque les yeux fermés,
à simple titre de remplaçant, d'ailleurs. Gavard
avait voulu les accompagner. Quand il se
retrouva seul avec Florent, sur le trottoir, il lui
donna des coups de coude dans les côtes, riant
sans rien dire, avec des clignements d'yeux
goguenards. Les sergents de ville qu'il rencontra sur le quai de l'Horloge lui parurent sans
doute très ridicules; car, en passant devant eux,
il eut un léger renflement de dos, une moue
d'homme qui se retient pour ne pas éclater au
nez des gens.

Dès le lendemain, monsieur Verlaque commença à mettre le nouvel inspecteur au courant
de la besogne. Il devait, pendant quelques matinées, le guider au milieu du monde turbulent
qu'il allait avoir à surveiller. Ce pauvre Verlaque, comme le nommait Gavard, était un petit
homme pâle, toussant beaucoup, emmailloté de
flanelle, de foulards, de cache-nez, se promenant

dans l'humidité fraîche et dans les eaux cou-
rantes de la poissonnerie, avec des jambes
maigres d'enfant maladif.

Le premier matin, lorsque Florent arriva à
sept heures, il se trouva perdu, les yeux effarés,
la tête cassée. Autour des neuf bancs de criée,
rôdaient déjà des revendeuses, tandis que les
employés arrivaient avec leurs registres, et que
les agents des expéditeurs, portant en sautoir
des gibecières de cuir, attendaient la recette,
assis sur des chaises renversées, contre les
bureaux de vente. On déchargeait, on déballait
la marée, dans l'enceinte fermée des bancs, et
jusque sur les trottoirs. C'était, le long du carreau, des amoncellements de petites bourriches,
un arrivage continu de caisses et de paniers, des
sacs de moules empilés laissant couler des rigoles
d'eau. Les compteurs-verseurs, très affairés,
enjambant les tas, arrachaient d'une poignée la
paille des bourriches, les vidaient, les jetaient,
vivement; et, sur les larges mannes rondes, en
un seul coup de main, ils distribuaient les lots,
leur donnaient une tournure avantageuse.
Quand les mannes s'étalèrent, Florent put croire
qu'un banc de poissons venait d'échouer là, sur
ce trottoir, râlant encore, avec les nacres roses, les
coraux saignants, les perles laiteuses, toutes les
moires et toutes les pâleurs glauques de l'océan.

Pêle-mêle, au hasard du coup de filet, les
algues profondes, où dort la vie mystérieuse des

grandes eaux, avaient tout livré : les cabillauds,
les aigrefins, les carrelets, les plies, les limandes,
bêtes communes d'un gris sale, aux taches blanchâtres; les congres, ces grosses couleuvres d'un
bleu de vase, aux minces yeux noirs, si gluantes
qu'elles semblent ramper, vivantes encore; les
raies élargies, à ventre pâle bordé de rouge
tendre, dont les dos superbes, allongeant les
nœuds saillants de l'échine, se marbrent, jusqu'aux baleines tendues des nageoires, de
plaques de cinabre coupées par des zébrures de
bronze florentin, d'une bigarrure assombrie de
crapaud et de fleur malsaine; les chiens de mer,
horribles, avec leurs têtes rondes, leurs bouches
largement fendues d'idoles chinoises, leurs
courtes ailes de chauves-souris charnues, mons-
tres qui doivent garder de leurs abois les trésors
des grottes marines. Puis, venaient les beaux
poissons, isolés, un sur chaque plateau d'osier;
les saumons, d'argent guilloché, dont chaque
écaille semble un coup de burin dans le poli
du métal; les mulets, d'écailles plus fortes, de
ciselures plus grossières; les grands turbots, les
grandes barbues, d'un grain serré et blanc
comme du lait caillé; les thons, lisses et vernis,
pareils à des sacs de cuir noirâtre; les bars arrondis, ouvrant une bouche énorme, faisant songer
à quelque âme trop grosse, rendue à pleine
gorge, dans la stupéfaction de l'agonie. Et, de
toutes parts, les soles, par paires, grises ou

blondes, pullulaient; les équilles minces, raidies, ressemblaient à des rognures d'étain; les harengs, légèrement tordus, montraient tous, sur leurs robes lamées, la meurtrissure de leurs ouïes saignantes; les dorades grasses se teintaient d'une pointe de carmin, tandis que les maquereaux, dorés, le dos strié de brunissures verdâtres, faisaient luire la nacre changeante de leurs flancs, et que les grondins roses, à ventres blancs, les têtes rangées au centre des mannes, les queues rayonnantes, épanouissaient d'étranges floraisons, panachées de blanc de perle et de vermillon vif. Il y avait encore des rougets de roche, à la chair exquise, du rouge enluminé des cyprins, des caisses de merlans aux reflets d'opale, des paniers d'éperlans, de petits paniers propres, jolis comme des paniers de fraises, qui laissaient échapper une odeur puissante de violette. Cependant, les crevettes roses, les crevettes grises, dans des bourriches, mettaient, au milieu de la douceur effacée de leurs tas, les imperceptibles boutons de jais de leurs milliers d'yeux; les langoustes épineuses, les homards tigrés de noir, vivants encore, se traînant sur leurs pattes cassées, craquaient.

Florent écoutait mal les explications de monsieur Verlaque. Une barre de soleil, tombant du haut vitrage de la rue couverte, vint allumer ces couleurs précieuses, lavées et attendries par la vague, irisées et fondues dans les tons de chair des coquillages, l'opale des merlans, la nacre des maquereaux, l'or des rougets, la robe lamée des harengs, les grandes pièces d'argenterie des saumons. C'était comme les écrins, vidés à terre, de quelque fille des eaux, des parures inouïes et bizarres, un ruissellement, un entassement de colliers, de bracelets monstrueux, de broches gigantesques, de bijoux barbares, dont l'usage échappait. Sur le dos des raies et des chiens de mer, de grosses pierres sombres, violâtres, verdâtres, s'enchâssaient dans un métal noirci; et les minces barres des équilles, les queues et les nageoires des éperlans, avaient des délicatesses de bijouterie fine.

Mais ce qui montait à la face de Florent, c'était un souffle frais, un vent de mer qu'il reconnaissait, amer et salé. Il se souvenait des côtes de la Guyane, des beaux temps de la traversée. Il lui semblait qu'une baie était là, quand l'eau se retire et que les algues fument au soleil; les roches mises à nu s'essuient, le gravier exhale une haleine forte de marée. Autour de lui, le poisson, d'une grande fraîcheur, avait un bon parfum, ce parfum un peu âpre et irritant qui déprave l'appétit.

Monsieur Verlaque toussa. L'humidité le pénétrait, il se serrait plus étroitement dans son cache-nez.

— Maintenant, dit-il, nous allons passer au poisson d'eau douce.

Là, du côté du pavillon aux fruits, et le dernier vers la rue Rambuteau, le banc de la criée est entouré de deux viviers circulaires, séparés en cases distinctes par des grilles de fonte. Des robinets de cuivre, à col de cygne, jettent de minces filets d'eau. Dans chaque case, il y a des grouillements confus d'écrevisses, des nappes mouvantes de dos noirâtres de carpes, des nœuds vagues d'anguilles, sans cesse dénoués et renoués. Monsieur Verlaque fut repris d'une toux opiniâtre. L'humidité était plus fade, une odeur molle de rivière, d'eau tiède endormie sur le sable.

L'arrivage des écrevisses d'Allemagne, en boîtes et en paniers, était très fort ce matin-là. Les poissons blancs de Hollande et d'Angleterre encombraient aussi le marché. On déballait les carpes du Rhin, mordorées, si belles avec leurs roussissures métalliques, et dont les plaques d'écailles ressemblent à des émaux cloisonnés et bronzés; les grands brochets, allongeant leurs becs féroces, brigands des eaux, rudes, d'un gris de fer; les tanches, sombres et magnifiques, pareilles à du cuivre rouge taché de vert-de-gris. Au milieu de ces dorures sévères, les mannes de goujons et de perches, les lots de truites, les tas d'ablettes communes, de poissons plats pêchés à l'épervier, prenaient des blancheurs vives, des échines bleuâtres d'acier peu à peu amollies dans la douceur transparente des ventres; et de

gros barbillons, d'un blanc de neige, étaient la
note aiguë de lumière de cette colossale nature
morte. Doucement, dans les viviers, on versait
des sacs de jeunes carpes; les carpes tournaient
sur elles-mêmes, restaient un instant à plat, puis
filaient, se perdaient. Des paniers de petites
anguilles se vidaient d'un bloc, tombaient au
fond des cases comme un seul nœud de serpents;
tandis que les grosses, celles qui avaient l'épaisseur d'un bras d'enfant, levant la tête, se glissaient d'elles-mêmes sous l'eau, du jet souple des
couleuvres qui se cachent dans un buisson. Et
couchés sur l'osier sali des mannes, des poissons dont le râle durait depuis le matin, achevaient longuement de mourir, au milieu du
tapage des criées; ils ouvraient la bouche, les
flancs serrés, comme pour boire l'humidité de
l'air, et ces hoquets silencieux, toutes les trois
secondes, bâillaient démesurément.

Cependant monsieur Verlaque avait ramené
Florent aux bancs de la marée. Il le promenait,
lui donnait des détails très compliqués. Aux trois
côtés intérieurs du pavillon, autour des neuf
bureaux, des flots de foule s'étaient massés, qui
faisaient sur chaque bord des tas de têtes mou-
tonnantes, dominées par des employés, assis et
haut perchés, écrivant sur des registres.

— Mais, demanda Florent, est-ce que ces
employés appartiennent tous aux facteurs?

Alors, monsieur Verlaque, faisant le tour par

le trottoir, l'amena dans l'enceinte d'un des
bancs de criée. Il lui expliqua les cases et le
personnel du grand bureau de bois jaune, puant
le poisson, maculé par les éclaboussures des
mannes. Tout en haut, dans la cabine vitrée,
l'agent des perceptions municipales prenait les
chiffres des enchères. Plus bas, sur des chaises
élevées, les poignets appuyés à d'étroits pupitres,
étaient assises les deux femmes qui tenaient les
tablettes de vente pour le compte du facteur.
Le banc est double; de chaque côté, à un bout
de la table de pierre qui s'allonge devant le
bureau, un crieur posait les mannes, mettait à
prix les lots et les grosses pièces; tandis que la
tabletière au-dessus de lui, la plume aux doigts,
attendait l'adjudication. Et il lui montra, en
dehors de l'enceinte en face, dans une autre
cabine de bois jaune, la caissière, une vieille
et énorme femme, qui rangeait des piles de sous
et de pièces de cinq francs.

— Il y a deux contrôles, disait-il, celui de la
préfecture de la Seine et celui de la préfecture
de police. Cette dernière, qui nomme les facteurs, prétend avoir la charge de les surveiller.
L'administration de la Ville, de son côté, entend
assister à des transactions qu'elle frappe d'une
taxe.

Il continua de sa petite voix froide, racontant
tout au long la querelle des deux préfectures.
Florent ne l'écoutait guère. Il regardait la table-

tière qu'il avait en face de lui, sur une des
hautes chaises. C'était une grande fille brune, de
trente ans, avec de gros yeux noirs, l'air très
posé; elle écrivait, les doigts allongés, en demoiselle qui a reçu de l'instruction.

Mais son attention fut détournée par le glapissement du crieur, qui mettait un magnifique
turbot aux enchères.

— Il y a marchand à trente francs!... à trente
francs!... à trente francs!

Il répétait ce chiffre sur tous les tons, montant
une gamme étrange, pleine de soubresauts. Il était
bossu, la face de travers, les cheveux ébouriffés,
avec un grand tablier bleu à bavette. Et le bras
tendu, violemment, les yeux jetant des flammes :

— Trente-un! trente-deux! trente-trois! trente-
trois cinquante!... trente-trois cinquante!...

Il reprit haleine, tournant la manne, l'avan-
çant sur la table de pierre, tandis que des poissonnières se penchaient, touchaient le turbot,
légèrement, du bout du doigt. Puis, il repartit,
avec une furie nouvelle, jetant un chiffre de la
main à chaque enchérisseur, surprenant les
moindres signes, les doigts levés, les haussements
de sourcils, les avancements de lèvres, les clignements d'yeux; et cela avec une telle rapidité, un
tel bredouillement, que Florent, qui ne pouvait
le suivre, resta déconcerté quand le bossu, d'une
voix plus chantante, psalmodia d'un ton de
chantre qui achève un verset :

— Quarante-deux! Quarante-deux!... à quarante-deux francs le turbot!

C'était la belle Normande qui avait mis la
dernière enchère. Florent la reconnut, sur la
ligne des poissonnières, rangées contre les
tringles de fer qui fermaient l'enceinte de la
criée. La matinée était fraîche. Il y avait là une
file de palatines, un étalage de grands tabliers
blancs, arrondissant des ventres, des gorges, des
épaules énormes. Le chignon haut, tout garni de
frisons, la chair blanche et délicate, la belle Normande montrait son nœud de dentelle, au milieu
des tignasses crépues, coiffées d'un foulard, des
nez d'ivrognesses, des bouches insolemment fendues, des faces égueulées comme des pots cassés.
Elle aussi reconnut le cousin de madame Quenu,
surprise de le voir là, au point d'en chuchoter
avec ses voisines.

Le vacarme des voix devenait tel, que monsieur Verlaque renonça à ses explications. Sur le
carreau, des hommes annonçaient les grands
poissons, avec des cris prolongés qui semblaient
sortir de porte-voix gigantesques; un surtout qui
hurlait : « La moule! la moule! » d'une clameur
rauque et brisée, dont les toitures des Halles
tremblaient. Les sacs de moules, renversés, coulaient dans des paniers; on en vidait d'autres à
la pelle. Les mannes défilaient, les raies, les soles,
les maquereaux, les congres, les saumons, appor-
tés et remportés par les compteurs-verseurs, au

milieu des bredouillements qui redoublaient, et de l'écrasement des poissonnières qui faisaient craquer les barres de fer. Le crieur, le bossu, allumé, battant l'air de ses bras maigres, tendait les mâchoires en avant. A la fin, il monta sur un escabeau, fouetté par les chapelets de chiffres qu'il lançait à toute volée, la bouche tordue, les cheveux en coup de vent, n'arrachant plus à son gosier séché qu'un sifflement inintelligible. En haut, l'employé des perceptions municipales, un petit vieux tout emmitouflé dans un collet de faux astrakan, ne montrait que son nez, sous sa calotte de velours noir; et la grande tabletière brune, sur sa haute chaise de bois, écrivait paisiblement, les yeux calmes dans sa face un peu rougie par le froid, sans seulement battre des paupières, aux bruits de crécelle du bossu, qui montaient le long de ses jupes.

— Ce Logre est superbe, murmura monsieur Verlaque en souriant. C'est le meilleur crieur du marché... Il vendrait des semelles de bottes pour des paires de soles.

Il revint avec Florent dans le pavillon. En passant de nouveau devant la criée du poisson d'eau douce, où les enchères étaient plus froides, il lui dit que cette vente baissait, que la pêche fluviale en France se trouvait fort compromise. Un crieur, de mine blonde et chafouine, sans un geste, adjugeait d'une voix monotone des lots d'anguilles et d'écrevisses; tandis que, le long des viviers, les compteurs-verseurs allaient, pêchant avec des filets à manches courts.

Cependant, la cohue augmentait autour des bureaux de vente. Monsieur Verlaque remplissait en toute conscience son rôle d'instructeur, s'ouvrant un passage à coups de coude, continuant à promener son successeur au plus épais des enchères. Les grandes revendeuses étaient là, paisibles, attendant les belles pièces, chargeant sur les épaules des porteurs les thons, les turbots, les saumons. A terre, les marchandes des rues se partageaient des mannes de harengs et de petites limandes, achetées en commun. Il y avait encore des bourgeois, quelques rentiers des quartiers lointains, venus à quatre heures du matin pour faire l'emplette d'un poisson frais, et qui finissaient par se laisser adjuger tout un lot énorme, quarante à cinquante francs de marée, qu'ils mettaient ensuite la journée entière à céder aux personnes de leurs connaissances. Des poussées enfonçaient brusquement des coins de foule. Une poissonnière trop serrée se dégagea, les poings levés, le cou gonflé d'ordures. Puis, des murs compacts se formaient. Alors, Florent qui étouffait, déclara qu'il avait assez vu, qu'il avait compris.

Comme monsieur Verlaque l'aidait à se dégager, ils se trouvèrent face à face avec la belle Normande. Elle resta plantée devant eux; et, de son air de reine :

— Est-ce que c'est bien décidé, monsieur Verlaque, vous nous quittez?

— Oui, oui, répondit le petit homme. Je vais me reposer à la campagne, à Clamart. Il paraît que l'odeur du poisson me fait mal... Tenez, voici monsieur qui me remplace.

Il s'était tourné, en montrant Florent. La belle Normande fut suffoquée. Et comme Florent s'éloignait, il crut l'entendre murmurer à l'oreille de ses voisines, avec des rires étouffés : « Ah! bien, nous allons nous amuser, alors! »

Les poissonnières faisaient leur étalage. Sur tous les bancs de marbre, les robinets des angles coulaient à la fois, à grande eau. C'était un bruit d'averse, un ruissellement de jets roides qui sonnaient et rejaillissaient; et du bord des bancs inclinés, de grosses gouttes filaient, tombant avec un murmure adouci de source, s'éclaboussant dans les allées, où de petits ruisseaux couraient, emplissaient d'un lac certains trous, puis repartaient en mille branches, descendaient la pente, vers la rue Rambuteau. Une buée d'humidité montait, une poussière de pluie, qui soufflait au visage de Florent cette haleine fraîche, ce vent de mer qu'il reconnaissait, amer et salé; tandis qu'il retrouvait, dans les premiers poissons étalés, les nacres roses, les coraux saignants, les perles laiteuses, toutes les moires et toutes les pâleurs glauques de l'océan.

Cette première matinée le laissa très hésitant.

Il regrettait d'avoir cédé à Lisa. Dès le lendemain, échappé à la somnolence grasse de la cuisine, il s'était accusé de lâcheté avec une violence
qui avait presque mis des larmes dans ses yeux.
Mais il n'osa revenir sur sa parole, Lisa l'effrayait
un peu; il voyait le pli de ses lèvres, le reproche
muet de son beau visage. Il la traitait en femme
trop sérieuse et trop satisfaite pour être contrariée. Gavard, heureusement, lui inspira une idée
qui le consola. Il le prit à part, le soir même du
jour où monsieur Verlaque l'avait promené au
milieu des criées, lui expliquant, avec beaucoup
de réticences, que « ce pauvre diable » n'était
pas heureux. Puis, après d'autres considérations
sur ce gredin de gouvernement qui tuait ses
employés à la peine, sans leur assurer seulement
de quoi mourir, il se décida à faire entendre
qu'il serait charitable d'abandonner une partie
des appointements à l'ancien inspecteur. Florent
accueillit cette idée avec joie. C'était trop juste,
il se considérait comme le remplaçant intéri-
maire de monsieur Verlaque; d'ailleurs, lui,
n'avait besoin de rien, puisqu'il couchait et qu'il
mangeait chez son frère. Gavard ajouta que, sur
les cent cinquante francs mensuels, un abandon
de cinquante francs lui paraissait très joli; et,
en baissant la voix, il fit remarquer que ça ne
durerait pas longtemps, car le malheureux était
vraiment poitrinaire jusqu'aux os. Il fut convenu
que Florent verrait la femme, s'entendrait avec

elle, pour ne pas blesser le mari. Cette bonne
action le soulageait, il acceptait maintenant
l'emploi avec une pensée de dévouement, il restait dans le rôle de toute sa vie. Seulement, il
fit jurer au marchand de volailles de ne parler
à personne de cet arrangement. Comme celui-ci
avait aussi une vague terreur de Lisa, il garda
le secret, chose très méritoire.

Alors, toute la charcuterie fut heureuse. La
belle Lisa se montrait très amicale pour son
beau-frère; elle l'envoyait se coucher de bonne
heure, afin qu'il pût se lever matin; elle lui
tenait son déjeuner bien chaud; elle n'avait plus
honte de causer avec lui sur le trottoir, maintenant qu'il portait une casquette galonnée.
Quenu, ravi de ces bonnes dispositions, ne s'était
jamais si carrément attablé, le soir, entre son
frère et sa femme. Le dîner se prolongeait souvent jusqu'à neuf heures, pendant qu'Augustine
restait au comptoir. C'était une longue digestion, coupée des histoires du quartier, des juge-
ments positifs portés par la charcutière sur la
politique. Florent devait dire comment avait
marché la vente de la marée. Il s'abandonnait
peu à peu, arrivait à goûter la béatitude de cette
vie réglée. La salle à manger jaune clair avait
une netteté et une tiédeur bourgeoises qui
l'amollissaient dès le seuil. Les bons soins de la
belle Lisa mettaient autour de lui un duvet
chaud, où tous ses membres enfonçaient. Ce fut

une heure intime et de bonne entente absolues.

Mais Gavard jugeait l'intérieur des Quenu-Gradelle trop endormi. Il pardonnait à Lisa ses tendresses pour l'empereur, parce que, disait-il, il ne faut jamais causer politique avec les femmes, et que la belle charcutière était, après tout, une femme très honnête qui faisait aller joliment son commerce. Seulement, par goût, il préférait passer ses soirées chez monsieur Lebigre, où il retrouvait tout un petit groupe d'amis qui avaient ses opinions. Quand Florent fut nommé inspecteur de la marée, il le débaucha, il l'emmena pendant des heures, le poussant à vivre en garçon, maintenant qu'il avait une place.

Monsieur Lebigre tenait un fort bel établissement, d'un luxe tout moderne. Placé à l'encoignure droite de la rue Pirouette, sur la rue Rambuteau, flanqué de quatre petits pins de Norvège dans des caisses peintes en vert, il faisait un digne pendant à la grande charcuterie des Quenu-Gradelle. Les glaces claires laissaient voir la salle, ornée de guirlandes de feuillages, de pampres et de grappes, sur un fond vert tendre. Le dallage était blanc et noir, à grands carreaux. Au fond, le trou béant de la cave s'ouvrait sous l'escalier tournant, à draperie rouge, qui menait au billard du premier étage. Mais le comptoir surtout, à droite, était très riche, avec son large reflet d'argent poli. Le zinc retombant

sur le soubassement de marbre blanc et rouge,
en une haute bordure gondolée, l'entourait
d'une moire, d'une nappe de métal, comme un
maître-autel chargé de ses broderies. A l'un des
bouts, les théières de porcelaine pour le vin
chaud et le punch, cerclées de cuivre, dormaient
sur le fourneau à gaz; à l'autre bout, une fontaine de marbre, très élevée, très sculptée, laissait
tomber perpétuellement dans une cuvette un fil
d'eau si continu qu'il semblait immobile; et, au
milieu, au centre des trois pentes du zinc, se
creusait un bassin à rafraîchir et à rincer, où
des litres entamés alignaient leurs cols verdâtres.
Puis, l'armée des verres, rangée par bandes, occupait les deux côtés : les petits verres pour l'eau-
de-vie, les gobelets épais pour les canons, les
coupes pour les fruits, les verres à absinthe, les
chopes, les grands verres à pied, tous renversés,
le cul en l'air, reflétant dans leur pâleur les
luisants du comptoir. Il y avait encore, à gauche,
une urne de melchior montée sur un pied qui
servait de tronc; tandis que, à droite, une urne
semblable se hérissait d'un éventail de petites
cuillers.

D'ordinaire, monsieur Lebigre trônait derrière le comptoir, assis sur une banquette de
cuir rouge capitonné. Il avait sous la main les
liqueurs, des flacons de cristal taillé, à moitié
enfoncés dans les trous d'une console; et il
appuyait son dos rond à une immense glace

tenant tout le panneau, traversée par deux étagères, deux lames de verre qui supportaient des
bocaux et des bouteilles. Sur l'une, les bocaux
de fruits, les cerises, les prunes, les pêches, mettaient leurs taches assombries; sur l'autre, entre
des paquets de biscuits symétriques, des fioles
claires, vert tendre, rouge tendre, jaune tendre,
faisaient rêver à des liqueurs inconnues, à des
extraits de fleurs d'une limpidité exquise. Il
semblait que ces fioles fussent suspendues en
l'air, éclatantes et comme allumées, dans la
grande lueur blanche de la glace.

Pour donner à son établissement un air de
café, monsieur Lebigre avait placé, en face du
comptoir, contre le mur, deux petites tables de
fonte vernie, avec quatre chaises. Un lustre à
cinq becs et à globes dépolis pendait du plafond.
L'œil-de-bœuf, une horloge toute dorée, était à
gauche, au-dessus d'un tourniquet scellé dans
la muraille. Puis, au fond, il y avait le cabinet
particulier, un coin de la boutique que séparait une cloison, aux vitres blanchies par un
dessin à petits carreaux; pendant le jour, une
fenêtre qui s'ouvrait sur la rue Pirouette, l'éclairait d'une clarté louche; le soir, un bec de gaz
y brûlait, au-dessus de deux tables peintes en
faux marbre. C'était là que Gavard et ses amis
politiques se réunissaient après leur dîner, chaque soir. Ils s'y regardaient comme chez eux, ils
avaient habitué le patron à leur réserver la place.

Quand le dernier venu avait tiré la porte de
la cloison vitrée, ils se savaient si bien gardés,
qu'ils parlaient très carrément « du grand coup
de balai ». Pas un consommateur n'aurait osé
entrer.

Le premier jour, Gavard donna à Florent
quelques détails sur monsieur Lebigre. C'était
un brave homme qui venait parfois prendre son
café avec eux. On ne se gênait pas devant lui,
parce qu'il avait dit un jour qu'il s'était battu
en 48. Il causait peu, paraissait bêta. En passant,
avant d'entrer dans le cabinet, chacun de ces
messieurs lui donnait une poignée de main silencieuse, par-dessus les verres et les bouteilles. Le
plus souvent, il avait à côté de lui, sur la banquette de cuir rouge, une petite femme blonde,
une fille qu'il avait prise pour le service du
comptoir, outre le garçon à tablier blanc qui
s'occupait des tables et du billard. Elle se nommait Rose, était très douce, très soumise. Gavard,
clignant de l'œil, racontait à Florent qu'elle
poussait la soumission fort loin avec le patron.
D'ailleurs, ces messieurs se faisaient servir par
Rose, qui entrait et qui sortait, de son air
humble et heureux, au milieu des plus orageuses
discussions politiques.

Le jour où le marchand de volailles présenta
Florent à ses amis, ils ne trouvèrent, en entrant
dans le cabinet vitré, qu'un monsieur d'une
cinquantaine d'années, à l'air pensif et doux,

avec un chapeau douteux et un grand pardessus
marron. Le menton appuyé sur la pomme
d'ivoire d'un gros jonc, en face d'une chope
pleine, il avait la bouche tellement perdue au
fond d'une forte barbe, que sa face semblait
muette et sans lèvres.

— Comment va, Robine? demanda Gavard.

Robine allongea silencieusement une poignée
de main, sans répondre, les yeux adoucis encore
par un vague sourire de salut; puis, il remit le
menton sur la pomme de sa canne, et regarda
Florent par-dessus sa chope. Celui-ci avait fait
jurer à Gavard de ne pas conter son histoire,
pour éviter les indiscrétions dangereuses; il ne
lui déplut pas de voir quelque méfiance dans
l'attitude prudente de ce monsieur à forte barbe.
Mais il se trompait. Jamais Robine ne parlait
davantage. Il arrivait toujours le premier, au
coup de huit heures, s'asseyait dans le même
coin, sans lâcher sa canne, sans ôter ni son chapeau, ni son pardessus; personne n'avait vu
Robine sans chapeau sur la tête. Il restait là, à
écouter les autres, jusqu'à minuit, mettant
quatre heures à vider sa chope, regardant successivement ceux qui parlaient, comme s'il eût
entendu avec les yeux. Quand Florent, plus tard,
questionna Gavard sur Robine, celui-ci parut
en faire un grand cas; c'était un homme très
fort; sans pouvoir dire nettement où il avait fait
ses preuves, il le donna comme un des hommes

d'opposition les plus redoutés du gouvernement.
Il habitait, rue Saint-Denis, un logement où
personne ne pénétrait. Le marchand de volailles
racontait pourtant y être allé une fois. Les par-
quets cirés étaient garantis par des chemins de
toile verte; il y avait des housses et une pendule
d'albâtre à colonnes. Madame Robine, qu'il
croyait avoir vue de dos, entre deux portes, devait
être une vieille dame très comme il faut, coiffée
avec des anglaises, sans qu'il pût pourtant l'affir-
mer. On ignorait pourquoi le ménage était venu
se loger dans le tapage d'un quartier commer-
çant; le mari ne faisait absolument rien, passait
ses journées on ne savait où, vivait d'on ne savait
quoi, et apparaissait chaque soir, comme las et
ravi d'un voyage sur les sommets de la haute
politique.

— Eh bien, et ce discours du trône, vous
l'avez lu? demanda Gavard, en prenant un journal sur la table.

Robine haussa les épaules. Mais la porte de
la cloison vitrée claqua violemment, un bossu
parut. Florent reconnut le bossu de la criée, les
mains lavées, proprement mis, avec un grand
cache-nez rouge, dont un bout pendait sur sa
bosse, comme le pan d'un manteau vénitien.

— Ah! voici Logre, reprit le marchand de
volailles. Il va nous dire ce qu'il pense du dis-
sours du trône, lui.

Mais Logre était furieux. Il faillit arracher la

patère en accrochant son chapeau et son cache-
nez. Il s'assit violemment, donna un coup de
poing sur la table, rejeta le journal, en disant :

— Est-ce que je lis ça, moi, leurs sacrés men-
songes!

Puis il éclata.

— A-t-on jamais vu des patrons se ficher du
monde comme ça! Il y a deux heures que
j'attends mes appointements. Nous étions une
dizaine dans le bureau. Ah! bien, oui! faites le
pied de grue, mes agneaux... Monsieur Manoury
est enfin arrivé, en voiture, de chez quelque
gueuse, bien sûr. Ces facteurs, ça vole, ça se
goberge... Et encore, il m'a tout donné en grosse
monnaie, ce cochon-là.

Robine épousait la querelle de Logre, d'un
léger mouvement de paupières. Le bossu, brusquement, trouva une victime.

— Rose! Rose! appela-t-il, en se penchant
hors du cabinet.

Et, quand la jeune femme fut en face de lui,
toute tremblante :

— Eh bien, quoi! quand vous me regarde-
rez!... Vous me voyez entrer et vous ne m'appor-
pez pas mon mazagran!

Gavard commanda deux autres mazagrans.
Rose se hâta de servir les trois consommations,
sous les yeux sévères de Logre, qui semblait étudier les verres et les petits plateaux de sucre. Il
but une gorgée, il se calma un peu.

— C'est Charvet, dit-il au bout d'un instant, qui doit en avoir assez... Il attend Clémence sur le trottoir.

Mais Charvet entra, suivi de Clémence. C'était un grand garçon osseux, soigneusement rasé, avec un nez maigre et des lèvres minces, qui demeurait rue Vavin, derrière le Luxembourg. Il se disait professeur libre. En politique, il était hébertiste. Les cheveux longs et arrondis, les revers de sa redingote râpée extrêmement rabattus, il jouait d'ordinaire au conventionnel, avec un flot de paroles aigres, une érudition si étrangement hautaine, qu'il battait d'ordinaire ses adversaires. Gavard en avait peur, sans l'avouer; il déclarait, quand Charvet n'était pas là, qu'il allait véritablement trop loin. Robine approuvait tout, des paupières. Logre seul tenait quelquefois tête à Charvet, sur la question des salaires. Mais Charvet restait le despote du groupe, étant le plus autoritaire et le plus instruit. Depuis plus de dix ans, Clémence et lui vivaient maritalement, sur des bases débattues, selon un contrat strictement observé de part et d'autre. Florent, qui regardait la jeune femme avec quelque étonnement, se rappela enfin où il l'avait vue; elle n'était autre que la grande tabletière brune qui écrivait, les doigts très allongés, en demoiselle ayant reçu de l'instruction.

Rose parut sur les talons des deux nouveaux

venus; elle posa, sans rien dire, une chope devant
Charvet, et un plateau devant Clémence, qui se
mit à préparer posément son grog, versant l'eau
chaude sur le citron, qu'elle écrasait à coups de
cuiller, sucrant, mettant le rhum en consultant
le carafon, pour ne pas dépasser le petit verre
réglementaire. Alors, Gavard présenta Florent à
ces messieurs, particulièrement à Charvet. Il les
donna l'un à l'autre comme des professeurs, des
hommes très capables, qui s'entendraient. Mais
il était à croire qu'il avait déjà commis quelque
indiscrétion, car tous échangèrent des poignées
de main, en se serrant les doigts fortement,
d'une façon maçonnique. Charvet lui-même fut
presque aimable. On évita, d'ailleurs, de faire
aucune allusion.

— Est-ce que Manoury vous a payée en monnaie? demanda Logre à Clémence.

Elle répondit oui, elle sortit des rouleaux de
pièces d'un franc et de deux francs, qu'elle
déplia. Charvet la regardait; il suivait les rouleaux qu'elle remettait un à un dans sa poche,
après en avoir vérifié le contenu.

— Il faudra faire nos comptes, dit-il à demi-
voix.

— Certainement, ce soir, murmura-t-elle.
D'ailleurs, ça doit se balancer. J'ai déjeuné avec
toi quatre fois, n'est-ce pas? mais je t'ai prêté
cent sous, la semaine dernière.

Florent, surpris, tourna la tête pour ne pas

être indiscret. Et, comme Clémence avait fait
disparaître le dernier rouleau, elle but une gorgée de grog, s'adossa à la cloison vitrée, et écouta
tranquillement les hommes qui parlaient politique. Gavard avait repris le journal, lisant,
d'une voix qu'il cherchait à rendre comique,
des lambeaux du discours du trône prononcé le
matin, à l'ouverture des Chambres. Alors Charvet eut beau jeu, avec cette phraséologie officielle; il n'en laissa pas une ligne debout. Une
phrase surtout les amusa énormément : « Nous
avons la confiance, messieurs, qu'appuyé sur vos
lumières et sur les sentiments conservateurs du
pays, nous arriverons à augmenter de jour en
jour la prospérité publique. » Logre, debout,
déclama cette phrase; il imitait très bien avec le
nez la voix pâteuse de l'empereur.

— Elle est belle, sa prospérité, dit Charvet.
Tout le monde crève la faim.

— Le commerce va très mal, affirma Gavard.

— Et, puis, qu'est-ce que c'est que ça, un
monsieur « appuyé sur des lumières »? reprit
Clémence, qui se piquait de littérature.

Robine lui-même laissa échapper un petit rire,
du fond de sa barbe. La conversation s'échauffait.
On en vint au corps législatif, qu'on traita très
mal. Logre ne décolérait pas. Florent retrouvait
en lui le beau crieur du pavillon de la marée,
la mâchoire en avant, les mains jetant les mots
dans le vide, l'attitude ramassée et aboyante; il

causait ordinairement politique de l'air furibond
dont il mettait une manne de soles aux enchères.
Charvet, lui, devenait plus froid, dans la buée
des pipes et du gaz, dont s'emplissait l'étroit
cabinet; sa voix prenait des sécheresses de couperet, pendant que Robine dodelinait doucement de la tête, sans que son menton quittât
l'ivoire de sa canne. Puis, sur un mot de Gavard
on arriva à parler des femmes.

— La femme, déclara nettement Charvet, est
l'égale de l'homme; et, à ce titre, elle ne doit
pas le gêner dans la vie. Le mariage est une association... Tout par moitié, n'est-ce pas, Clémence?

— Evidemment, répondit la jeune femme, la
tête contre la cloison, les yeux en l'air.

Mais Florent vit entrer le marchand des
quatre-saisons, Lacaille, et Alexandre, le fort,
l'ami de Claude Lantier. Ces deux hommes
étaient longtemps restés à l'autre table du cabinet; ils n'appartenaient pas au même monde que
ces messieurs. Puis, la politique aidant, leurs
chaises se rapprochèrent, ils firent partie de la
société. Charvet, aux yeux duquel ils représentaient le peuple, les endoctrina fortement, tandis
que Gavard faisait le boutiquier sans préjugés
en trinquant avec eux. Alexandre avait une belle
gaieté ronde de colosse, un air de grand enfant
heureux. Lacaille, aigri, grisonnant déjà, cour-
baturé chaque soir par son éternel voyage dans
les rues de Paris, regardait parfois d'un œil

louche la placidité bourgeoise, les bons souliers
et le gros paletot de Robine. Ils se firent servir
chacun un petit verre, et la conversation continua, plus tumultueuse et plus chaude maintenant que la société était au complet.

Ce soir-là, Florent, par la porte entrebâillée de
la cloison, aperçut encore mademoiselle Saget,
debout devant le comptoir. Elle avait tiré une
bouteille de dessous son tablier, elle regardait
Rose, qui l'emplissait d'une grande mesure de
cassis et d'une mesure d'eau-de-vie, plus petite.
Puis, la bouteille disparut de nouveau sous le
tablier; et, les mains cachées, mademoiselle Saget
causa, dans le large reflet blanc du comptoir,
en face de la glace, où les bocaux et les bouteilles
de liqueur semblaient accrocher des files de lanternes vénitiennes. Le soir, l'établissement sur-
chauffé s'allumait de tout son métal et de tous
ses cristaux. La vieille fille, avec ses jupes noires,
faisait une étrange tache d'insecte, au milieu de
ces clartés crues. Florent, en voyant qu'elle tentait de faire parler Rose, se douta qu'elle l'avait
aperçu par l'entrebâillement de la porte. Depuis
qu'il était entré aux Halles, il la rencontrait à
chaque pas, arrêtée sous les rues couvertes, le
plus souvent en compagnie de madame Lecœur
et de la Sarriette, l'examinant toutes trois à la
dérobée, paraissant profondément surprises de
sa nouvelle position d'inspecteur. Rose sans
doute resta lente de paroles, car mademoiselle

Saget tourna un instant, parut vouloir s'approcher de monsieur Lebigre, qui faisait un piquet avec un consommateur, sur une des tables de fonte vernie. Doucement, elle avait fini par se placer contre la cloison, lorsque Gavard la reconnut. Il la détestait.

— Fermez donc la porte, Florent, dit-il brutalement. On ne peut pas être chez soi.

A minuit, en sortant, Lacaille échangea quelques mots à voix basse avec monsieur Lebigre. Celui-ci, dans une poignée de main, lui glissa quatre pièces de cinq francs, que personne ne vit, en murmurant à son oreille :

— Vous savez, c'est vingt-deux francs pour demain. La personne qui prête ne veut plus à moins... N'oubliez pas aussi que vous devez trois jours de voiture. Il faudra tout payer.

Monsieur Lebigre souhaita le bonsoir à ces messieurs. Il fallait bien dormir, disait-il; et il bâillait légèrement, en montrant de fortes dents, tandis que Rose le contemplait, de son air de servante soumise. Il la bouscula, il lui commanda d'aller éteindre le gaz, dans le cabinet.

Sur le trottoir, Gavard trébucha, faillit tomber. Comme il était en veine d'esprit :

— Fichtre! dit-il, je ne suis pas appuyé sur des lumières, moi!

Cela parut très drôle, et l'on se sépara. Florent revint, s'acoquina à ce cabinet vitré, dans les silences de Robine, les emportements de

Logre, les haines froides de Charvet. Le soir, en
rentrant, il ne se couchait pas tout de suite. Il
aimait son grenier, cette chambre de jeune fille,
où Augustine avait laissé des bouts de chiffon,
des choses tendres et niaises de femme, qui traînaient. Sur la cheminée, il y avait encore des
épingles à cheveux, des boîtes de carton doré
pleines de boutons et de pastilles, des images
découpées, des pots de pommade vides sentant
toujours le jasmin; dans le tiroir de la table, une
méchante table de bois blanc, étaient restés du
fil, des aiguilles, un paroissien, à côté d'un
exemplaire maculé de la *Clef des songes;* et une
robe d'été, blanche, à pois jaunes, pendait,
oubliée à un clou, tandis que, sur la planche
qui servait de toilette, derrière le pot à eau, un
flacon de bandoline renversé avait laissé une
grande tache. Florent eût souffert dans une
alcôve de femme; mais, de toute la pièce, de
l'étroit lit de fer, des deux chaises de paille,
jusque du papier peint, d'un gris effacé, ne montait qu'une odeur de bêtise naïve, une odeur de
grosse fille puérile. Et il était heureux de cette
pureté des rideaux, de cet enfantillage des boîtes
dorées et de la *Clef des songes,* de cette coquetterie maladroite qui tachait les murs. Cela le
rafraîchissait, le ramenait à des rêves de jeunesse.
Il aurait voulu ne pas connaître Augustine, aux
durs cheveux châtains, croire qu'il était chez
une sœur, chez une brave fille, mettant autour

de lui, dans les moindres choses, sa grâce de femme naissante.

Mais, le soir, un grand soulagement pour lui était encore de s'accouder à la fenêtre de sa mansarde. Cette fenêtre taillait dans le toit un étroit balcon, à haute rampe de fer, où Augustine soignait un grenadier en caisse. Florent, depuis que les nuits devenaient froides, faisait coucher le grenadier dans la chambre, au pied de son lit. Il restait là quelques minutes, aspirant fortement l'air frais qui lui venait de la Seine, par-dessus les maisons de la rue de Rivoli. En bas, confusément, les toitures des Halles étalaient leurs nappes grises. C'était comme des lacs endormis, au milieu desquels le reflet furtif de quelque vitre allumait la lueur argentée d'un flot. Au loin, les toits des pavillons de la boucherie et de la Vallée s'assombrissaient encore, n'étaient plus que des entassements de ténèbres reculant l'horizon. Il jouissait du grand morceau de ciel qu'il avait en face de lui, de cet immense développement des Halles, qui lui donnait, au milieu des rues étranglées de Paris, la vision vague d'un bord de mer, avec les eaux mortes et ardoisées d'une baie, à peine frissonnantes du roulement lointain de la houle. Il s'oubliait, il rêvait chaque soir une côte nouvelle. Cela le rendait très triste et très heureux à la fois, de retourner dans ces huit années de désespoir qu'il avait passées hors de France. Puis, tout frissonnant, il refermait la fenêtre. Souvent, lorsqu'il ôtait son faux col devant la cheminée, la photographie d'Auguste et d'Augustine l'inquiétait; ils le regardaient se déshabiller, de leur sourire blême, la main dans la main.

Les premières semaines que Florent passa au pavillon de la marée furent très pénibles. Il avait trouvé dans les Méhudin une hostilité ouverte qui le mit en lutte avec le marché entier. La belle Normande entendait se venger de la belle Lisa, et le cousin était une victime toute trouvée.

Les Méhudin venaient de Rouen. La mère de Louise racontait encore comment elle était arrivée à Paris, avec des anguilles dans un panier. Elle ne quitta plus la poissonnerie. Elle y épousa un employé de l'octroi, qui mourut en lui laissant deux petites filles. Ce fut elle, jadis, qui mérita, par ses larges hanches et sa fraîcheur superbe, ce surnom de la belle Normande, dont sa fille aînée avait hérité. Aujourd'hui, tassée, avachie, elle portait ses soixante-cinq ans en matrone dont la marée humide avait enroué la voix et bleui la peau. Elle était énorme de vie sédentaire, la taille débordante, la tête rejetée en arrière par la force de la gorge et le flot montant de la graisse. Jamais, d'ailleurs, elle ne voulut renoncer aux modes de son temps; elle conserva la robe à ramages, le fichu jaune, la marmotte des poissonnières classiques, avec la voix haute, le geste prompt, les poings aux côtes, l'engueulade du catéchisme poissard coulant des lèvres. Elle regrettait le marché des Innocents, parlait des anciens droits des dames de la Halle, mêlait à des histoires de coups de poing échangés avec des inspecteurs de police, des récits de visite à la cour, du temps de Charles X et de Louis-Philippe, en toilette de soie, et de gros bouquets à la main. La mère Méhudin, comme on la nommait, était longtemps restée porte-bannière de la confrérie de la Vierge, à Saint-Leu. Aux processions, dans l'église, elle avait une robe et un bonnet de tulle, à rubans de satin, tenant très haut, de ses doigts enflés, le bâton doré de l'étendard de soie à frange riche, où était brodée une Mère de Dieu.

La mère Méhudin, selon les commérages du quartier, devait avoir fait une grosse fortune. Il n'y paraissait guère qu'aux bijoux d'or massif dont elle se chargeait le cou, les bras et la taille, dans les grands jours. Plus tard, ses deux filles ne s'entendirent pas. La cadette, Claire, une blonde paresseuse, se plaignait des brutalités de Louise, disait de sa voix lente qu'elle ne serait jamais la bonne de sa sœur. Comme elles auraient certainement fini par se battre, la mère les sépara. Elle céda à Louise son banc de marée. Claire, que l'odeur des raies et des harengs faisait tousser, s'installa à un banc de poissons d'eau douce. Et, tout en ayant juré de se retirer, la mère allait d'un banc à l'autre, se mêlant encore de la vente, causant de continuels ennuis à ses filles par ses insolences trop grasses.

Claire était une créature fantasque, très douce, et en continuelle querelle. Elle n'en faisait jamais qu'à sa tête, disait-on. Elle avait, avec sa figure rêveuse de vierge, un entêtement muet, un esprit d'indépendance qui la poussait à vivre à part, n'acceptant rien comme les autres, d'une droiture absolue un jour, d'une injustice révoltante le lendemain. A son banc, elle révolutionnait parfois le marché, haussant ou baissant les prix, sans qu'on s'expliquât pourquoi. Vers la trentaine, sa finesse de nature, sa peau mince que l'eau des viviers rafraîchissait éternellement, sa petite face d'un dessin noyé, ses membres souples, devaient s'épaissir, tomber à l'avachissement d'une sainte de vitrail, encanaillée dans les Halles. Mais, à vingt-deux ans, elle restait un Murillo, au milieu de ses carpes et de ses anguilles, selon le mot de Claude Lantier, un Murillo décoiffé souvent, avec de gros souliers, des robes taillées à coups de hache qui l'habillaient comme une planche. Elle n'était pas coquette; elle se montrait très méprisante, quand Louise, étalant ses nœuds de ruban, la plaisantait sur ses fichus noués de travers. On racontait que le fils d'un riche boutiquier du quartier voyageait de rage, n'ayant pu obtenir d'elle une bonne parole.

Louise, la belle Normande, s'était montrée

plus tendre. Son mariage se trouvait arrêté avec
un employé de la Halle au blé, lorsque le malheureux garçon eut les reins cassés par la chute
d'un sac de farine. Elle n'en accoucha pas moins
sept mois plus tard d'un gros enfant. Dans l'en-
tourage des Méhudin, on considérait la belle
Normande comme veuve. La vieille poissonnière
disait parfois : « Quand mon gendre vivait... »

Les Méhudin étaient une puissance. Lorsque
monsieur Verlaque acheva de mettre Florent au
courant de ses nouvelles occupations, il lui
recommanda de ménager certaines marchandes,
s'il ne voulait se rendre la vie impossible; il
poussa même la sympathie jusqu'à lui apprendre
les petits secrets du métier, les tolérances nécessaires, les sévérités de comédie, les cadeaux
acceptables. Un inspecteur est à la fois un commissaire de police, et un juge de paix, veillant
à la bonne tenue du marché, conciliant les dif-
férends entre l'acheteur et le vendeur. Florent,
de caractère faible, se roidissait, dépassait le but,
toutes les fois qu'il devait faire acte d'autorité;
et il avait de plus contre lui l'amertume de
ses longues souffrances, sa face sombre de
paria.

La tactique de la belle Normande fut de l'at-
tirer dans quelque querelle. Elle avait juré qu'il
ne garderait pas sa place quinze jours.

— Ah! bien, dit-elle à madame Lecœur qu'elle
rencontra un matin, si la grosse Lisa croit que

nous voulons de ses restes!... Nous avons plus de
goût qu'elle. Il est affreux, son homme!

Après les criées, lorsque Florent commençait
son tour d'inspection, à petits pas, le long des
allées ruisselantes d'eau, il voyait parfaitement
la belle Normande qui le suivait d'un rire
effronté. Son banc, à la deuxième rangée, à
gauche, près des bancs de poissons d'eau douce,
faisait face à la rue Rambuteau. Elle se tournait,
ne quittant pas sa victime des yeux, se moquant
avec des voisines. Puis, quand il passait devant
elle, examinant lentement les pierres, elle affectait une gaieté immodérée, tapait les poissons,
ouvrait son robinet tout grand, inondait l'allée.
Florent restait impassible.

Mais, un matin, fatalement, la guerre éclata.
Ce jour-là, Florent, en arrivant devant le banc
de la belle Normande, sentit une puanteur insupportable. Il y avait là, sur le marbre, un saumon
superbe, entamé, montrant la blondeur rose de
sa chair; des turbots d'une blancheur de crème;
des congres, piqués de l'épingle noire qui sert à
marquer les tranches; des paires de soles, des
rougets, des bars, tout un étalage frais. Et, au
milieu de ces poissons à l'œil vif, dont les ouïes
saignaient encore, s'étalait une grande raie, rougeâtre, marbrée de taches sombres, magnifique
de tons étranges; la grande raie était pourrie, la
queue tombait, les baleines des nageoires perçaient la peau rude.

— Il faut jeter cette raie, dit Florent en s'approchant.

La belle Normande eut un petit rire. Il leva les yeux, il l'aperçut debout, appuyée au poteau de bronze des deux becs de gaz qui éclairent les quatre places de chaque banc. Elle lui parut très grande, montée sur quelque caisse, pour protéger ses pieds de l'humidité. Elle pinçait les lèvres, plus belle encore que de coutume, coiffée avec des frisons, la tête sournoise, un peu basse, les mains trop roses dans la blancheur du grand tablier. Jamais il ne lui avait tant vu de bijoux; elle portait de longues boucles d'oreilles, une chaîne de cou, une broche, des enfilades de bagues à deux doigts de la main gauche et à un doigt de la main droite.

Comme elle continuait à le regarder en dessous, sans répondre, il reprit :

— Vous entendez, faites disparaître cette raie.

Mais il n'avait pas remarqué la mère Méhudin, assise sur une chaise, tassée dans un coin. Elle se leva, avec les cornes de sa marmotte; et, s'appuyant des poings à la table de marbre :

— Tiens! dit-elle insolemment, pourquoi donc qu'elle la jetterait, sa raie!... Ce n'est pas vous qui la lui paierez, peut-être!

Alors, Florent comprit. Les autres marchandes ricanaient. Il sentait, autour de lui, une révolte sourde qui attendait un mot pour éclater. Il se contint, tira lui-même, de dessous le banc, le

seau aux vidures, y fit tomber la raie. La mère
Méhudin mettait déjà les poings sur les hanches;
mais la belle Normande, qui n'avait pas desserré
les lèvres, eut de nouveau un petit rire de
méchanceté, et Florent s'en alla au milieu
des huées, l'air sévère, feignant de ne pas
entendre.

Chaque jour, ce fut une invention nouvelle.
L'inspecteur ne suivait plus les allées que l'œil
aux aguets, comme en pays ennemi. Il attrapait
les éclaboussures des éponges, manquait de tomber sur des vidures étalées sous ses pieds, recevait
les mannes des porteurs dans la nuque. Même,
un matin, comme deux marchandes se querel-
laient, et qu'il était accouru, afin d'empêcher la
bataille, il dut se baisser pour éviter d'être souf-
fleté sur les deux joues par une pluie de petites
limandes, qui volèrent au-dessus de sa tête; on
rit beaucoup, il crut toujours que les deux marchandes étaient de la conspiration des Méhudin.
Son ancien métier de professeur crotté l'armait
d'une patience angélique; il savait garder une
froideur magistrale, lorsque la colère montait en
lui, et que tout son être saignait d'humiliation.
Mais jamais les gamins de la rue de l'Estrapade
n'avaient eu cette férocité des dames de la Halle,
cet acharnement de femmes énormes, dont les
ventres et les gorges sautaient d'une joie géante,
quand il se laissait prendre à quelque piège.
Les faces rouges le dévisageaient. Dans les

inflexions canailles des voix, dans les hanches
hautes, les cous gonflés, les dandinements des
cuisses, les abandons des mains, il devinait à son
adresse tout un flot d'ordures. Gavard, au milieu
de ces jupes impudentes et fortes d'odeur, se
serait pâmé d'aise, quitte à fesser à droite et à
gauche, si elles l'avaient serré de trop près. Florent, que les femmes intimidaient toujours, se
sentait peu à peu perdu dans un cauchemar de
filles aux appas prodigieux, qui l'entouraient
d'une ronde inquiétante, avec leur enrouement
et leurs gros bras nus de lutteuses.

Parmi ces femelles lâchées, il avait pourtant
une amie. Claire déclarait nettement que le
nouvel inspecteur était un brave homme. Quand
il passait, dans les gros mots de ses voisines, elle
lui souriait. Elle était là, avec des mèches de
cheveux blonds dans le cou et sur les tempes, la
robe agrafée de travers, nonchalante derrière son
banc. Plus souvent, il la voyait debout, les mains
au fond de ses viviers, changeant les poissons de
bassins, se plaisant à tourner les petits dauphins
de cuivre, qui jettent un fil d'eau par la gueule.
Ce ruissellement lui donnait une grâce frissonnante de baigneuse, au bord d'une source, les
vêtements mal rattachés encore.

Un matin, surtout, elle fut très aimable. Elle
appela l'inspecteur pour lui montrer une grosse
anguille qui avait fait l'étonnement du marché,
à la criée. Elle ouvrit la grille, qu'elle avait pru-

demment refermée sur le bassin, au fond duquel l'anguille semblait dormir.

— Attendez, dit-elle, vous allez voir.

Elle entra doucement dans l'eau son bras nu, un bras un peu maigre, dont la peau de soie montrait le bleuissement tendre des veines. Quand l'anguille se sentit touchée, elle se roula sur elle-même, en nœuds rapides, emplissant l'auge étroite de la moire verdâtre de ses anneaux. Et, dès qu'elle se rendormait, Claire s'amusait à l'irriter de nouveau, du bout des ongles.

— Elle est énorme, crut devoir dire Florent. J'en ai rarement vu d'aussi belle.

Alors, elle lui avoua que, dans les commencements, elle avait eu peur des anguilles. Maintenant, elle savait comment il faut serrer la main, pour qu'elles ne puissent pas glisser. Et, à côté, elle en prit une, plus petite. L'anguille, aux deux bouts de son poing fermé, se tordait. Cela la faisait rire. Elle la rejeta, en saisit une autre, fouilla le bassin, remua ce tas de serpents de ses doigts minces.

Puis, elle resta là un instant à causer de la vente qui n'allait pas. Les marchands forains, sur le carreau de la rue couverte, leur faisaient beaucoup de tort. Son bras nu, qu'elle n'avait pas essuyé, ruisselait, frais de la fraîcheur de l'eau. De chaque doigt, de grosses gouttes tombaient.

— Ah! dit-elle brusquement, il faut que je vous fasse voir aussi mes carpes.

Elle ouvrit une troisième grille; et, à deux mains, elle ramena une carpe qui tapait de la queue en râlant. Mais elle en chercha une moins grosse; celle-là, elle put la tenir d'une seule main, que le souffle des flancs ouvrait un peu, à chaque râle. Elle imagina d'introduire son pouce dans un des bâillements de la bouche.

— Ça ne mord pas, murmurait-elle avec son doux rire, ça n'est pas méchant... C'est comme les écrevisses, moi je ne les crains pas.

Elle avait déjà replongé son bras, elle ramenait, d'une case, pleine d'un grouillement confus, une écrevisse, qui lui avait pris le petit doigt entre ses pinces. Elle la secoua un instant; mais l'écrevisse la serra sans doute trop rudement, car elle devint très rouge et lui cassa la patte, d'un geste prompt de rage, sans cesser de sourire.

— Par exemple, dit-elle pour cacher son émotion, je ne me fierais pas à un brochet. Il me couperait les doigts comme avec un couteau.

Et elle montrait, sur des planches lessivées, d'une propreté excessive, de grands brochets étalés par rang de taille, à côté de tanches bronzées et de lots de goujons en petits tas. Maintenant, elle avait les mains toutes grasses du suint des carpes; elles les écartait, debout dans l'humidité des viviers, au-dessus des poissons

mouillés de l'étalage. On l'eût dite enveloppée
d'une odeur de frai, d'une de ces odeurs épaisses
qui montent des joncs et des nénuphars vaseux,
quand les œufs font éclater les ventres des poissons, pâmés d'amour au soleil. Elle s'essuya les
mains à son tablier, souriant toujours, de son air
tranquille de grande fille au sang glacé, dans ce
frisson des voluptés froides et affadies des
rivières.

Cette sympathie de Claire était une mince
consolation pour Florent. Elle lui attirait des
plaisanteries plus sales, quand il s'arrêtait à causer avec la jeune fille. Celle-ci haussait les
épaules, disait que sa mère était une vieille
coquine et que sa sœur ne valait pas grand-chose.
L'injustice du marché envers l'inspecteur l'ou-
trait de colère. La guerre, cependant, continuait,
plus cruelle chaque jour. Florent songeait à
quitter la place; il n'y serait pas resté vingt-
quatre heures, s'il n'avait craint de paraître
lâche devant Lisa. Il s'inquiétait de ce qu'elle
dirait, de ce qu'elle penserait. Elle était for-
cément au courant du grand combat des poissonnières et de leur inspecteur, dont le bruit emplissait les Halles sonores, et dont le quartier jugeait
chaque coup nouveau avec des commentaires
sans fin.

— Ah! bien, disait-elle souvent, le soir après
le dîner, c'est moi qui me chargerais de les ramener à la raison! Toutes, des femmes que je ne

voudrais pas toucher du bout des doigts, de la
canaille, de la saloperie! Cette Normande est la
dernière des dernières... Tenez, je la mettrais à
pied, moi! Il n'y a encore que l'autorité, entendez-vous, Florent. Vous avez tort, avec vos idées.
Faites un coup de force, vous verrez comme tout
le monde sera sage.

La dernière crise fut terrible. Un matin, la
bonne de madame Taboureau, la boulangère,
cherchait une barbue, à la poissonnerie. La belle
Normande, qui la voyait tourner autour d'elle
depuis quelques minutes, lui fit des avances, des
cajoleries.

— Venez donc me voir, je vous arrangerai...
Voulez-vous une paire de soles, un beau turbot?

Et, comme elle s'approchait enfin, et qu'elle
flairait une barbue, avec la moue rechignée que
prennent les clientes pour payer moins cher :

— Pesez-moi ça, continua la belle Normande,
en lui posant sur la main ouverte la barbue enveloppée d'une feuille de gros papier jaune.

La bonne, une petite Auvergnate toute
dolente, soupesait la barbue, lui ouvrait les ouïes,
toujours avec sa grimace, sans rien dire. Puis,
comme à regret :

— Et combien?

— Quinze francs, répondit la poissonnière.

Alors l'autre remit vite le poisson sur le
marbre. Elle parut se sauver. Mais la belle Normande la retint.

— Voyons, dites votre prix.

— Non, non, c'est trop cher.

— Dites toujours.

— Si vous voulez huit francs?

La mère Méhudin, qui sembla s'éveiller, eut un rire inquiétant. On croyait donc qu'elles volaient la marchandise.

— Huit francs, une barbue de cette grosseur! on t'en donnera, ma petite, pour te tenir la peau fraîche, la nuit.

La belle Normande, d'un air offensé, tournait la tête. Mais la bonne revint deux fois, offrit neuf francs, alla jusqu'à dix francs. Puis, comme elle partait pour de bon :

— Allons, venez, lui cria la poissonnière, donnez-moi de l'argent.

La bonne se planta devant le banc, causant amicalement avec la mère Méhudin. Madame Taboureau se montrait si exigeante! Elle avait du monde à dîner, le soir; des cousins de Blois, un notaire avec sa dame. La famille de madame Taboureau était très comme il faut; elle-même, bien que boulangère, avait reçu une belle éducation.

— Videz-la-moi bien, n'est-ce pas? dit-elle en s'interrompant.

La belle Normande, d'un coup de doigt, avait vidé la barbue et jeté la vidure dans le seau. Elle glissa un coin de son tablier sous les ouïes, pour enlever quelques grains de sable. Puis, mettant elle-même le poisson dans le panier de l'Auvergnate :

— Là, ma belle, vous m'en ferez des compliments.

Mais, au bout d'un quart d'heure, la bonne accourut toute rouge; elle avait pleuré, sa petite personne tremblait de colère. Elle jeta la barbue sur le marbre, montrant, du côté du ventre, une large déchirure qui entamait la chair jusqu'à l'arête. Un flot de paroles entrecoupées sortit de sa gorge serrée encore par les larmes.

— Madame Taboureau n'en veut pas. Elle dit qu'elle ne peut pas la servir. Et elle m'a dit encore que j'étais une imbécile, que je me laissais voler par tout le monde... Vous voyez bien qu'elle est abîmée. Moi, je ne l'ai pas retournée, j'ai eu confiance... Rendez-moi mes dix francs.

— On regarde la marchandise, répondit tranquillement la belle Normande.

Et, comme l'autre haussait la voix, la mère Méhudin se leva.

— Vous allez nous ficher la paix, n'est-ce pas? On ne reprend pas un poisson qui a traîné chez les gens. Est-ce qu'on sait où vous l'avez laissé tomber, pour le mettre dans cet état?

— Moi, moi!

Elle suffoquait. Puis, éclatant en sanglots :

— Vous êtes deux voleuses, oui, deux voleuses! Madame Taboureau me l'a bien dit.

Alors, ce fut formidable. La mère et la fille,

furibondes, les poings en avant, se soulagèrent.
La petite bonne, ahurie, prise entre cette voix
rauque et cette voix flûtée, qui se la renvoyaient
comme une balle, sanglotait plus fort.

— Va donc! ta madame Taboureau est moins
fraîche que ça; faudrait la racommoder pour la
servir.

— Un poisson complet pour dix francs, ah !
bien, merci, je n'en tiens pas!

— Et tes boucles d'oreilles, combien qu'elles
coûtent?... On voit que tu gagnes ça sur le dos.

— Pardi! elle a fait son quart au coin de la
rue de Mondétour.

Florent, que le gardien du marché était allé
chercher, arriva au plus fort de la querelle. Le
pavillon s'insurgeait décidément. Les marchandes, qui se jalousent terriblement entre elles,
quand il s'agit de vendre un hareng de deux
sous, s'entendent à merveille contre les clients.
Elles chantaient : « La boulangère a des écus
qui ne lui coûtent guère »; elles tapaient des
pieds, excitaient les Méhudin, comme des bêtes
qu'on pousse à mordre; et il y en avait, à l'autre
bout de l'allée, qui se jetaient hors de leurs
bancs, comme pour sauter au chignon de la
petite bonne, perdue, noyée, roulée, dans cette
énormité des injures.

— Rendez les dix francs à mademoiselle, dit
sévèrement Florent, mis au courant de l'affaire.

Mais la mère Méhudin était lancée.

— Toi, mon petit, je t'en... et, tiens! voilà comme je rends les dix francs!

Et, à toute volée, elle lança la barbue à la tête de l'Auvergnate, qui la reçut en pleine face. Le sang partit du nez, la barbue se décolla, tomba à terre, où elle s'écrasa avec un bruit de torchon mouillé. Cette brutalité jeta Florent hors de lui. La belle Normande eut peur, recula, pendant qu'il s'écriait :

— Je vous mets à pied pour huit jours! Je vous ferai retirer votre permission, entendez-vous!

Et, comme on huait derrière lui, il se retourna d'un air si menaçant, que les poissonnières domptées firent les innocentes. Quand les Méhudin eurent rendu les dix francs, il les obligea à cesser la vente immédiatement. La vieille étouffait de rage. La fille restait muette, toute blanche. Elle, la belle Normande, chassée de son banc! Claire dit de sa voix tranquille que c'était bien fait, ce qui faillit, le soir, faire prendre les deux sœurs aux cheveux, chez elles, rue Pirouette. Au bout des huit jours, quand les Méhudin revinrent, elles restèrent sages, très pincées, très brèves, avec une colère froide. D'ailleurs, elles retrouvèrent le pavillon calmé, rentré dans l'ordre. La belle Normande, à partir de ce jour, dut nourrir une pensée de vengeance terrible. Elle sentait que le coup venait de la belle Lisa; elle l'avait rencontrée, le lendemain de la bataille,

la tête si haute, qu'elle jurait de lui faire payer
cher son regard de triomphe. Il y eut, dans les
coins des Halles, d'interminables conciliabules
avec mademoiselle Saget, madame Lecœur et la
Sarriette; mais, quand elles étaient lasses d'histoires à dormir debout sur les dévergondages de
Lisa avec le cousin et sur les cheveux qu'on
trouvait dans les andouilles de Quenu, cela ne
pouvait aller plus loin, ni ne la soulageait guère.
Elle cherchait quelque chose de très méchant,
qui frappât sa rivale au cœur.

Son enfant grandissait librement au milieu de
la poissonnerie. Dès l'âge de trois ans, il restait
assis sur un bout de chiffon, en plein dans la
marée. Il dormait fraternellement à côté des
grands thons, il s'éveillait parmi les maquereaux
et les merlans. Le garnement sentait la caque à
faire croire qu'il sortait du ventre de quelque
gros poisson. Son jeu favori fut longtemps, quand
sa mère avait le dos tourné, de bâtir des murs et
des maisons avec des harengs; il jouait aussi à
la bataille, sur la table de marbre, alignait des
grondins en face les uns des autres, les poussait,
leur cognait la tête, imitait avec les lèvres la
trompette et le tambour, et finalement les remettait en tas, en disant qu'ils étaient morts. Plus
tard, il alla rôder autour de sa tante Claire, pour
avoir les vessies des carpes et des brochets qu'elle
vidait; il les posait par terre, les faisait péter;
cela l'enthousiasmait. A sept ans, il courait les

allées, se fourrait sous les bancs, parmi les caisses de bois garnies de zinc, était le galopin gâté des poissonnières. Quand elles lui montraient quelque objet nouveau qui le ravissait, il joignait les mains, balbutiant d'extase : « Oh! c'est rien muche! » Et le nom de Muche lui était resté. Muche par-ci, Muche par-là. Toutes l'appelaient. On le retrouvait partout, au fond des bureaux des criées, dans les tas de bourriches, entre les seaux de vidures. Il était là comme un jeune barbillon, d'une blancheur rose, frétillant, se coulant, lâché en pleine eau. Il avait pour les eaux ruisselantes des tendresses de petit poisson. Il se traînait dans les mares des allées, recevait l'égouttement des tables. Souvent, il ouvrait sournoisement un robinet, heureux de l'éclaboussement du jet. Mais c'était surtout aux fontaines, au-dessus de l'escalier des caves, que sa mère, le soir, allait le prendre; elle l'en ramenait trempé, les mains bleues, avec de l'eau dans les souliers et jusque dans les poches.

Muche, à sept ans, était un petit bonhomme joli comme un ange et grossier comme un roulier. Il avait des cheveux châtains crépus, de beaux yeux tendres, une bouche pure qui sacrait, qui disait des mots gros à écorcher un gosier de gendarme. Elevé dans les ordures des Halles, il épelait le catéchisme poissard, se mettait un poing sur la hanche, faisait la maman Méhudin, quand elle était en colère. Alors les « salopes »,

les « catins », les « va donc moucher ton
homme », les « combien qu'on te la paie, ta
peau? » passaient dans le filet de cristal de sa
voix d'enfant de chœur. Et il voulait grasseyer,
il encanaillait son enfance exquise de bambin
souriant sur les genoux d'une Vierge. Les poissonnières riaient aux larmes. Lui, encouragé,
ne plaçait plus deux mots sans mettre un « nom
de Dieu! » au bout. Mais il restait adorable,
ignorant de ces saletés, tenu en santé par les
souffles frais et les odeurs fortes de la marée,
récitant son chapelet d'injures graveleuses d'un
air ravi, comme il aurait dit ses prières.

L'hiver venait; Muche fut frileux, cette année-
là. Dès les premiers froids, il se prit d'une vive
curiosité pour le bureau de l'inspecteur. Le
bureau de Florent se trouvait à l'encoignure de
gauche du pavillon, du côté de la rue Rambuteau. Il était meublé d'une table, d'un casier,
d'un fauteuil, de deux chaises et d'un poêle.
C'était de ce poêle dont Muche rêvait. Florent
adorait les enfants. Quand il vit ce petit, les
jambes trempées, qui regardait à travers les
vitres, il le fit entrer. La première conversation
de Muche l'étonna profondément. Il s'était assis
devant le poêle, il disait de sa voix tranquille :

— Je vais me rôtir un brin les quilles, tu comprends?... Il fait un froid du tonnerre de Dieu.

Puis, il avait des rires perlés, en ajoutant :

— C'est ma tante Claire qui a l'air d'une

carne ce matin... Dis, monsieur, est-ce que c'est
vrai que tu vas lui chauffer les pieds, la nuit?

Florent, consterné, se prit d'un étrange intérêt
pour ce gamin. La belle Normande restait
pincée, laissait son enfant aller chez lui, sans
dire un mot. Alors, il se crut autorisé à le recevoir; il l'attira, l'après-midi, peu à peu conduit
à l'idée d'en faire un petit bonhomme bien sage.
Il lui semblait que son frère Quenu rapetissait,
qu'ils se trouvaient encore tous les deux dans
la grande chambre de la rue Royer-Collard. Sa
joie, son rêve secret de dévouement, était de
vivre toujours en compagnie d'un être jeune, qui
ne grandirait pas, qu'il instruirait sans cesse,
dans l'innocence duquel il aimerait les hommes.
Dès le troisième jour, il apporta un alphabet.
Muche le ravit par son intelligence. Il apprit
ses lettres avec la verve parisienne d'un enfant
des rues. Les images de l'alphabet l'amusaient
extraordinairement. Puis, dans l'étroit bureau,
il prenait des récréations formidables; le poêle
demeurait son grand ami, un sujet de plaisirs
sans fin. Il y fit cuire d'abord des pommes de
terre et des châtaignes; mais cela lui parut fade.
Il vola alors à la tante Claire des goujons qu'il
mit rôtir un à un, au bout d'un fil, devant la
bouche ardente; il les mangeait avec délices,
sans pain. Un jour même, il apporta une carpe;
elle ne voulut jamais cuire, elle empesta le
bureau, au point qu'il fallut ouvrir porte et

fenêtre. Florent, quand l'odeur de toute cette
cuisine devenait trop forte, jetait les poissons à
la rue. Le plus souvent, il riait. Muche, au bout
de deux mois, commençait à lire couramment,
et ses cahiers d'écriture étaient très propres.

Cependant, le soir, le gamin cassait la tête de
sa mère avec des histoires sur son bon ami Florent. Le bon ami Florent avait dessiné des arbres
et des hommes dans des cabanes. Le bon ami
Florent avait un geste, comme ça, en disant que
les hommes seraient meilleurs, s'ils savaient tous
lire. Si bien que la Normande vivait dans l'inti-
mité de l'homme qu'elle rêvait d'étrangler. Elle
enferma un jour Muche à la maison, pour qu'il
n'allât pas chez l'inspecteur; mais il pleura tellement, qu'elle lui rendit la liberté le lendemain. Elle était très faible, avec sa carrure et
son air hardi. Lorsque l'enfant lui racontait qu'il
avait eu bien chaud, lorsqu'il lui revenait les
vêtements secs, elle éprouvait une reconnaissance
vague, un contentement de le savoir à l'abri,
les pieds devant le feu. Plus tard, elle fut très
attendrie, quand il lut devant elle un bout de
journal maculé qui enveloppait une tranche de
congre. Peu à peu, elle en arriva à penser, sans
le dire, que Florent n'était peut-être pas un
méchant homme; elle eut le respect de son instruction, mêlé à une curiosité croissante de le
voir de plus près, de pénétrer dans sa vie. Puis,
brusquement, elle se donna un prétexte, elle se

persuada qu'elle tenait sa vengeance : il fallait
être aimable avec le cousin, le brouiller avec la
grosse Lisa; ce serait plus drôle.

— Est-ce que ton bon ami Florent te parle
de moi? demanda-t-elle un matin à Muche, en
l'habillant.

— Ah! non, répondit l'enfant. Nous nous
amusons.

— Eh bien, dis-lui que je ne lui en veux plus
et que je le remercie de t'apprendre à lire.

Dès lors, l'enfant, chaque jour, eut une commission. Il allait de sa mère à l'inspecteur, et de
l'inspecteur à sa mère, chargé de mots aimables,
de demandes et de réponses, qu'il répétait sans
savoir; on lui aurait fait dire les choses les plus
énormes. Mais la belle Normande eut peur de
paraître timide; elle vint un jour elle-même,
s'assit sur la seconde chaise, pendant que Muche
prenait sa leçon d'écriture. Elle fut très douce,
très complimenteuse. Florent resta plus embarrassé qu'elle. Ils ne parlèrent que de l'enfant.
Comme il témoignait la crainte de ne pouvoir
continuer les leçons dans le bureau, elle lui offrit
de venir chez eux, le soir. Puis, elle parla d'argent. Lui, rougit, déclara qu'il n'irait pas, s'il
était question de cela. Alors, elle se promit de le
payer en cadeaux, avec de beaux poissons.

Ce fut la paix. La belle Normande prit même
Florent sous sa protection. L'inspecteur finissait,
d'ailleurs, par être accepté; les poissonnières le

trouvaient meilleur homme que monsieur Verlaque, malgré ses mauvais yeux. La mère Méhudin seule haussait les épaules; elle gardait rancune au « grand maigre », comme elle le nommait d'une façon méprisante. Et, un matin que
Florent s'arrêta avec un sourire devant les viviers
de Claire, la jeune fille, lâchant une anguille
qu'elle tenait, lui tourna le dos, furieuse, toute
gonflée et tout empourprée. Il en fut tellement
surpris, qu'il en parla à la Normande.

— Laissez donc! dit celle-ci, c'est une toquée...
Elle n'est jamais de l'avis des autres. C'est pour
me faire enrager, ce qu'elle a fait là.

Elle triomphait, elle se carrait à son banc, plus
coquette, avec des coiffures extrêmement compliquées. Ayant rencontré la belle Lisa, elle lui
rendit son regard de dédain, elle lui éclata même
de rire en plein visage. La certitude qu'elle allait
désespérer la charcutière, en attirant le cousin,
lui donnait un beau rire sonore, un rire de gorge,
dont son cou gras et blanc montrait le frisson. A
ce moment, elle eut l'idée d'habiller Muche
très joliment, avec une petite veste écossaise et
une toque de velours. Muche n'était jamais allé
qu'en blouse débraillée. Or, il arriva que pré-
cisément à cette époque, Muche fut repris d'une
grande tendresse pour les fontaines. La glace
avait fondu, le temps était tiède. Il fit prendre
un bain à la veste écossaise, laissant couler l'eau
à plein robinet, depuis son coude jusqu'à sa

main, ce qu'il appelait jouer à la gouttière. Sa
mère le surprit en compagnie de deux autres
galopins, regardant nager, dans la toque de
velours remplie d'eau, deux petits poissons
blancs qu'il avait volés à la tante Claire.

Florent vécut près de huit mois dans les
Halles, comme pris d'un continuel besoin de
sommeil. Au sortir de ses sept années de souffrances, il tombait dans un tel calme, dans une
vie si bien réglée, qu'il se sentait à peine exister.
Il s'abandonnait, la tête un peu vide, continuellement surpris de se retrouver chaque matin sur
le même fauteuil, dans l'étroit bureau. Cette
pièce lui plaisait, avec sa nudité, sa petitesse de
cabine. Il s'y réfugiait, loin du monde, au milieu
du grondement continu des Halles, qui le faisait
rêver à quelque grande mer, dont la nappe l'aurait entouré et isolé de toute part. Mais, peu
à peu, une inquiétude sourde le désespéra; il
était mécontent, s'accusait de fautes qu'il ne
précisait pas, se révoltait contre ces vides qui lui
semblaient se creuser de plus en plus dans sa
tête et dans sa poitrine. Puis, des souffles puants,
des haleines de marée gâtée, passèrent sur lui
avec de grandes nausées. Ce fut un détraquement
lent, un ennui vague qui tourna à une vive
surexcitation nerveuse.

Toutes ses journées se ressemblaient. Il marchait dans les mêmes bruits, dans les mêmes
odeurs. Le matin, les bourdonnements des criées

l'assourdissaient d'une lointaine sonnerie de cloches; et, souvent, selon la lenteur des arrivages, les criées ne finissaient que très tard. Alors, il restait dans le pavillon jusqu'à midi, dérangé à toute minute par des contestations, des querelles, au milieu desquelles il s'efforçait de se montrer très juste. Il lui fallait des heures pour sortir de quelque misérable histoire qui révolutionnait le marché. Il se promenait au milieu de la cohue et du tapage de la vente, suivait les allées à petits pas, s'arrêtait parfois devant les poissonnières dont les bancs bordent la rue Rambuteau. Elles ont de grands tas roses de crevettes, des paniers rouges de langoustes cuites, liées, la queue arrondie; tandis que des langoustes vivantes se meurent, aplaties sur le marbre. Là, il regardait marchander des messieurs, en chapeau et en gants noirs, qui finissaient par emporter une langouste cuite, enveloppée d'un journal, dans une poche de leur redingote. Plus loin, devant les tables volantes où se vend le poisson commun, il reconnaissait les femmes du quartier, venant à la même heure, les cheveux nus. Parfois, il s'intéressait à quelque dame bien mise, traînant ses dentelles le long des pierres mouillées, suivie d'une bonne en tablier blanc; celle-là, il l'accompagnait à quelque distance, en voyant les épaules se hausser derrière ses mines dégoûtées. Ce tohu-bohu de paniers, de sacs de cuir, de corbeilles, toutes ces jupes filant dans

le ruissellement des allées, l'occupaient, le menaient jusqu'au déjeuner, heureux de l'eau qui
coulait, de la fraîcheur qui soufflait, passant de
l'âpreté marine des coquillages au fumet amer
de la saline. C'était toujours par la saline qu'il
terminait son inspection; les caisses de harengs
saurs, les sardines de Nantes sur des lits de
feuilles, la morue roulée, s'étalant devant de
grosses marchandes fades, le faisaient songer à
un départ, à un voyage au milieu de barils de
salaisons. Puis, l'après-midi, les Halles se calmaient, s'endormaient. Il s'enfermait dans son
bureau, mettait au net ses écritures, goûtait ses
meilleures heures. S'il sortait, s'il traversait la
poissonnerie, il la trouvait presque déserte. Ce
n'était plus l'écrasement, les poussées, le brouhaha de dix heures. Les poissonnières, assises
derrière leurs tables vides, tricotaient, le dos
renversé; et de rares ménagères attardées tournaient, regardant de côté, avec ce regard lent,
ces lèvres pincées des femmes qui calculent à un
sou près le prix du dîner. Le crépuscule tombait,
il y avait un bruit de caisses remuées, le poisson
était couché pour la nuit sur des lits de glace.
Alors, Florent, après avoir assisté à la fermeture
des grilles, emportait avec lui la poissonnerie
dans ses vêtements, dans sa barbe, dans ses cheveux.

Les premiers mois, il ne souffrit pas trop de
cette odeur pénétrante. L'hiver était rude; le

verglas changeait les allées en miroirs, les glaçons
mettaient des guipures blanches aux tables de
marbre et aux fontaines. Le matin, il fallait
allumer de petits réchauds sous les robinets pour
obtenir un filet d'eau. Les poissons, gelés, la
queue tordue, ternes et rudes comme des métaux
dépolis, sonnaient avec un bruit cassant de fonte
pâle. Jusqu'en février, le pavillon resta lamentable, hérissé, désolé, dans son linceul de glace.
Mais vinrent les dégels, les temps mous, les
brouillards et les pluies de mars. Alors les poissons s'amollirent, se noyèrent; des senteurs de
chairs tournées se mêlèrent aux souffles fades
de boue qui venaient des rues voisines. Puanteur
vague encore, douceur écœurante d'humidité,
traînant au ras du sol. Puis, dans les après-midi
ardents de juin, la puanteur monta, alourdit
l'air d'une buée pestilentielle. On ouvrait les
fenêtres supérieures, de grands stores de toile
grise pendaient sous le soleil brûlant, une pluie
de feu tombait sur les Halles, les chauffait
comme un four de tôle; et pas un vent ne balayait cette vapeur de marée pourrie. Les bancs
de vente fumaient.

Florent souffrit alors de cet entassement de
nourriture, au milieu duquel il vivait. Les
dégoûts de la charcuterie lui revinrent, plus
intolérables. Il avait supporté des puanteurs
aussi terribles; mais elles ne venaient pas du
ventre. Son estomac étroit d'homme maigre se

révoltait, en passant devant ces étalages de poissons mouillés à grande eau, qu'un coup de chaleur gâtait. Ils le nourrissaient de leurs senteurs
fortes, le suffoquaient, comme s'il avait eu une
indigestion d'odeurs. Lorsqu'il s'enfermait dans
son bureau, l'écœurement le suivait, pénétrant
par les boiseries mal jointes de la porte et de la
fenêtre. Les jours de ciel gris, la petite pièce
restait toute noire; c'était comme un long crépuscule, au fond d'un marais nauséabond. Souvent, pris d'anxiétés nerveuses, il avait un besoin
de marcher, il descendait aux caves, par le large
escalier qui se creuse au milieu du pavillon. Là,
dans l'air renfermé, dans le demi-jour des quelques becs de gaz, il retrouvait la fraîcheur de
l'eau pure. Il s'arrêtait devant le grand vivier,
où les poissons vivants sont tenus en réserve; il
écoutait la chanson continue des quatre filets
d'eau tombant des quatre angles de l'urne centrale, coulant en nappe sous les grilles des bassins
fermés à clef, avec le bruit doux d'un courant
perpétuel. Cette source souterraine, ce ruisseau
causant dans l'ombre, le calmait. Il se plaisait
aussi, le soir, aux beaux couchers de soleil qui
découpaient en noir les fines dentelles des Halles,
sur les lueurs rouges du ciel; la lumière de cinq
heures, la poussière volante des derniers rayons,
entrait par toutes les baies, par toutes les raies
des persiennes; c'était comme un transparent
lumineux et dépoli, où se dessinaient les arêtes

minces des piliers, les courbes élégantes des charpentes, les figures géométriques des toitures. Il
s'emplissait les yeux de cette immense épure
lavée à l'encre de Chine sur un vélin phospho-
rescent, reprenant son rêve de quelque machine
colossale, avec ses roues, ses leviers, ses balan-
ciers, entrevue dans la pourpre sombre du charbon flambant sous la chaudière. A chaque heure,
les jeux de lumière changeaient ainsi les profils
des Halles, depuis les bleuissements du matin
et les ombres noires de midi, jusqu'à l'incendie
du soleil couchant, s'éteignant dans la cendre
grise du crépuscule. Mais, par les soirées de
flamme, quand les puanteurs montaient, traversant d'un frisson les grands rayons jaunes,
comme des fumées chaudes, les nausées le
secouaient de nouveau, son rêve s'égarait, à
s'imaginer des étuves géantes, des cuves infectes
d'équarrisseur où fondait la mauvaise graisse
d'un peuple.

Il souffrait encore de ce milieu grossier, dont
les paroles et les gestes semblaient avoir pris de
l'odeur. Il était bon enfant pourtant, ne s'effa-
rouchait guère. Les femmes seules le gênaient.
Il ne se sentait à l'aise qu'avec madame François,
qu'il avait revue. Elle témoigna une si belle joie
de le savoir placé, heureux, tiré de peine, comme
elle disait, qu'il en fut tout attendri. Lisa, la
Normande, les autres, l'inquiétaient avec leurs
rires. A elle, il aurait tout conté. Elle ne riait

pas pour se moquer; elle avait un rire de femme
heureuse de la joie d'autrui. Puis, c'était une
vaillante; elle faisait un dur métier, l'hiver, les
jours de gelée; les temps de pluie étaient plus
pénibles encore. Florent la vit certains matins,
par de terribles averses, par des pluies qui tombaient depuis la veille, lentes et froides. Les
roues de la voiture, de Nanterre à Paris, étaient
entrées dans la boue jusqu'aux moyeux. Balthazar avait de la crotte jusqu'au ventre. Et elle
le plaignait, elle s'apitoyait, en l'essuyant avec
de vieux tabliers.

— Ces bêtes, disait-elle, c'est très douillet; ça
prend des coliques pour un rien... Ah! mon
pauvre vieux Balthazar! Quand nous avons passé
sur le pont de Neuilly, j'ai cru que nous étions
descendus dans la Seine, tant il pleuvait.

Balthazar allait à l'auberge. Elle, restait sous
l'averse pour vendre ses légumes. Le carreau se
changeait en une mare de boue liquide. Les
choux, les carottes, les navets, battus par l'eau
grise, se noyaient dans cette coulée de torrent
fangeux, roulant à pleine chaussée. Ce n'était
plus les verdures superbes des claires matinées.
Les maraîchers, au fond de leur limousine, gon-
flaient le dos, sacrant contre l'administration qui,
après enquête, a déclaré que la pluie ne fait pas
de mal aux légumes, et qu'il n'y a pas lieu d'établir des abris.

Alors, les matinées pluvieuses désespérèrent

Florent. Il songeait à madame François. Il s'échappait, allait causer un instant avec elle. Mais il ne la trouvait jamais triste. Elle se secouait comme un caniche, disait qu'elle en avait bien vu d'autres, qu'elle n'était pas en sucre, pour fondre comme ça, aux premières gouttes d'eau. Il la forçait à entrer quelques minutes sous une rue couverte; plusieurs fois même il la mena jusque chez monsieur Lebigre, où ils burent du vin chaud. Pendant qu'elle le regardait amicalement, de sa face tranquille, il était tout heureux de cette odeur saine des champs qu'elle lui apportait, dans les mauvaises haleines des Halles. Elle sentait la terre, le foin, le grand air, le grand ciel.

— Il faudra venir à Nanterre, mon garçon, disait-elle. Vous verrez mon potager; j'ai mis des bordures de thym partout... Ça pue, dans votre gueux de Paris!

Et elle s'en allait, ruisselante. Florent était tout rafraîchi, quand il la quittait. Il tenta aussi le travail, pour combattre les angoisses nerveuses dont il souffrait. C'était un esprit méthodique qui poussait parfois le strict emploi de ses heures jusqu'à la manie. Il s'enferma deux soirs par semaine, afin d'écrire un grand ouvrage sur Cayenne. Sa chambre de pensionnaire était excellente, pensait-il, pour le calmer et le disposer au travail. Il allumait son feu, voyait si le grenadier, au pied de son lit, se portait bien, puis, il approchait la petite table, il restait à travailler jusqu'à minuit. Il avait repoussé le paroissien et la *Clef des songes* au fond du tiroir, qui peu à peu s'emplit de notes, de feuilles volantes, de manuscrits de toutes sortes. L'ouvrage sur Cayenne n'avançait guère, coupé par d'autres projets, des plans de travaux gigantesques, dont il jetait l'esquisse en quelques lignes. Successivement, il ébaucha une réforme absolue du système administratif des Halles, une transformation des octrois en taxes sur les transactions, une répartition nouvelle de l'approvisionnement dans les quartiers pauvres, enfin une loi humanitaire, encore très confuse, qui emmagasinait en commun les arrivages et assurait chaque jour un minimum de provisions à tous les ménages de Paris. L'échine pliée, perdu dans des choses graves, il mettait sa grande ombre noire au milieu de la douceur effacée de la mansarde. Et, parfois, un pinson qu'il avait ramassé dans les Halles, par un temps de neige, se trompait en voyant la lumière, jetait son cri dans le silence que troublait seul le bruit de la plume courant sur le papier.

Fatalement, Florent revint à la politique. Il avait trop souffert par elle, pour ne pas en faire l'occupation chère de sa vie. Il fût devenu, sans le milieu et les circonstances, un bon professeur de province, heureux de la paix de sa petite ville. Mais on l'avait traité en loup, il se trouvait

maintenant comme marqué par l'exil pour
quelque besogne de combat. Son malaise nerveux
n'était que le réveil des longues songeries de
Cayenne, de ses amertumes en face de souffrances imméritées, de ses serments de venger
un jour l'humanité traitée à coups de fouet et
la justice foulée aux pieds. Les Halles géantes,
les nourritures débordantes et fortes, avaient
hâté la crise. Elles lui semblaient la bête satisfaite et digérant, Paris entripaillé, cuvant sa
graisse, appuyant sourdement l'empire. Elles
mettaient autour de lui des gorges énormes, des
reins monstrueux, des faces rondes, comme de
continuels arguments contre sa maigreur de
martyr, son visage jaune de mécontent. C'était le
ventre boutiquier, le ventre de l'honnêteté
moyenne, se ballonnant, heureux, luisant au
soleil, trouvant que tout allait pour le mieux,
que jamais les gens de mœurs paisibles n'avaient
engraissé si bellement. Alors, il se sentit les
poings serrés, prêt à la lutte, plus irrité par la
pensée de son exil, qu'il ne l'était en rentrant
en France. La haine le reprit tout entier. Souvent, il laissait tomber sa plume, il rêvait. Le feu
mourant tachait sa face d'une grande flamme;
la lampe charbonneuse filait, pendant que le
pinson, la tête sous l'aile, se rendormait sur
une patte.

Quelquefois, à onze heures, Auguste, voyant
de la lumière sous la porte, frappait, avant d'aller

se coucher. Florent lui ouvrait avec quelque
impatience. Le garçon charcutier s'asseyait, restait devant le feu, parlant peu, n'expliquant
jamais pourquoi il venait. Tout le temps, il
regardait la photographie qui les représentait,
Augustine et lui, la main dans la main, endi-
manchés. Florent crut finir par comprendre qu'il
se plaisait d'une façon particulière dans cette
chambre où la jeune fille avait logé. Un soir, en
souriant, il lui demanda s'il avait deviné juste.

— Peut-être bien, répondit Auguste très surpris de la découverte qu'il faisait lui-même. Je
n'avais jamais songé à cela. Je venais vous voir
sans savoir... Ah! bien, si je disais ça à Augustine, c'est elle qui rirait... Quand on doit se
marier, on ne songe guère aux bêtises.

Lorsqu'il se montrait bavard, c'était pour
revenir éternellement à la charcuterie qu'il
ouvrirait à Plaisance, avec Augustine. Il semblait si parfaitement sûr d'arranger sa vie à sa
guise, que Florent finit par éprouver pour lui
une sorte de respect mêlé d'irritation. En somme,
ce garçon était très fort, tout bête qu'il paraissait; il allait droit à un but, il l'atteindrait sans
secousses, dans une béatitude parfaite. Ces soirs-
là, Florent ne pouvait se remettre au travail; il
se couchait mécontent, ne retrouvant son équilibre que lorsqu'il venait à penser : « Mais cet
Auguste est une brute! »

Chaque mois, il allait à Clamart voir monsieur

Verlaque. C'était presque une joie pour lui. Le
pauvre homme traînait, au grand étonnement
de Gavard, qui ne lui avait pas donné plus de
six mois. A chaque visite de Florent, le malade
lui disait qu'il se sentait mieux, qu'il avait un
bien grand désir de reprendre son travail. Mais
les jours se passaient, des rechutes se produi-
saient. Florent s'asseyait à côté du lit, causant
de la poissonnerie, tâchant d'apporter un peu de
gaieté. Il mettait sur la table de nuit les cinquante francs qu'il abandonnait à l'inspecteur
en titre; et celui-ci, bien que ce fût une affaire
convenue, se fâchait chaque fois, ne voulant pas
de l'argent. Puis, on parlait d'autre chose, l'argent restait sur la table. Quand Florent partait,
madame Verlaque l'accompagnait jusqu'à la
porte de la rue. Elle était petite, molle, très larmoyante. Elle ne parlait que de la dépense occa-
sionnée par la maladie de son mari, du bouillon
de poulet, des viandes saignantes, du bordeaux,
et du pharmacien, et du médecin. Cette conversation dolente gênait beaucoup Florent. Les premières fois, il ne comprit pas. Enfin, comme la
pauvre dame pleurait toujours, en disant que,
jadis, ils étaient heureux avec les dix-huit cents
francs de la place d'inspecteur, il lui offrit timidement de lui remettre quelque chose, en
cachette de son mari. Elle se défendit; et sans
transition, d'elle-même, elle assura que cinquante francs lui suffiraient. Mais, dans le cou-

rant du mois, elle écrivait souvent à celui qu'elle
nommait leur sauveur; elle avait une petite
anglaise fine, des phrases faciles et humbles, dont
elle emplissait juste trois pages, pour demander
dix francs; si bien que les cent cinquante francs
de l'employé passaient entièrement au ménage
Verlaque. Le mari l'ignorait sans doute, la
femme lui baisait les mains. Cette bonne action
était sa grande jouissance; il la cachait comme
un plaisir défendu qu'il prenait en égoïste.

— Ce diable de Verlaque se moque de vous,
disait parfois Gavard. Il se dorlote, maintenant
que vous lui faites des rentes.

Il finit par répondre, un jour :

— C'est arrangé, je ne lui abandonne plus
que vingt-cinq francs.

D'ailleurs, Florent n'avait aucun besoin. Les
Quenu lui donnaient toujours la table et le
coucher. Les quelques francs qui lui restaient
suffisaient à payer sa consommation, le soir, chez
monsieur Lebigre. Peu à peu, sa vie s'était réglée
comme une horloge : il travaillait dans sa
chambre; continuait ses leçons au petit Muche,
deux fois par semaine, de huit à neuf heures;
accordait une soirée à la belle Lisa, pour ne pas
la fâcher; et passait le reste de son temps dans le
cabinet vitré, en compagnie de Gavard et de ses
amis.

Chez les Méhudin, il arrivait avec sa douceur
un peu roide de professeur. Le vieux logis lui

plaisait. En bas, il passait dans les odeurs fades du marchand d'herbes cuites; des bassines d'épinards, des terrines d'oseille, refroidissaient, au fond d'une petite cour. Puis, il montait l'escalier tournant, gras d'humidité, dont les marches, tassées et creusées, penchaient d'une façon inquiétante. Les Méhudin occupaient tout le second étage. Jamais la mère n'avait voulu déménager, lorsque l'aisance était venue, malgré les supplications des deux filles, qui rêvaient d'habiter une maison neuve, dans une rue large. La vieille s'entêtait, disant qu'elle avait vécu là, qu'elle mourrait là. D'ailleurs, elle se contentait d'un cabinet noir, laissant les chambres à Claire et à la Normande. Celle-ci, avec son autorité d'aînée, s'était emparée de la pièce qui donnait sur la rue; c'était la grande chambre, la belle chambre. Claire en fut si vexée, qu'elle refusa la pièce voisine, dont la fenêtre ouvrait sur la cour; elle voulut aller coucher, de l'autre côté du palier, dans une sorte de galetas qu'elle ne fit pas même blanchir à la chaux. Elle avait sa clef, elle était libre; à la moindre contrariété, elle s'enfermait chez elle.

Quand Florent se présentait, les Méhudin achevaient de dîner. Muche lui sautait au cou. Il restait un instant assis, avec l'enfant bavardant entre les jambes. Puis, lorsque la toile cirée était essuyée, la leçon commençait, sur un coin de la table. La belle Normande lui faisait un bon accueil. Elle tricotait ou raccommodait du linge, approchant sa chaise, travaillant à la même lampe; souvent, elle laissait l'aiguille pour écouter la leçon, qui la surprenait. Elle eut bientôt une grande estime pour ce garçon si savant, qui paraissait doux comme une femme en parlant au petit, et qui avait une patience angélique à répéter toujours les mêmes conseils. Elle ne le trouvait plus laid du tout. Si bien qu'elle devint comme jalouse de la belle Lisa. Elle avançait sa chaise davantage, regardait Florent d'un sourire embarrassant.

— Mais, maman, tu me pousses le coude, tu m'empêches d'écrire! disait Muche en colère. Tiens! voilà un pâté, maintenant! Recule-toi donc!

Peu à peu, elle en vint à dire beaucoup de mal de la belle Lisa. Elle prétendait qu'elle cachait son âge, qu'elle se serrait à étouffer dans ses corsets; si, dès le matin, la charcutière descendait, sanglée, vernie, sans qu'un cheveu dépassât l'autre, c'était qu'elle devait être affreuse en déshabillé. Alors, elle levait un peu les bras, en montrant qu'elle, dans son intérieur, ne portait pas de corset; et elle gardait son sourire, développant son torse superbe, qu'on sentait rouler et vivre, sous sa mince camisole mal attachée. La leçon était interrompue. Muche, intéressé, regardait sa mère lever les bras. Florent écoutait, riait même, avec l'idée que les femmes étaient bien drôles. La rivalité de la belle Normande et de la belle Lisa l'amusait.

Muche, cependant, achevait sa page d'écriture. Florent, qui avait une belle main, préparait des modèles, des bandes de papier, sur lesquelles il écrivait, en gros et en demi-gros, des mots très longs, tenant toute la ligne. Il affectionnait les mots « tyranniquement, liberticide, anticonstitutionnel, révolutionnaire »; ou bien, il faisait copier à l'enfant des phrases comme celles-ci : « Le jour de la justice viendra... La souffrance du juste est la condamnation du pervers... Quand l'heure sonnera, le coupable tombera. » Il obéissait très naïvement, en écrivant les modèles d'écriture, aux idées qui lui hantaient le cerveau; il oubliait Muche, la belle Normande, tout ce qui l'entourait. Muche aurait copié *le Contrat social*. Il alignait, pendant des pages entières, des « tyranniquement » et des « anticonstitutionnel », en dessinant chaque lettre.

Jusqu'au départ du professeur, la mère Méhudin tournait autour de la table, en grondant. Elle continuait à nourrir contre Florent une rancune terrible. Selon elle, il n'y avait pas de bon sens à faire travailler ainsi le petit, le soir, à l'heure où les enfants doivent dormir. Elle aurait certainement jeté « le grand maigre » à la porte, si la belle Normande, après une explication très orageuse, ne lui avait nettement déclaré qu'elle s'en irait loger ailleurs, si elle

n'était pas maîtresse de recevoir chez elle qui
bon lui semblait. D'ailleurs, chaque soir, la querelle recommençait.

— Tu as beau dire, répétait la vieille, il a
l'œil faux... Puis, les maigres, je m'en défie. Un
homme maigre, c'est capable de tout. Jamais
je n'en ai rencontré un de bon... Le ventre lui
est tombé dans les fesses à celui-là, pour sûr;
car il est plat comme une planche... Et pas beau
avec ça! Moi qui ai soixante-cinq ans passés, je
n'en voudrais pas dans ma table de nuit.

Elle disait cela, parce qu'elle voyait bien comment tournaient les choses. Et elle parlait avec
admiration de monsieur Lebigre, qui se montrait très galant, en effet, pour la belle Normande; outre qu'il flairait là une grosse dot, il
pensait que la jeune femme serait superbe au
comptoir. La vieille ne tarissait pas : au moins
celui-là n'était pas efflanqué; il devait être fort
comme un Turc; elle allait jusqu'à s'enthou-
siasmer sur ses mollets, qu'il avait très gros.
Mais la Normande haussait les épaules, en répondant aigrement :

— Je m'en moque pas mal, de ses mollets; je
n'ai besoin des mollets de personne... Je fais ce
qu'il me plaît.

Et, si la mère voulait continuer et devenait
trop nette:

— Eh bien, quoi! criait la fille, ça ne vous
regarde pas... Ce n'est pas vrai, d'ailleurs. Puis,

si c'était vrai, je ne vous en demanderais pas
la permission, n'est-ce pas? Fichez-moi la paix.

Elle rentrait dans sa chambre en faisant cla-
quer la porte. Elle avait pris dans la maison un
pouvoir dont elle abusait. La vieille, la nuit,
quand elle croyait surprendre quelque bruit, se
levait, nu-pieds, pour écouter à la porte de sa
fille si Florent n'était pas venu la retrouver. Mais
celui-ci avait encore chez les Méhudin une ennemie plus rude. Dès qu'il arrivait, Claire se levait
sans dire un mot, prenait un bougeoir, rentrait
chez elle, de l'autre côté du palier. On l'entendait donner les deux tours à la serrure, avec une
rage froide. Un soir que sa sœur invita le professeur à dîner, elle fit sa cuisine sur le carré et
mangea dans sa chambre. Souvent, elle s'enfermait si étroitement, qu'on ne la voyait pas d'une
semaine. Elle restait molle toujours, avec des
caprices de fer, des regards de bête méfiante,
sous sa toison fauve pâle. La mère Méhudin,
qui crut pouvoir se soulager avec elle, la rendit
furieuse en lui parlant de Florent. Alors, la
vieille, exaspérée, cria partout qu'elle s'en irait,
si elle n'avait pas peur de laisser ses deux filles
se manger entre elles.

Comme Florent se retirait, un soir, il passa
devant la porte de Claire, restée grande ouverte.
Il la vit très rouge, qui le regardait. L'attitude
hostile de la jeune fille le chagrinait; sa timidité avec les femmes l'empêchait seule de pro-

voquer une explication. Ce soir-là, il serait certainement entré dans sa chambre, s'il n'avait
aperçu, à l'étage supérieur, la petite face blanche
de mademoiselle Saget, penchée sur la rampe. Il
passa, et il n'avait pas descendu dix marches,
que la porte de Claire, violemment refermée
derrière son dos, ébranla toute la cage de l'escalier. Ce fut en cette occasion que mademoiselle
Saget se convainquit que le cousin de madame
Quenu couchait avec les deux Méhudin.

Florent ne songeait guère à ces belles filles. Il
traitait d'ordinaire les femmes en homme qui n'a
point de succès auprès d'elles. Puis, il dépensait
en rêve trop de sa virilité. Il en vint à éprouver
une véritable amitié pour la Normande; elle
avait un bon cœur, quand elle ne se montait pas
la tête. Mais jamais il n'alla plus loin. Le soir,
sous la lampe, tandis qu'elle approchait sa chaise,
comme pour se pencher sur la page d'écriture
de Muche, il sentait même son corps puissant et
tiède à côté de lui avec un certain malaise. Elle
lui semblait colossale, très lourde, presque
inquiétante, avec sa gorge de géante; il reculait
ses coudes aigus, ses épaules sèches, pris de la
peur vague d'enfoncer dans cette chair. Ses os
de maigre avaient une angoisse, au contact des
poitrines grasses. Il baissait la tête, s'amincissait
encore, incommodé par le souffle fort qui montait d'elle. Quand sa camisole s'entrebâillait, il
croyait voir sortir, entre deux blancheurs, une

fumée de vie, une haleine de santé qui lui passait sur la face, chaude encore, comme relevée
d'une pointe de la puanteur des Halles, par les
ardentes soirées de juillet. C'était un parfum
persistant, attaché à la peau d'une finesse de
soie, un suint de marée coulant des seins superbes, des bras royaux, de la taille souple, mettant un arôme rude dans son odeur de femme.
Elle avait tenté toutes les huiles aromatiques;
elle se lavait à grande eau; mais dès que la fraîcheur du bain s'en allait, le sang ramenait jusqu'au bout des membres la fadeur des saumons,
la violette musquée des éperlans, les âcretés des
harengs et des raies. Alors, le balancement de
ses jupes dégageait une buée; elle marchait au
milieu d'une évaporation d'algues vaseuses; elle
éait, avec son grand corps de déesse, sa pureté et
sa pâleur admirables, comme un beau marbre
ancien roulé par la mer et ramené à la côte dans
le coup de filet d'un pêcheur de sardines. Florent souffrait; il ne la désirait point, les sens
révoltés par les après-midi de la poissonnerie;
il la trouvait irritante, trop salée, trop amère,
d'une beauté trop large et d'un relent trop fort.

Mademoiselle Saget, quant à elle, jurait ses
grands dieux qu'il était son amant. Elle s'était
fâchée avec la belle Normande, pour une
limande de dix sous. Depuis cette brouille, elle
témoignait une grande amitié à la belle Lisa.
Elle espérait arriver plus vite à connaître ainsi

ce qu'elle appelait le « micmac des Quenu ».
Florent continuant à lui échapper, elle était un
corps sans âme, comme elle le disait elle-même,
sans avouer la cause de ses doléances. Une jeune
fille courant après les culottes d'un garçon n'aurait pas été plus désolée que cette terrible vieille,
en sentant le secret du cousin lui glisser entre
les doigts. Elle guettait le cousin, le suivait, le
déshabillait, le regardait partout, avec une rage
furieuse de ce que sa curiosité en rut ne par-
venait pas à le posséder. Depuis qu'il venait
chez les Méhudin, elle ne quittait plus la rampe
de l'escalier. Puis, elle comprit que la belle Lisa
était très irritée de voir Florent fréquenter « ces
femmes ». Tous les matins, elle lui donna alors
des nouvelles de la rue Pirouette. Elle entrait
à la charcuterie, les jours de froid, ratatinée,
rapetissée par la gelée; elle posait ses mains
bleuies sur l'étuve de melchior, se chauffant les
doigts, debout devant le comptoir, n'achetant
rien, répétant de sa voix fluette :

— Il était encore hier chez elles, il n'en sort
plus... La Normande l'a appelé « mon chéri »
dans l'escalier.

Elle mentait un peu pour rester et se chauffer
les mains plus longtemps. Le lendemain du jour
où elle crut voir sortir Florent de la chambre de
Claire, elle accourut et fit durer l'histoire une
bonne demi-heure. C'était une honte; maintenant, le cousin allait d'un lit à l'autre.

— Je l'ai vu, dit-elle. Quand il en a assez
avec la Normande, il va trouver la petite blonde
sur la pointe des pieds. Hier, il quittait la
blonde, et il retournait sans doute auprès de la
grande brune, quand il m'a aperçue, ce qui lui
a fait rebrousser chemin. Toute la nuit, j'entends les deux portes, ça ne finit pas... Et cette
vieille Méhudin qui couche dans un cabinet
entre les chambres de ses filles!

Lisa faisait une moue de mépris. Elle parlait
peu, n'encourageant les bavardages de mademoiselle Saget que par son silence. Elle écoutait profondément. Quand les détails devenaient par
trop scabreux :

— Non, non, murmurait-elle, ce n'est pas permis... Se peut-il qu'il y ait des femmes comme
ça!

Alors, mademoiselle Saget lui répondait que,
dame! toutes les femmes n'étaient pas honnêtes
comme elle. Ensuite, elle se faisait très tolérante
pour le cousin. Un homme, ça court après
chaque jupon qui passe; puis, il n'était pas
marié, peut-être. Et elle posait des questions
sans en avoir l'air. Mais Lisa ne jugeait jamais
le cousin, haussait les épaules, pinçait les lèvres.
Quand mademoiselle Saget était partie, elle
regardait, l'air écœuré, le couvercle de l'étuve,
où la vieille avait laissé, sur le luisant du métal,
la salissure terne de ses deux petites mains.

— Augustine, criait-elle, apportez donc un

torchon pour essuyer l'étuve. C'est dégoûtant.

La rivalité de la belle Lisa et de la belle Normande devint alors formidable. La belle Normande était persuadée qu'elle avait enlevé un amant à son ennemie, et la belle Lisa se sentait furieuse contre cette pas-grand-chose qui finirait par les compromettre, en attirant ce sournois de Florent chez elle. Chacune apportait son tempérament dans leur hostilité; l'une, tranquille, méprisante, avec des mines de femme qui relève ses jupes pour ne pas se crotter; l'autre, plus effrontée, éclatant d'une gaieté insolente, prenant toute la largeur du trottoir, avec la crânerie d'un duelliste cherchant une affaire. Une de leurs rencontres occupait la poissonnerie pendant une journée. La belle Normande, quand elle voyait la belle Lisa sur le seuil de la charcuterie, faisait un détour pour passer devant elle, pour la frôler de son tablier; alors, leurs regards noirs se croisaient comme des épées, avec l'éclair et la pointe rapides de l'acier. De son côté, lorsque la belle Lisa venait à la poissonnerie, elle affectait une grimace de dégoût, en approchant du banc de la belle Normande; elle prenait quelque grosse pièce, un turbot, un saumon, à une poissonnière voisine, étalant son argent sur le marbre, ayant remarqué que cela touchait au cœur la « pas-grand-chose », qui cessait de rire. D'ailleurs, les deux rivales, à les entendre, ne vendaient que du poisson pourri

et de la charcuterie gâtée. Mais leur poste de
combat était surtout, la belle Normande à son
banc, la belle Lisa à son comptoir, se foudroyant
à travers la rue Rambuteau. Elles trônaient
alors, dans leurs grands tabliers blancs, avec leurs
toilettes et leurs bijoux. Dès le matin, la bataille
commençait.

— Tiens! la grosse vache est levée! criait la
belle Normande. Elle se ficelle comme ses saucissons, cette femme-là... Ah! bien, elle a remis
son col de samedi, et elle porte encore sa robe
de popeline!

Au même instant, de l'autre côté de la rue,
la belle Lisa disait à sa fille de boutique :

— Voyez donc, Augustine, cette créature qui
nous dévisage là-bas. Elle est toute déformée,
avec la vie qu'elle mène... Est-ce que vous aper-
cevez ses boucles d'oreilles? Je crois qu'elle a ses
grandes poires, n'est-ce pas? Ça fait pitié, des
brillants, à des filles comme ça.

— Pour ce que ça lui coûte! répondait complaisamment Augustine.

Quand l'une d'elles avait un bijou nouveau,
c'était une victoire; l'autre crevait de dépit.
Toute la matinée, elles se jalousaient leurs
clients, se montraient très maussades, si elles
s'imaginaient que la vente allait mieux chez
« la grande bringue d'en face ». Puis, venait
l'espionnage du déjeuner; elles savaient ce
qu'elles mangeaient, épiaient jusqu'à leur diges-

tion. L'après-midi, assises l'une dans ses viandes cuites, l'autre dans ses poissons, elles posaient, faisaient les belles, se donnaient un mal infini. C'était l'heure qui décidait du succès de la journée. La belle Normande brodait, choisissait des travaux d'aiguille très délicats, ce qui exaspérait la belle Lisa.

— Elle ferait mieux, disait-elle, de raccommoder les bas de son garçon, qui va nu-pieds... Voyez-vous cette demoiselle, avec ses mains rouges puant le poisson!

Elle, tricotait, d'ordinaire.

— Elle en est toujours à la même chaussette, remarquait l'autre; elle dort sur l'ouvrage, elle mange trop... Si son cocu attend ça pour avoir chaud aux pieds!

Jusqu'au soir, elles restaient implacables, commentant chaque visite, l'œil si prompt qu'elles saisissaient les plus minces détails de leur personne, lorsque d'autres femmes, à cette distance, déclaraient ne rien apercevoir du tout. Mademoiselle Saget fut dans l'admiration des bons yeux de madame Quenu, un jour que celle-ci distingua une égratignure sur la joue gauche de la poissonnière. « Avec des yeux comme ça, disait-elle, on verrait à travers les portes. » La nuit tombait, et souvent la victoire était indécise; parfois, l'une demeurait sur le carreau; mais, le lendemain, elle prenait sa revanche. Dans le quartier, on ouvrait des

paris pour la belle Lisa ou pour la belle Normande.

Elles en vinrent à défendre à leurs enfants de
se parler. Pauline et Muche étaient bons amis,
auparavant; Pauline, avec ses jupes raides de
demoiselle comme il faut; Muche, débraillé,
jurant, tapant, jouant à merveille au charretier. Quand ils s'amusaient ensemble sur le
large trottoir, devant le pavillon de la marée,
Pauline faisait la charrette. Mais un jour que
Muche alla la chercher, tout naïvement, la belle
Lisa le mit à la porte, en le traitant de galopin.

— Est-ce qu'on sait, dit-elle, avec ces enfants
mal élevés!... Celui-ci a de si mauvais exemples
sous les yeux, que je ne suis pas tranquille,
quand il est avec ma fille.

L'enfant avait sept ans. Mademoiselle Saget,
qui se trouvait là, ajouta :

— Vous avez bien raison. Il est toujours
fourré avec les petites du quartier, ce garnement... On l'a trouvé dans une cave, avec la fille
du charbonnier.

La belle Normande, quand Muche vint en
pleurant lui raconter l'aventure, entra dans une
colère terrible. Elle voulait aller tout casser chez
les Quenu-Gradelle. Puis, elle se contenta de
donner le fouet à Muche.

— Si tu y retournes jamais, cria-t-elle, furieuse, tu auras affaire à moi!

Mais la véritable victime des deux femmes était Florent. Au fond, lui seul les avait mises sur ce pied de guerre, elles ne se battaient que pour lui. Depuis son arrivée, tout allait de mal en pis; il compromettait, fâchait, troublait ce monde qui avait vécu jusque-là dans une paix si grasse. La belle Normande l'aurait volontiers griffé, quand elle le voyait s'oublier trop long-temps chez les Quenu; c'était pour beaucoup l'ardeur de la lutte qui la poussait au désir de cet homme. La belle Lisa gardait une attitude de juge, devant la mauvaise conduite de son beau-frère dont les rapports avec les deux Méhu-din faisaient le scandale du quartier. Elle était horriblement vexée; elle s'efforçait de ne pas montrer sa jalousie, une jalousie particulière, qui, malgré son dédain de Florent et sa froideur de femme honnête, l'exaspérait, chaque fois qu'il quittait la charcuterie pour aller rue Pirouette, et qu'elle s'imaginait les plaisirs défendus qu'il devait y goûter.

Le dîner, le soir, chez les Quenu, devenait moins cordial. La netteté de la salle à manger prenait un caractère aigu et cassant. Florent sentait un reproche, une sorte de condamnation dans le chêne clair, la lampe trop propre, la natte trop neuve. Il n'osait presque plus manger, de peur de laisser tomber des miettes de pain et de salir son assiette. Cependant, il avait une belle simplicité qui l'empêchait de voir. Partout il

vantait la douceur de Lisa. Elle restait très
douce, en effet. Elle lui disait, avec un sourire,
comme en plaisantant :

— C'est singulier, vous ne mangez pas mal,
maintenant, et pourtant vous ne devenez pas
gras... Ça ne vous profite pas.

Quenu riait plus haut, tapait sur le ventre de
son frère, en prétendant que toute la charcuterie
y passerait, sans seulement laisser épais de graisse
comme une pièce de deux sous. Mais, dans l'insistance de Lisa, il y avait cette haine, cette
méfiance des maigres que la mère Méhudin témoignait plus brutalement; il y avait aussi une
allusion détournée à la vie de débordements que
Florent menait. Jamais, d'ailleurs, elle ne parlait
devant lui de la belle Normande. Quenu ayant
fait une plaisanterie, un soir, elle était devenue
si glaciale, que le digne homme ne recommença
pas. Après le dessert, ils demeuraient là un
instant. Florent, qui avait remarqué l'humeur
de sa belle-sœur, quand il partait trop vite, cherchait un bout de conversation. Elle était tout
près de lui. Il ne la trouvait pas tiède et vivante,
comme la poissonnière; elle n'avait pas, non
plus, la même odeur de marée, pimentée et de
haut goût; elle sentait la graisse, la fadeur des
belles viandes. Pas un frisson ne faisait faire un
pli à son corsage tendu. Le contact trop ferme
de la belle Lisa inquiétait plus encore ses os de
maigre que l'approche tendre de la belle Nor-

mande. Gavard lui dit une fois, en grande confidence, que madame Quenu était certainement une belle femme, mais qu'il les aimait « moins blindées que cela ».

Lisa évitait de parler de Florent à Quenu. Elle faisait, d'habitude, grand étalage de patience. Puis, elle croyait honnête de ne pas se mettre entre les deux frères, sans avoir de bien sérieux motifs. Comme elle le disait, elle était très bonne, mais il ne fallait pas la pousser à bout. Elle en était à la période de tolérance, le visage muet, la politesse stricte, l'indifférence affectée, évitant encore avec soin tout ce qui aurait pu faire comprendre à l'employé qu'il couchait et qu'il mangeait chez eux, sans que jamais on vît son argent; non pas qu'elle eût accepté un paiement quelconque, elle était au-dessus de cela; seulement, il aurait pu, vraiment, déjeuner au moins dehors. Elle fit remarquer un jour à Quenu :

— On n'est plus seuls. Quand nous voulons nous parler, maintenant, il faut attendre que nous soyons couchés, le soir.

Et, un soir, elle lui dit, sur l'oreiller :

— Il gagne cent cinquante francs, n'est-ce pas? ton frère... C'est singulier qu'il ne puisse pas mettre quelque chose de côté pour s'acheter du linge. J'ai encore été obligée de lui donner trois vieilles chemises à toi.

— Bah! ça ne fait rien, répondit Quenu, il

n'est pas difficile, mon frère. Il faut lui laisser son argent.

— Oh! bien sûr, murmura Lisa, sans insister davantage, je ne dis pas ça pour ça... Qu'il le dépense bien ou mal, ce n'est pas notre affaire.

Elle était persuadée qu'il mangeait ses appointements chez les Méhudin. Elle ne sortit qu'une fois de son attitude calme, de cette réserve de tempérament et de calcul. La belle Normande avait fait cadeau à Florent d'un saumon superbe. Celui-ci, très embarrassé de son saumon, n'ayant pas osé le refuser, l'apporta à la belle Lisa.

— Vous en ferez un pâté, dit-il ingénument.

Elle le regardait fixement, les lèvres blanches; puis, d'une voix qu'elle tâchait de contenir :

— Est-ce que vous croyez que nous avons besoin de nourriture, par exemple! Dieu merci! il y a assez à manger ici!... Remportez-le!

— Mais faites-le-moi cuire, au moins, reprit Florent, étonné de sa colère; je le mangerai.

Alors elle éclata.

— La maison n'est pas une auberge, peut-être! Dites aux personnes qui vous l'ont donné de le faire cuire, si elles veulent. Moi, je n'ai pas envie d'empester mes casseroles... Remportez-le, entendez-vous!

Elle l'aurait pris et jeté à la rue. Il le porta chez monsieur Lebigre, où Rose reçut l'ordre d'en faire un pâté. Et, un soir, dans le cabinet vitré, on mangea le pâté. Gavard paya des huîtres.

Florent, peu à peu, venait davantage, ne quittait plus le cabinet. Il y trouvait un milieu sur-chauffé, où ses fièvres politiques battaient à l'aise. Parfois, maintenant, quand il s'enfermait dans sa mansarde pour travailler, la douceur de la pièce l'impatientait, la recherche théorique de la liberté ne lui suffisait plus, il fallait qu'il descendît, qu'il allât se contenter dans les axiomes tranchants de Charvet et dans les empor-tements de Logre. Les premiers soirs, ce tapage, ce flot de paroles l'avait gêné; il en sentait encore le vide, mais il éprouvait un besoin de s'étourdir, de se fouetter, d'être poussé à quelque résolution extrême qui calmât ses inquiétudes d'esprit. L'odeur du cabinet, cette odeur liquoreuse, chaude de la fumée du tabac, le grisait, lui don-nait une béatitude particulière, un abandon de lui-même, dont le bercement lui faisait accep-ter sans difficulté des choses très grosses. Il en vint à aimer les figures qui étaient là, à les retrouver, à s'attarder à elles avec le plaisir de l'habitude. La face douce et barbue de Robine, le profil sérieux de Clémence, la maigreur blême de Charvet, la bosse de Logre, et Gavard, et Alexandre, et Lacaille, entraient dans sa vie, y prenaient une place de plus en plus grande. C'était pour lui comme une jouissance toute sensuelle. Lorsqu'il posait la main sur le bouton de cuivre du cabinet, il lui semblait sentir ce bouton vivre, lui chauffer les doigts, tourner de lui-même; il n'eût pas éprouvé une sensation plus vive, en prenant le poignet souple d'une femme.

A la vérité, il se passait des choses très graves dans le cabinet. Un soir, Logre, après avoir tempêté avec plus de violence que de coutume, donna des coups de poing sur la table, en déclarant que si l'on était des hommes, on flanquerait le gouvernement par terre. Et il ajouta qu'il fallait s'entendre tout de suite, si l'on voulait être prêt, quand la débâcle arriverait. Puis, les têtes rapprochées, à voix plus basse, on convint de former un petit groupe prêt à toutes les éventualités. Gavard, à partir de ce jour, fut persuadé qu'il faisait partie d'une société secrète et qu'il conspirait. Le cercle ne s'étendit pas, mais Logre promit de l'aboucher avec d'autres réunions qu'il connaissait. A un moment, quand on tiendrait tout Paris dans la main, on ferait danser les Tuileries. Alors, ce furent des discussions sans fin qui durèrent plusieurs mois : questions d'organisation, questions de but et de moyens, questions de stratégie et de gouvernement futur. Dès que Rose avait apporté le grog de Clémence, les chopes de Charvet et de Robine, les mazagrans de Logre, de Gavard et de Florent, et les petits verres de Lacaille et d'Alexandre, le cabinet était soigneusement barricadé, la séance était ouverte.

Charvet et Florent restaient naturellement les

voix les plus écoutées. Gavard n'avait pu tenir
sa langue, contant peu à peu toute l'histoire de
Cayenne, ce qui mettait Florent dans une gloire
de martyr. Ses paroles devenaient des actes de
foi. Un soir, le marchand de volailles, vexé d'entendre attaquer son ami qui était absent, s'écria :

— Ne touchez pas à Florent, il est allé à
Cayenne!

Mais Charvet se trouvait très piqué de cet
avantage.

— Cayenne, Cayenne, murmurait-il entre ses
dents, on n'y était pas si mal que ça, après tout!

Et il tentait de prouver que l'exil n'est rien,
que la grande souffrance consiste à rester dans
son pays opprimé, la bouche bâillonnée, en face
du despotisme triomphant. Si, d'ailleurs, on ne
l'avait pas arrêté, le 2 décembre, ce n'était pas
sa faute. Il laissait même entendre que ceux qui
se font prendre sont des imbéciles. Cette jalousie
sourde en fit l'adversaire systématique de Florent. Les discussions finissaient toujours par se
circonscrire entre eux deux. Et ils parlaient
encore pendant des heures, au milieu du silence
des autres, sans que jamais l'un d'eux se confessât
battu.

Une des questions les plus caressées était celle
de la réorganisation du pays, au lendemain de la
victoire.

— Nous sommes vainqueurs, n'est-ce pas?...
commençait Gavard.

Et, le triomphe une fois bien entendu, chacun donnait son avis. Il y avait deux camps. Charvet, qui professait l'hébertisme, avait avec lui Logre et Robine. Florent, toujours perdu dans son rêve humanitaire, se prétendait socialiste et s'appuyait sur Alexandre et sur Lacaille. Quant à Gavard, il ne répugnait pas aux idées violentes; mais, comme on lui reprochait quelquefois sa fortune, avec d'aigres plaisanteries qui l'émotionnaient, il était communiste.

— Il faudra faire table rase, disait Charvet de son ton bref, comme s'il eût donné un coup de hache. Le tronc est pourri, on doit l'abattre.

— Oui! oui! reprenait Logre, se mettant debout pour être grand, ébranlant la cloison sous les bonds de sa bosse. Tout sera fichu par terre, c'est moi qui vous le dis... Après, on verra.

Robine approuvait de la barbe. Son silence jouissait, quand les propositions devenaient tout à fait révolutionnaires. Ses yeux prenaient une grande douceur au mot de guillotine; il les fermait à demi comme s'il voyait la chose, et qu'elle l'eût attendri; et, alors, il grattait légèrement son menton sur la pomme de sa canne, avec un sourd ronronnement de satisfaction.

— Cependant, disait à son tour Florent, dont la voix gardait un son lointain de tristesse, cependant si vous abattez l'arbre, il sera nécessaire de garder des semences... Je crois, au contraire, qu'il faut conserver l'arbre pour greffer sur lui la vie nouvelle... La révolution politique est faite, voyez-vous; il faut aujourd'hui songer au travailleur, à l'ouvrier; notre mouvement devra être tout social. Et je vous défie bien d'arrêter cette revendication du peuple. Le peuple est las, il veut sa part.

Ces paroles enthousiasmaient Alexandre. Il affirmait, avec sa bonne figure réjouie, que c'était vrai, que le peuple était las.

— Et nous voulons notre part, ajoutait Lacaille, d'un air plus menaçant. Toutes les révolutions, c'est pour les bourgeois. Il y en a assez, à la fin. A la première, ce sera pour nous.

Alors, on ne s'entendait plus, Gavard offrait de partager. Logre refusait, en jurant qu'il ne tenait pas à l'argent. Puis, peu à peu, Charvet, dominant le tumulte, continuait tout seul :

— L'égoïsme des classes est un des soutiens les plus fermes de la tyrannie. Il est mauvais que le peuple soit égoïste. S'il nous aide, il aura sa part... Pourquoi voulez-vous que je me batte pour l'ouvrier, si l'ouvrier refuse de se battre pour moi?... Puis, la question n'est pas là. Il faut dix ans de dictature révolutionnaire, si l'on veut habituer un pays comme la France à l'exercice de la liberté.

— D'autant plus, disait nettement Clémence, que l'ouvrier n'est pas mûr et qu'il doit être dirigé.

Elle parlait rarement. Cette grande fille grave,

perdue au milieu de tous ces hommes, avait une
façon professorale d'écouter parler politique.
Elle se renversait contre la cloison, buvait son
grog à petits coups, en regardant les interlocu-
teurs, avec des froncements de sourcils, des gon-
flements de narines, toute une approbation ou
une désapprobation muettes, qui prouvaient
qu'elle comprenait, qu'elle avait des idées très
arrêtées sur les matières les plus compliquées.
Parfois, elle roulait une cigarette, soufflait du
coin des lèvres des jets de fumée minces, devenait plus attentive. Il semblait que le débat
eût lieu devant elle, et qu'elle dût distribuer
des prix à la fin. Elle croyait certainement garder sa place de femme, en réservant son avis,
en ne s'emportant pas comme les hommes. Seulement, au fort des discussions, elle lançait une
phrase, elle concluait d'un mot, elle « rivait le
clou » à Charvet lui-même, selon l'expression
de Gavard. Au fond, elle se croyait beaucoup
plus forte que ces messieurs. Elle n'avait de respect que pour Robine, dont elle couvait le
silence de ses grands yeux noirs.

Florent, pas plus que les autres, ne faisait
attention à Clémence. C'était un homme pour
eux. On lui donnait des poignées de main à lui
démancher le bras. Un soir, Florent assista aux
fameux comptes. Comme la jeune femme venait
de toucher son argent, Charvet voulut lui
emprunter dix francs. Mais elle dit que non,

qu'il fallait savoir où ils en étaient auparavant.
Ils vivaient sur la base du mariage libre et de la
fortune libre; chacun d'eux payait ses dépenses,
strictement; comme ça, disaient-ils, ils ne se
devaient rien, ils n'étaient pas esclaves. Le loyer,
la nourriture, le blanchissage, les menus plaisirs,
tout se trouvait écrit, noté, additionné. Ce soir-
là Clémence, vérification faite, prouva à Charvet
qu'il lui devait déjà cinq francs. Elle lui remit
ensuite les dix francs, en lui disant :

— Marque que tu m'en dois quinze, maintenant... Tu me les rendras le 5, sur les leçons du
petit Léhudier.

Quand on appelait Rose pour payer, ils tiraient
chacun de leur poche les quelques sous de leur
consommation. Charvet traitait même en riant
Clémence d'aristocrate, parce qu'elle prenait un
grog; il disait qu'elle voulait l'humilier, lui faire
sentir qu'il gagnait moins qu'elle, ce qui était
vrai; et il y avait, au fond de son rire, une pro-
testation contre ce gain plus élevé, qui le rabais-
sait, malgré sa théorie de l'égalité des sexes.

Si les discussions n'aboutissaient guère, elles
tenaient ces messieurs en haleine. Il sortait un
bruit formidable du cabinet; les vitres dépolies
vibraient comme des peaux de tambour. Parfois,
le bruit devenait si fort que Rose, avec sa lan-
gueur, versant au comptoir un canon à quelque
blouse, tournait la tête d'inquiétude.

— Ah! bien, merci, ils se cognent là-dedans,

disait la blouse, en reposant le verre sur le zinc, et en se torchant la bouche d'un revers de main.

— Pas de danger, répondait tranquillement monsieur Lebigre; ce sont des messieurs qui causent.

Monsieur Lebigre, très rude pour les autres consommateurs, les laissait crier à leur aise, sans jamais leur faire la moindre observation. Il restait des heures sur la banquette du comptoir, en gilet à manches, sa grosse tête ensommeillée appuyée contre la glace, suivant du regard Rose qui débouchait des bouteilles ou qui donnait des coups de torchon. Les jours de belle humeur, quand elle était devant lui, plongeant des verres dans le bassin aux rinçures, les poignets nus, il la pinçait fortement au gras des jambes, sans qu'on pût le voir, ce qu'elle acceptait avec un sourire d'aise. Elle ne trahissait même pas cette familiarité par un sursaut; lorsqu'il l'avait pincée au sang, elle disait qu'elle n'était pas chatouilleuse. Cependant, monsieur Lebigre, dans l'odeur de vin et le ruissellement de clartés chaudes qui l'assoupissaient, tendait l'oreille aux bruits du cabinet. Il se levait quand les voix montaient, allait s'adosser à la cloison; ou même il poussait la porte, il entrait, s'asseyait un instant, en donnant une tape sur la cuisse de Gavard. Là, il approuvait tout de la tête. Le marchand de volailles disait que, si ce diable de Lebigre n'avait guère l'étoffe d'un orateur, on pouvait compter sur lui « le jour du grabuge ».

Mais Florent, un matin, aux Halles, dans une querelle affreuse qui éclata entre Rose et une poissonnière, à propos d'une bourriche de harengs que celle-ci avait fait tomber d'un coup de coude, sans le vouloir, l'entendit traiter de « panier à mouchard » et de « torchon de la préfecture ». Quand il eut rétabli la paix, on lui en dégoisa long sur monsieur Lebigre : il était de la police; tout le quartier le savait bien; mademoiselle Saget, avant de se servir chez lui, disait l'avoir rencontré une fois allant au rapport; puis, c'était un homme d'argent, un usurier qui prêtait à la journée aux marchands des quatre-saisons, et qui leur louait des voitures, en exigeant un intérêt scandaleux. Florent fut très ému. Le soir même, en étouffant la voix, il crut devoir répéter ces choses à ces messieurs. Ils haussèrent les épaules, rirent beaucoup de ses inquiétudes.

— Ce pauvre Florent! dit méchamment Charvet, parce qu'il est allé à Cayenne, il s'imagine que toute la police est à ses trousses.

Gavard donna sa parole d'honneur que Lebigre était « un bon, un pur ». Mais ce fut surtout Logre qui se fâcha. Sa chaise craquait; il déblatérait, il déclarait que ce n'était pas possible de continuer comme cela, que si l'on accusait tout le monde d'être de la police, il aimait mieux rester chez lui et ne plus s'occuper de politique. Est-ce qu'on n'avait pas osé dire qu'il en était, lui, Logre! lui qui s'était battu en 48 et en 51, qui avait failli être transporté deux fois! Et, en criant cela, il regardait les autres, la mâchoire en avant, comme s'il eût voulu leur clouer violemment et quand même la conviction qu'il « n'en était pas ». Sous ses regards furibonds, les autres protestèrent du geste. Cependant, Lacaille, en entendant traiter monsieur Lebigre d'usurier, avait baissé la tête.

Les discussions noyèrent cet incident. Monsieur Lebigre, depuis que Logre avait lancé l'idée d'un complot, donnait des poignées de main plus rudes aux habitués du cabinet. A la vérité, leur clientèle devait être d'un maigre profit; ils ne renouvelaient jamais leurs consommations. A l'heure du départ, ils buvaient la dernière goutte de leur verre, sagement ménagé pendant les ardeurs des théories politiques et sociales. Le départ, dans le froid humide de la nuit, était tout frissonnant. Ils restaient un instant sur le trottoir, les yeux brûlés, les oreilles assourdies, comme surpris par le silence noir de la rue. Derrière eux, Rose mettait les boulons des volets. Puis, quand ils s'étaient serré les mains, épuisés, ne trouvant plus un mot, ils se séparaient, mâchant encore des arguments, avec le regret de ne pouvoir s'enfoncer mutuellement leur conviction dans la gorge. Le dos rond de Robine moutonnait, disparaissait du côté de la rue Rambuteau; tandis que Charvet et Clémence s'en allaient par les Halles, jusqu'au Luxembourg, côte à côte, faisant sonner militairement leurs talons, en discutant encore quelque point de politique ou de philosophie, sans jamais se donner le bras.

Le complot mûrissait lentement. Au commencement de l'été, il n'était toujours question que de la nécessité de « tenter le coup ». Florent, qui, dans les premiers temps, éprouvait une sorte de méfiance, finit par croire à la possibilité d'un mouvement révolutionnaire. Il s'en occupait très sérieusement, prenant des notes, faisant des plans écrits. Les autres parlaient toujours. Lui, peu à peu, concentra sa vie dans l'idée fixe dont il se battait le crâne chaque soir, au point qu'il mena son frère Quenu chez monsieur Lebigre, naturellement, sans songer à mal. Il le traitait toujours un peu comme son élève, il dut même penser qu'il avait le devoir de le lancer dans la bonne voie. Quenu était absolument neuf en politique. Mais au bout de cinq ou six soirées, il se trouva à l'unisson. Il montrait une grande docilité, une sorte de respect pour les conseils de son frère, quand la belle Lisa n'était pas là. D'ailleurs, ce qui le séduisit, avant tout, ce fut la débauche bourgeoise de quitter sa charcuterie, de venir s'enfermer dans ce cabinet où l'on criait si fort, et où la présence de Clémence mettait pour lui une pointe d'odeur suspecte et délicieuse. Aussi bâclait-il ses andouilles maintenant, afin d'accourir plus vite, ne voulant pas perdre un mot de ces discussions qui lui semblaient très fortes, sans qu'il pût souvent les suivre jusqu'au bout. La belle Lisa s'apercevait très bien de sa hâte à s'en aller. Elle ne disait encore rien. Quand Florent l'emmenait, elle venait sur le seuil de la porte les voir entrer chez monsieur Lebigre, un peu pâle, les yeux sévères.

Mademoiselle Saget, un soir, reconnut de sa lucarne l'ombre de Quenu sur les vitres dépolies de la grande fenêtre du cabinet donnant rue Pirouette. Elle avait trouvé là un posté d'observation excellent, en face de cette sorte de transparent laiteux, où se dessinaient les silhouettes de ces messieurs, avec des nez subits, des mâchoires tendues qui jaillissaient, des bras énormes qui s'allongeaient brusquement, sans qu'on aperçût les corps. Ce démanchement surprenant de membres, ces profils muets et furibonds trahissant au-dehors les discussions ardentes du cabinet, la tenaient derrière ses rideaux de mousseline jusqu'à ce que le transparent devînt noir. Elle flairait là « un coup de mistoufle ». Elle avait fini par connaître les ombres, aux mains, aux cheveux, aux vêtements. Dans ce pêle-mêle de poings fermés, de têtes coléreuses, d'épaules gonflées, qui semblaient se décoller et rouler les unes sur les autres, elle disait nettement :

« Ça, c'est le grand dadais de cousin; ça c'est ce vieux grigou de Gavard, et voilà le bossu, et voilà cette perche de Clémence. » Puis, lorsque les silhouettes s'échauffaient, devenaient absolument désordonnées, elle était prise d'un besoin irrésistible de descendre, d'aller voir. Elle achetait son cassis le soir, sous le prétexte qu'elle se sentait « toute chose », le matin; il le lui fallait, disait-elle, au saut du lit. Le jour où elle vit la tête lourde de Quenu, barrée à coups nerveux par le mince poignet de Charvet, elle arriva chez monsieur Lebigre très essoufflée, elle fit rincer sa petite bouteille par Rose, afin de gagner du temps. Cependant, elle allait remonter chez elle, lorsqu'elle entendit la voix du charcutier dire avec une netteté enfantine :

— Non, il n'en faut plus... On leur donnera un coup de torchon solide, à ce tas de farceurs de députés et de ministres, à tout le tremblement, enfin!

Le lendemain, dès huit heures, mademoiselle Saget était à la charcuterie. Elle y trouva madame Lecœur et la Sarriette, qui plongeaient le nez dans l'étuve, achetant des saucisses chaudes pour leur déjeuner. Comme la vieille fille les avait entraînées dans sa querelle contre la belle Normande, à propos de la limande de dix sous, elles s'étaient du coup remiscs toutes deux avec la belle Lisa. Maintenant la poissonnière ne valait pas gros comme ça de beurre. Et elles

tapaient sur les Méhudin, des filles de rien qui
n'en voulaient qu'à l'argent des hommes. La
vérité était que mademoiselle Saget avait laissé
entendre à madame Lecœur que Florent repassait parfois une des deux sœurs à Gavard,
et qu'à eux quatre, ils faisaient des parties à
crever chez Baratte, bien entendu avec les
pièces de cent sous du marchand de volailles.
Madame Lecœur en resta dolente, les yeux
jaunes de bile.

Ce matin-là, c'était à madame Quenu que la
vieille fille voulait porter un coup. Elle tourna
devant le comptoir; puis, de sa voix la plus
douce :

— J'ai vu monsieur Quenu hier soir, dit-elle.
Ah! bien, allez, ils s'amusent, dans ce cabinet,
où ils font tant de bruit.

Lisa s'était tournée du côté de la rue, l'oreille
très attentive, mais ne voulant sans doute pas
écouter de face. Mademoiselle Saget fit une
pause, espérant qu'on la questionnerait. Elle
ajouta plus bas :

— Ils ont une femme avec eux... Oh! pas monsieur Quenu, je ne dis pas ça, je ne sais pas...

— C'est Clémence, interrompit la Sarriette,
une grande sèche, qui fait la dinde, parce qu'elle
est allée en pension. Elle vit avec un professeur
râpé... Je les ai vus ensemble; ils ont toujours
l'air de se conduire au poste.

— Je sais, je sais, reprit la vieille, qui connaissait son Charvet et sa Clémence à merveille, et qui parlait uniquement pour inquiéter la char-cutière.

Celle-ci ne bronchait pas. Elle avait l'air de regarder quelque chose de très intéressant, dans les Halles. Alors, l'autre employa les grands moyens. Elle s'adressa à madame Lecœur :

— Je voulais vous dire, vous feriez bien de conseiller à votre beau-frère d'être prudent. Ils crient des choses à faire trembler, dans ce cabinet. Les hommes, vraiment, ça n'est pas raisonnable, avec leur politique. Si on les entendait, n'est-ce pas? ça pourrait très mal tourner pour eux.

— Gavard fait ce qui lui plaît, soupira madame Lecœur. Il ne manque plus que ça. L'inquiétude m'achèvera, s'il se fait jamais jeter en prison.

Et une lueur parut dans ses yeux brouillés. Mais la Sarriette riait, secouant sa petite figure toute fraîche de l'air du matin.

— C'est Jules, dit-elle, qui les arrange, ceux qui disent du mal de l'empire... Il faudrait les flanquer tous à la Seine, parce que, comme il me l'a expliqué, il n'y a pas avec eux un seul homme comme il faut.

— Oh! continua mademoiselle Saget, ce n'est pas un grand mal, tant que les imprudences tombent dans les oreilles d'une personne comme moi. Vous savez, je me laisserais plutôt couper

la main... Ainsi, hier soir, monsieur Quenu
disait...

Elle s'arrêta encore. Lisa avait eu un léger
mouvement.

— Monsieur Quenu disait qu'il fallait fusiller
les ministres, les députés, et tout le tremblement.

Cette fois, la charcutière se tourna brusquement, toute blanche, les mains serrées sur son
tablier.

— Quenu a dit ça? demanda-t-elle d'une voix
brève.

— Et d'autres choses encore dont je ne me
souviens pas. Vous comprenez, c'est moi qui l'ai
entendu... Ne vous tourmentez donc pas comme
ça, madame Quenu. Vous savez qu'avec moi,
rien ne sort; je suis assez grande fille pour peser
ce qui conduirait un homme trop loin... C'est
entre nous.

Lisa s'était remise. Elle avait l'orgueil de la
paix honnête de son ménage, elle n'avouait pas
le moindre nuage entre elle et son mari. Aussi
finit-elle par hausser les épaules, en murmurant,
avec un sourire :

— C'est des bêtises à faire rire les enfants.

Quand les trois femmes furent sur le trottoir,
elles convinrent que la belle Lisa avait fait une
drôle de mine. Tout ça, le cousin, les Méhudin,
Gavard, les Quenu, avec leurs histoires aux-
quelles personne ne comprenait rien, ça finirait
mal. Madame Lecœur demanda ce qu'on faisait

des gens arrêtés « pour la politique ». Mademoiselle Saget savait seulement qu'ils ne paraissaient plus, plus jamais; ce qui poussa la Sarriette à dire qu'on les jetait peut-être à la Seine, comme Jules le demandait.

La charcutière, au déjeuner et au dîner, évita toute allusion. Le soir, quand Florent et Quenu s'en allèrent chez monsieur Lebigre, elle ne parut pas avoir plus de sévérité dans les yeux. Mais justement, ce soir-là, la question de la prochaine constitution fut débattue, et il était une heure du matin, lorsque ces messieurs se décidèrent à quitter le cabinet; les volets étaient mis, ils durent passer par la petite porte, un à un, en arrondissant l'échine. Quenu rentra, la conscience inquiète. Il ouvrit les trois ou quatre portes du logement, le plus doucement possible, marchant sur la pointe des pieds, traversant le salon, les bras tendus, pour ne pas heurter les meubles. Tout dormait. Dans la chambre, il fut très contrarié de voir que Lisa avait laissé la bougie allumée; cette bougie brûlait au milieu du grand silence, avec une flamme haute et triste. Comme il ôtait ses souliers et les posait sur un coin du tapis, la pendule sonna une heure et demie, d'un timbre si clair qu'il se retourna consterné, redoutant de faire un mouvement, regardant d'un air de furieux reproche le Gutenberg doré qui luisait, le doigt sur un livre. Il ne voyait que le dos de Lisa, avec sa tête enfouie

dans l'oreiller; mais il sentait bien qu'elle ne
dormait pas, qu'elle devait avoir les yeux tout
grands ouverts, sur le mur. Ce dos énorme, très
gras aux épaules, était blême, d'une colère contenue; il se renflait, gardait l'immobilité et le
poids d'une accusation sans réplique. Quenu,
tout à fait décontenancé par l'extrême sévérité
de ce dos qui semblait l'examiner avec la face
épaisse d'un juge, se coula sous les couvertures,
souffla la bougie, se tint sage. Il était resté sur
le bord, pour ne point toucher sa femme. Elle
ne dormait toujours pas, il l'aurait juré. Puis,
il céda au sommeil, désespéré de ce qu'elle ne
parlait point, n'osant lui dire bonsoir, se trouvant sans force contre cette masse implacable
qui barrait le lit à ses soumissions.

Le lendemain, il dormit tard. Quand il
s'éveilla, l'édredon au menton, vautré au milieu
du lit, il vit Lisa, assise devant le secrétaire, qui
mettait des papiers en ordre; elle s'était levée,
sans qu'il s'en aperçût, dans le gros sommeil de
son dévergondage de la veille. Il prit courage,
il lui dit, du fond de l'alcôve :

— Tiens! pourquoi ne m'as-tu pas réveillé?...
Qu'est-ce que tu fais là?

— Je range ces tiroirs, répondit-elle, très
calme, de sa voix ordinaire.

Il se sentit soulagé. Mais elle ajouta :

— On ne sait pas ce qui peut arriver; si la
police venait...

— Comment, la police?

— Certainement, puisque tu t'occupes de politique, maintenant.

Il s'assit sur son séant, hors de lui, frappé en pleine poitrine par cette attaque rude et imprévue.

— Je m'occupe de politique, je m'occupe de politique, répétait-il; la police n'a rien à voir là-dedans, je ne me compromets pas.

— Non, reprit Lisa avec un haussement d'épaules, tu parles simplement de faire fusiller tout le monde.

— Moi! moi!

— Et tu cries cela chez un marchand de vin... Mademoiselle Saget t'a entendu. Tout le quartier, à cette heure, sait que tu es un rouge.

Du coup, il se recoucha. Il n'était pas encore bien éveillé. Les paroles de Lisa retentissaient, comme s'il eût déjà entendu les fortes bottes des gendarmes, à la porte de la chambre. Il la regardait, coiffée, serrée dans son corset, sur son pied de toilette habituel, et il s'ahurissait davantage, à la trouver si correcte dans cette circonstance dramatique.

— Tu le sais, je te laisse absolument libre, reprit-elle après un silence, tout en continuant à classer les papiers; je ne veux pas porter les culottes, comme on dit... Tu es le maître, tu peux risquer ta situation, compromettre notre crédit, ruiner la maison... Moi, je n'aurai plus tard qu'à sauvegarder les intérêts de Pauline.

Il protesta, mais elle le fit taire du geste; en ajoutant :

— Non, ne dis rien, ce n'est pas une querelle, pas même une explication, que je provoque... Ah! si tu m'avais demandé conseil, si nous avions causé de ça ensemble, je ne dis pas! On a tort de croire que les femmes n'entendent rien à la politique... Veux-tu que je te la dise, ma politique, à moi?

Elle s'était levée, elle allait du lit à la fenêtre, enlevant du doigt les grains de poussière qu'elle apercevait sur l'acajou luisant de l'armoire à glace et de la toilette-commode.

— C'est la politique des honnêtes gens... Je suis reconnaissante au gouvernement, quand mon commerce va bien, quand je mange ma soupe tranquille, et que je dors sans être réveillée par des coups de fusil... C'était du propre, n'est-ce pas, en 48? L'oncle Gradelle, un digne homme, nous a montré ses livres de ce temps-là. Il a perdu plus de six mille francs... Maintenant que nous avons l'empire, tout marche, tout se vend. Tu ne peux pas dire le contraire... Alors, qu'est-ce que vous voulez? qu'est-ce que vous aurez de plus, quand vous aurez fusillé tout le monde?

Elle se planta devant la table de nuit, les mains croisées, en face de Quenu, qui disparaissait sous l'édredon. Il essaya d'expliquer ce

que ces messieurs voulaient; mais il s'embarrassait dans les systèmes politiques et sociaux de
Charvet et de Florent; il parlait des principes
méconnus, de l'avènement de la démocratie, de
la régénération des sociétés, mêlant le tout d'une
si étrange façon, que Lisa haussa les épaules,
sans comprendre. Enfin, il se sauva en tapant sur
l'empire : c'était le règne de la débauche, des
affaires véreuses, du vol à main armée.

— Vois-tu, dit-il en se souvenant d'une phrase
de Logre, nous sommes la proie d'une bande
d'aventuriers qui pillent, qui violent, qui assas-
sinent la France... Il n'en faut plus!

Lisa haussait toujours les épaules.

— C'est tout ce que tu as à dire? demanda-
t-elle avec son beau sang-froid. Qu'est-ce que ça
me fait, ce que tu racontes là? Quand ce serait
vrai, après?... Est-ce que je te conseille d'être un
malhonnête homme, moi? Est-ce que je te pousse
à ne pas payer tes billets, à tromper les clients,
à entasser trop vite des pièces de cent sous mal
acquises?... Tu me ferais mettre en colère, à la
fin! Nous sommes de braves gens, nous autres,
qui ne pillons et qui n'assassinons personne. Cela
suffit. Les autres, ça ne me regarde pas; qu'ils
soient des canailles, s'ils veulent!

Elle était superbe et triomphante. Elle se remit
à marcher, le buste haut, continuant :

— Pour faire plaisir à ceux qui n'ont rien, il
faudrait alors ne pas gagner sa vie... Certaine-

ment que je profite du bon moment et que je soutiens le gouvernement qui fait aller le commerce. S'il commet de vilaines choses, je ne veux pas le savoir. Moi, je sais que je n'en commets pas, je ne crains point qu'on me montre au doigt dans le quartier. Ce serait trop bête de se battre contre des moulins à vent... Tu te souviens, aux élections, Gavard disait que le candidat de l'empereur était un homme qui avait fait faillite, qui se trouvait compromis dans de sales histoires. Ça pouvait être vrai, je ne dis pas non. Tu n'en as pas moins très sagement agi en votant pour lui, parce que la question n'était pas là, qu'on ne te demandait pas de prêter de l'argent, ni de faire des affaires avec ce monsieur, mais de montrer au gouvernement que tu étais satisfait de voir prospérer la charcuterie.

Cependant Quenu se rappelait une phrase de Charvet, cette fois, qui déclarait que « ces bourgeois empâtés, ces boutiquiers engraissés, prêtant leur soutien à un gouvernement d'indigestion générale, devaient être jetés les premiers au cloaque ». C'était grâce à eux, grâce à leur égoïsme du ventre, que le despotisme s'imposait et rongeait une nation. Il tâchait d'aller jusqu'au bout de la phrase, quand Lisa lui coupa la parole, emportée par l'indignation.

— Laisse donc! ma conscience ne me reproche rien. Je ne dois pas un sou, je ne suis dans aucun tripotage, j'achète et je vends de bonne marchandise, je ne fais pas payer plus cher que le voisin... C'est bon pour nos cousins, les Saccard. ce que tu dis là. Ils font semblant de ne pas même savoir que je suis à Paris; mais je suis plus fière qu'eux, je me moque pas mal de leurs millions. On dit que Saccard trafique dans les démolitions, qu'il vole tout le monde. Ça ne m'étonne pas, il partait pour ça. Il aime l'argent à se rouler dessus, pour le jeter ensuite par les fenêtres, comme un imbécile... Qu'on mette en cause les hommes de sa trempe, qui réalisent des fortunes trop grosses, je le comprends. Moi, si tu veux le savoir, je n'estime pas Saccard... Mais nous, nous qui vivons si tranquilles, qui mettrons quinze ans à amasser une aisance, nous qui ne nous occupons pas de politique, dont tout le souci est d'élever notre fille et de mener à bien notre barque! allons donc, tu veux rire, nous sommes d'honnêtes gens!

Elle vint s'asseoir au bord du lit. Quenu était ébranlé.

— Ecoute-moi bien, reprit-elle d'une voix plus profonde. Tu ne veux pas, je pense, qu'on vienne piller ta boutique, vider ta cave, voler ton argent? Si ces hommes de chez monsieur Lebigre triomphaient, crois-tu que, le lendemain, tu serais chaudement couché comme tu es là? Et quand tu descendrais à la cuisine, crois-tu que tu te mettrais paisiblement à tes galantines, comme tu le feras tout à l'heure? Non, n'est-ce

pas?... Alors, pourquoi parles-tu de renverser le
gouvernement, qui te protège et te permet de
faire des économies? Tu as une femme, tu as une
fille, tu te dois à elles avant tout. Tu serais coupable, si tu risquais leur bonheur. Il n'y a que
les gens sans feu ni lieu, n'ayant rien à perdre,
qui veulent des coups de fusil. Tu n'entends
pas être le dindon de la farce, peut-être? Reste
donc chez toi, grande bête, dors bien, mange
bien, gagne de l'argent, aie la conscience tranquille, dis-toi que la France se débarbouillera
toute seule, si l'empire la tracasse. Elle n'a pas
besoin de toi, la France!

Elle riait de son beau rire, Quenu était tout
à fait convaincu. Elle avait raison, après tout; et
c'était une belle femme, sur le bord du lit,
peignée de si bonne heure, si propre et si fraîche,
avec son linge éblouissant. En écoutant Lisa, il
regardait leurs portraits, aux deux côtés de la
cheminée; certainement, ils étaient des gens
honnêtes, ils avaient l'air très comme il faut,
habillés de noir, dans les cadres dorés. La
chambre, elle aussi, lui parut une chambre de
personnes distinguées; les carrés de guipure mettaient une sorte de probité sur les chaises; le
tapis, les rideaux, les vases de porcelaine à paysages, disaient leur travail et leur goût du confortable. Alors, il s'enfonça davantage sous l'édredon, où il cuisait doucement, dans une chaleur
de baignoire. Il lui sembla qu'il avait failli

perdre tout cela chez monsieur Lebigre, son lit
énorme, sa chambre si bien close, sa charcuterie,
à laquelle il songeait maintenant avec des
remords attendris. Et, de Lisa, des meubles, de
ces choses douces qui l'entouraient, montait un
bien-être qui l'étouffait un peu, d'une façon
délicieuse.

— Bêta, lui dit sa femme en le voyant vaincu,
tu avais pris un beau chemin. Mais, vois-tu, il
aurait fallu nous passer sur le corps, à Pauline et
à moi... Et ne te mêle plus de juger le gouvernement, n'est-ce pas? Tous les gouvernements
sont les mêmes, d'abord. On soutient celui-là, on
en soutiendrait un autre, c'est nécessaire. Le
tout, quand on est vieux, est de manger ses
rentes en paix, avec la certitude de les avoir bien
gagnées.

Quenu approuvait de la tête. Il voulut commencer une justification.

— C'est Gavard..., murmura-t-il.

Mais elle devint sérieuse, elle l'interrompit
avec brusquerie.

— Non, ce n'est pas Gavard... Je sais qui
c'est. Celui-là ferait bien de songer à sa propre
sûreté, avant de compromettre les autres.

— C'est de Florent que tu veux parler? demanda timidement Quenu, après un silence.

Elle ne répondit pas tout de suite. Elle se
leva, retourna au secrétaire, comme faisant effort
pour se contenir. Puis, d'une voix nette :

— Oui, de Florent... Tu sais combien je suis patiente. Pour rien au monde, je ne voudrais me mettre entre ton frère et toi. Les liens de famille, c'est sacré. Mais la mesure est comble, à la fin. Depuis que ton frère est ici, tout va de mal en pis... D'ailleurs, non, je ne veux rien dire, ça vaudra mieux.

Il y eut un nouveau silence. Et comme son mari regardait le plafond de l'alcôve, l'air embarrassé, elle reprit avec plus de violence :

— Enfin, on ne peut pas dire, il ne semble pas même comprendre ce que nous faisons pour lui. Nous nous sommes gênés, nous lui avons donné la chambre d'Augustine, et la pauvre fille couche sans se plaindre dans un cabinet où elle manque d'air. Nous le nourrissons matin et soir, nous sommes aux petits soins... Rien. Il accepte cela naturellement. Il gagne de l'argent, et on ne sait seulement pas où ça passe, ou plutôt on ne le sait que trop.

— Il y a l'héritage, hasarda Quenu, qui souffrait d'entendre accuser son frère.

Lisa resta toute droite, comme étourdie. Sa colère tomba.

— Tu as raison, il y a l'héritage... Voilà le compte, dans ce tiroir. Il n'en a pas voulu, tu étais là, tu te souviens? Cela prouve que c'est un garçon sans cervelle et sans conduite. S'il avait la moindre idée, il aurait déjà fait quelque chose avec cet argent... Moi, je voudrais bien ne plus l'avoir, ça nous débarrasserait... Je lui en ai déjà parlé deux fois; mais il refuse de m'écouter. Tu devrais le décider à le prendre, toi... Tâche d'en causer avec lui, n'est-ce pas?

Quenu répondit par un grognement. Lisa évita d'insister, ayant mis, croyait-elle, toute l'honnêteté de son côté.

— Non, ce n'est pas un garçon comme un autre, recommença-t-elle. Il n'est pas rassurant, que veux-tu! Je te dis ça, parce que nous en causons... Je ne m'occupe pas de sa conduite, qui fait déjà beaucoup jaser sur nous dans le quartier. Qu'il mange, qu'il couche, qu'il nous gêne, on peut le tolérer. Seulement, ce que je ne lui permettrai pas, c'est de nous fourrer dans sa politique. S'il te monte encore la tête, s'il nous compromet le moins du monde, je t'avertis que je me débarrasserai de lui carrément... Je t'avertis, tu comprends.

Florent était condamné. Elle faisait un véritable effort pour ne pas se soulager, laisser couler le flot de rancune amassée qu'elle avait sur le cœur. Il heurtait tous ses instincts, la blessait, l'épouvantait, la rendait véritablement malheureuse. Elle murmura encore :

— Un homme qui a eu les plus vilaines aventures, qui n'a pas su se créer seulement un chez-lui... Je comprends qu'il veuille des coups de fusil. Qu'il aille en recevoir, s'il les aime; mais qu'il laisse les braves gens à leur famille... Puis il ne me plaît pas, voilà! Il sent le poisson, le soir, à table. Ça m'empêche de manger. Lui, n'en perd pas une bouchée; et pour ce que ça lui profite! Il ne peut pas seulement engraisser, le malheureux, tant il est rongé de méchanceté.

Elle s'était approchée de la fenêtre. Elle vit Florent qui traversait la rue Rambuteau, pour se rendre à la poissonnerie. L'arrivage de la marée débordait, ce matin-là; les mannes avaient de grandes moires d'argent, les criées grondaient. Lisa suivit les épaules pointues de son beau-frère entrant dans les odeurs fortes des Halles, l'échine pliée, avec cette nausée de l'estomac qui lui montait aux tempes; et le regard dont elle l'accompagnait était celui d'une combattante, d'une femme résolue au triomphe.

Quand elle se retourna, Quenu se levait. En chemise, les pieds dans la douceur du tapis de mousse, encore tout chaud de la bonne chaleur de l'édredon, il était blême, affligé de la mésintelligence de son frère et de sa femme. Mais Lisa eut un de ses beaux sourires. Elle le toucha beaucoup en lui donnant ses chaussettes.

IV

Marjolin fut trouvé au marché des Innocents,
dans un tas de choux, sous un chou blanc,
énorme, et dont une des grandes feuilles rabattues cachait son visage rose d'enfant endormi.
On ignora toujours quelle main misérable l'avait
posé là. C'était déjà un petit bonhomme de deux
à trois ans, très gras, très heureux de vivre, mais
si peu précoce, si empâté, qu'il bredouillait à
peine quelques mots, ne sachant que sourire.
Quand une marchande de légumes le découvrit
sous le grand chou blanc, elle poussa un tel cri
de surprise, que les voisines accoururent émer-
veillées; et lui, il tendait les mains, encore en
robe, roulé dans un morceau de couverture. Il
ne put dire qui était sa mère. Il avait des yeux
étonnés, en se serrant contre l'épaule d'une grosse
tripière que l'avait pris entre les bras. Jusqu'au
soir, il occupa le marché. Il s'était rassuré, il
mangeait des tartines, il riait à toutes les femmes.
La grosse tripière le garda; puis, il passa à une

voisine; un mois plus tard, il couchait chez une troisième. Lorsqu'on lui demandait : « Où est ta mère? » il avait un geste adorable : sa main faisait le tour, montrant les marchandes toutes à la fois. Il fut l'enfant des Halles, suivant les jupes de l'une ou de l'autre, trouvant toujours un coin dans un lit, mangeant la soupe un peu partout, habillé à la grâce de Dieu, et ayant quand même des sous au fond de ses poches percées. Une belle fille rousse, qui vendait des plantes officinales, l'avait appelé Marjolin, sans qu'on sût pourquoi.

Marjolin allait avoir quatre ans, lorsque la mère Chantemesse fit à son tour la trouvaille d'une petite fille, sur le trottoir de la rue Saint-Denis, au coin du marché. La petite pouvait avoir deux ans, mais elle bavardait déjà comme une pie, écorchant les mots dans son babil d'enfant; si bien que la mère Chantemesse crut comprendre qu'elle s'appelait Cadine, et que sa mère, la veille au soir, l'avait assise sous une porte, en lui disant de l'attendre. L'enfant avait dormi là; elle ne pleurait pas, elle racontait qu'on la battait. Puis, elle suivit la mère Chantemesse, bien contente, enchantée de cette grande place, où il y avait tant de monde et tant de légumes. La mère Chantemesse, qui vendait au petit tas, était une digne femme, très bourrue, touchant déjà à la soixantaine; elle adorait les enfants, ayant perdu trois garçons au berceau.

Elle pensa que « cette roulure-là semblait une trop mauvaise gale pour crever », et elle adopta Cadine.

Mais, un soir, comme la mère Chantemesse s'en allait, tenant Cadine de la main droite, Marjolin lui prit sans façon la main gauche.

— Eh! mon garçon, dit la vieille en s'arrêtant, la place est donnée... Tu n'es donc plus avec la grande Thérèse! Tu es un fameux coureur, sais-tu?

Il la regardait, avec son rire, sans la lâcher. Elle ne put rester grondeuse, tant il était joli et bouclé. Elle murmura :

— Allons, venez, marmaille... Je vous coucherai ensemble.

Et elle arriva rue au Lard, où elle demeurait, avec un enfant de chaque main. Marjolin s'oublia chez la mère Chantemesse. Quand ils faisaient par trop de tapage, elle leur allongeait quelques taloches, heureuse de pouvoir crier, de se fâcher, de les débarbouiller, de les fourrer sous la même couverture. Elle leur avait installé un petit lit, dans une vieille voiture de marchand des quatre-saisons, dont les roues et les brancards manquaient. C'était comme un large berceau, un peu dur, encore tout odorant des légumes qu'elle y avait longtemps tenus frais sous des linges mouillés. Cadine et Marjolin dormirent là, à quatre ans, aux bras l'un de l'autre.

Alors, ils grandirent ensemble, on les vit tou-

jours les mains à la taille. La nuit, la mère Chantemesse les entendait qui bavardaient doucement. La voix flûtée de Cadine, pendant des
heures, racontait des choses sans fin, que Marjolin écoutait avec des étonnements plus sourds.
Elle était très méchante, elle inventait des histoires pour lui faire peur, lui disait que, l'autre
nuit, elle avait vu un homme tout blanc, au
pied de leur lit, qui les regardait, en tirant une
grande langue rouge. Marjolin suait d'angoisse,
lui demandait des détails; et elle se moquait de
lui, elle finissait par l'appeler « grosse bête ».
D'autres fois, ils n'étaient pas sages, ils se donnaient des coups de pieds, sous les couvertures;
Cadine repliait les jambes, étouffait ses rires,
quand Marjolin, de toutes ses forces, la manquait
et allait taper dans le mur. Il fallait, ces fois-là,
que la mère Chantemesse se levât pour aller
border les couvertures; elle les endormait tous
les deux d'une calotte, sur l'oreiller. Le lit fut
longtemps ainsi pour eux un lieu de récréation;
ils y emportaient leurs joujoux, ils y mangeaient
des carottes et des navets volés; chaque matin,
leur mère adoptive était toute surprise d'y trouver des objets étranges, des cailloux, des feuilles,
des trognons de pommes, des poupées faites avec
des bouts de chiffon. Et, les jours de grands
froids, elle les laissait là, endormis, la tignasse
noire de Cadine mêlée aux boucles blondes de
Marjolin, les bouches si près l'une de l'autre

qu'ils semblaient se réchauffer de leur haleine.

Cette chambre de la rue au Lard était un grand galetas, délabré, qu'une seule fenêtre, aux vitres dépolies par les pluies, éclairait. Les enfants y jouaient à cache-cache, dans la haute armoire de noyer et sous le lit colossal de la mère Chantemesse. Il y avait encore deux ou trois tables, sous lesquelles ils marchaient à quatre pattes. C'était charmant, parce qu'il n'y faisait pas clair, et que des légumes traînaient dans les coins noirs. La rue au Lard, elle aussi, était bien amusante, étroite, peu fréquentée, avec sa large arcade qui s'ouvre sur la rue de la Lingerie. La porte de la maison se trouvait à côté même de l'arcade, une porte basse, dont le battant ne s'ouvrait qu'à demi sur les marches grasses d'un escalier tournant. Cette maison, à auvent, qui se renflait, toute sombre d'humidité, avec la caisse verdie des plombs, à chaque étage, devenait, elle aussi, un grand joujou. Cadine et Marjolin passaient leurs matinées à jeter d'en bas des pierres, de façon à les lancer dans les plombs; les pierres descendaient alors le long des tuyaux de descente, en faisant un tapage très réjouissant. Mais ils cassèrent deux vitres, et ils emplirent les tuyaux de cailloux, à tel point que la mère Chantemesse, qui habitait la maison depuis quarante-trois ans, faillit recevoir congé.

Cadine et Marjolin s'attaquèrent alors aux

tapissières, aux haquets, aux camions, qui sta-
tionnaient dans la rue déserte. Ils montaient sur
les roues, se balançaient aux bouts de chaîne,
escaladaient les caisses, les paniers entassés. Les
arrière-magasins des commissionnaires de la rue
de la Poterie ouvraient là de vastes salles sombres,
qui s'emplissaient et se vidaient en un jour, mé-
nageant à chaque heure de nouveaux trous char-
mants, des cachettes, où les gamins s'oubliaient
dans l'odeur des fruits secs, des oranges, des
pommes fraîches. Puis, ils se lassaient, ils allaient
retrouver la mère Chantemesse, sur le carreau
des Innocents. Ils y arrivaient, bras dessus, bras
dessous, traversant les rues avec des rires, au
milieu des voitures, sans avoir peur d'être écrasés.
Ils connaissaient le pavé, enfonçant leurs petites
jambes jusqu'aux genoux dans les fanes de
légumes; ils ne glissaient pas, ils se moquaient,
quand quelque roulier, aux souliers lourds,
s'étalait les quatre fers en l'air, pour avoir
marché sur une queue d'artichaut. Ils étaient les
diables roses et familiers de ces rues grasses. On
ne voyait qu'eux. Par les temps de pluie, ils se
promenaient gravement, sous un immense para-
sol tout en loques, dont la marchande au petit
tas avait abrité son éventaire pendant vingt
ans; ils le plantaient gravement dans un coin du
marché, ils appelaient ça « leur maison ». Les
jours de soleil, ils galopinaient, à ne plus pouvoir
remuer le soir; ils prenaient des bains de pieds

dans la fontaine, faisaient des écluses en barrant
les ruisseaux, se cachaient sous des tas de
légumes, restaient là, au frais, à bavarder, comme
la nuit, dans leur lit. On entendait souvent
sortir, en passant à côté d'une montagne de laitues ou de romaines, un caquetage étouffé. Lorsqu'on écartait les salades, on les apercevait,
allongés côte à côte, sur leur couche de feuilles,
l'œil vif, inquiets comme des oiseaux découverts
au fond d'un buisson. Maintenant, Cadine ne
pouvait se passer de Marjolin, et Marjolin pleurait quand il perdait Cadine. S'ils venaient à
être séparés, ils cherchaient derrière toutes les
jupes des Halles, dans les caisses, sous les choux.
Ce fut surtout sous les choux qu'ils grandirent
et qu'ils s'aimèrent.

Marjolin allait avoir huit ans, et Cadine six,
quand la mère Chantemesse leur fit honte de
leur paresse. Elle leur dit qu'elle les associait à
sa vente au petit tas; elle leur promit un sou
par jour, s'ils voulaient l'aider à éplucher ses
légumes. Les premiers jours, les enfants eurent
un beau zèle. Ils s'établissaient aux deux côtés
de l'éventaire, avec des couteaux étroits, très
attentifs à la besogne. La mère Chantemesse
avait la spécialité des légumes épluchés; elle
tenait, sur sa table tendue d'un bout de lainage
noir mouillé, des alignements de pommes de
terre, de navets, de carottes, d'oignons blancs,
rangés quatre par quatre, en pyramide, trois

pour la base, un pour la pointe, tout prêts à être
mis dans les casseroles des ménagères attardées.
Elle avait aussi des paquets ficelés pour le pot-
au-feu, quatre poireaux, trois carottes, un panais,
deux navets, deux brins de céleri; sans parler de
la julienne fraîche coupée très fine sur des
feuilles de papier, des choux taillés en quatre,
des tas de tomates et des tranches de potiron qui
mettaient des étoiles rouges et des croissants d'or
dans la blancheur des autres légumes lavés à
grande eau. Cadine se montra beaucoup plus
habile que Marjolin, bien qu'elle fût plus jeune;
elle enlevait aux pommes de terre une pelure
si mince, qu'on voyait le jour à travers; elle fice-
lait les paquets pour le pot-au-feu d'une si gentille façon, qu'ils ressemblaient à des bouquets;
enfin, elle savait faire des petits tas qui paraissaient très gros, rien qu'avec trois carottes
ou trois navets. Les passants s'arrêtaient en
riant quand elle criait de sa voix pointue de
gamine :

— Madame, madame, venez me voir... A deux
sous, mon petit tas!

Elle avait des pratiques, ses petits tas étaient
très connus. La mère Chantemesse, assise entre
les deux enfants, riait d'un rire intérieur, qui
lui faisait monter la gorge au menton, à les voir
si sérieux à la besogne. Elle leur donnait religieusement leur sou par jour. Mais les petits tas
finirent par les ennuyer. Ils prenaient de l'âge,

ils rêvaient des commerces plus lucratifs. Marjolin restait enfant très tard, ce qui impatientait Cadine. Il n'avait pas plus d'idée qu'un chou, disait-elle. Et, à la vérité, elle avait beau inventer pour lui des moyens de gagner de l'argent, il n'en gagnait point, il ne savait pas même faire une commission. Elle, était très rouée. A huit ans, elle se fit enrôler par une de ces marchandes qui s'assoient sur un banc, autour des Halles, avec un panier de citrons, que toute une bande de gamines vendent sous leurs ordres; elle offrait les citrons dans sa main, deux pour trois sous, courant après les passants, poussant sa marchandise sous le nez des femmes, retournant s'approvisionner, quand elle avait la main vide; elle touchait deux sous par douzaine de citrons, ce qui mettait ses journées jusqu'à cinq et six sous, dans les bons temps. L'année suivante, elle plaça des bonnets à neuf sous; le gain était plus fort; seulement, il fallait avoir l'œil vif, car ces commerces en plein vent sont défendus; elle flairait les sergents de ville à cent pas, les bonnets disparaissaient sous ses jupes, tandis qu'elle croquait une pomme, d'un air innocent. Puis, elle tint des gâteaux, des galettes, des tartes aux cerises, des croquets, des biscuits de maïs, épais et jaunes, sur des claies d'osier; mais Marjolin lui mangea son fonds. Enfin, à onze ans, elle réalisa une grande idée qui la tourmentait depuis longtemps. Elle économisa quatre francs en deux mois, fit l'emplette d'une petite hotte, et se mit marchande de mouron.

C'était toute une grosse affaire. Elle se levait de bon matin, achetait aux vendeurs en gros sa provision de mouron, de millet en branche, d'échaudés; puis elle partait, passait l'eau, courait le Quartier latin, de la rue Saint-Jacques à la rue Dauphine, et jusqu'au Luxembourg. Marjolin l'accompagnait. Elle ne voulait pas même qu'il portât la hotte; elle disait qu'il n'était bon qu'à crier; et il criait sur un ton gras et traînant :

— Mouron pour les p'tits oiseaux!

Et elle reprenait, avec des notes de flûte, sur une étrange phrase musicale qui finissait par un son pur et filé, très haut :

— Mouron pour les p'tits oiseaux!

Ils allaient chacun sur un trottoir, regardant en l'air. A cette époque, Marjolin avait un grand gilet rouge qui lui descendait jusqu'aux genoux, le gilet du défunt père Chantemesse, ancien cocher de fiacre; Cadine portait une robe à carreaux bleus et blancs, taillée dans un tartan usé de la mère Chantemesse. Les serins de toutes les mansardes du Quartier latin les connaissaient. Quand ils passaient, répétant leur phrase, se jetant l'écho de leur cri, les cages chantaient.

Cadine vendit aussi du cresson. « A deux sous la botte! à deux sous la botte! » Et c'était Marjolin qui entrait dans les boutiques pour offrir « le beau cresson de fontaine, la santé du corps! » Mais les Halles centrales venaient d'être construites; la petite restait en extase devant l'allée aux fleurs qui traverse le pavillon des fruits. Là, tout le long, les bancs de vente, comme des plates-bandes aux deux bords d'un sentier, fleurissent, épanouissent de gros bouquets; c'est une moisson odorante, deux haies épaisses de roses, entre lesquelles les filles du quartier aiment à passer, souriantes, un peu étouffées par la senteur trop forte; et, en haut des étalages, il y a des fleurs artificielles, des feuillages de papier où des gouttes de gomme font des gouttes de rosée, des couronnes de cimetière en perles noires et blanches qui se moirent de reflets bleus. Cadine ouvrait son nez rose avec des sensualités de chatte; elle s'arrêtait dans cette fraîcheur douce, emportait tout ce qu'elle pouvait de parfum. Quand elle mettait son chignon sous le nez de Marjolin, il disait que ça sentait l'œillet. Elle jurait qu'elle ne se servait plus de pommade, qu'il suffisait de passer dans l'allée. Puis, elle intrigua tellement, qu'elle entra au service d'une des marchandes. Alors, Marjolin trouva qu'elle sentait bon des pieds à la tête. Elle vivait dans les roses, dans les lilas, dans les giroflées, dans les muguets. Lui, flairant sa jupe, longuement, en manière de jeu, semblait chercher, finissait par dire : « Ça sent le muguet. » Il montait à la taille, au corsage, reniflait plus fort : « Ça

sent la giroflée. » Et, aux manches, à la jointure
des poignets : « Ça sent le lilas. » Et à la nuque,
tout autour du cou, sur les joues, sur les lèvres :
« Ça sent la rose. » Cadine riait, l'appelait
« bêta », lui criait de finir, parce qu'il lui faisait
des chatouilles avec le bout de son nez. Elle avait
une haleine de jasmin. Elle était un bouquet
tiède et vivant.

Maintenant, la petite se levait à quatre heures,
pour aider sa patronne dans ses achats. C'était,
chaque matin des brassées de fleurs achetées aux
horticulteurs de la banlieue, des paquets de
mousse, des paquets de feuilles de fougère et
de pervenche, pour entourer les bouquets. Cadine restait émerveillée devant les brillants et
les valenciennes que portaient les filles des
grands jardiniers de Montreuil, venues au milieu
de leurs roses. Les jours de Sainte-Marie, de
Saint-Pierre, de Saint-Joseph, des saints patrony-
miques très fêtés, la vente commençait à deux
heures; il se vendait, sur le carreau, pour plus
de cent mille francs de fleurs coupées; des revendeuses gagnaient jusqu'à deux cents francs en
quelques heures. Ces jours-là, Cadine ne montrait plus que les mèches frisées de ses cheveux
au-dessus des bottes de pensées, de réséda, de
marguerites; elle était noyée, perdue sur les
fleurs; elle montait toute la journée des bouquets sur des brins de jonc. En quelques
semaines, elle avait acquis de l'habileté et une

grâce originale. Ses bouquets ne plaisaient pas
à tout le monde; ils faisaient sourire, et ils
inquiétaient, par un côté de naïveté cruelle. Les
rouges y dominaient, coupés de tons violents, de
bleus, de jaunes, de violets, d'un charme barbare. Les matins où elle pinçait Marjolin, où elle
le taquinait à le faire pleurer, elle avait des bouquets féroces, des bouquets de fille en colère,
aux parfums rudes, aux couleurs irritées. D'autres matins, quand elle était attendrie par quelque peine ou par quelque joie, elle trouvait des
bouquets d'un gris d'argent, très doux, voilés,
d'une odeur discrète. Puis, c'étaient des roses,
saignantes comme des cœurs ouverts, dans des
lacs d'œillets blancs; des glaïeuls fauves, montant en panaches de flammes parmi des verdures
effarées; des tapisseries de Smyrne, aux dessins
compliqués, faites fleur à fleur, ainsi que sur
un canevas; des éventails moirés, s'élargissant
avec des douceurs de dentelle; des puretés adorables, des tailles épaissies, des rêves à mettre
dans les mains des harengères ou des marquises,
des maladresses de vierge et des ardeurs sensuelles de fille, toute la fantaisie exquise d'une
gamine de douze ans, dans laquelle la femme
s'éveillait.

Cadine n'avait plus que deux respects : le respect du lilas blanc, dont la botte de huit à dix
branches coûte, l'hiver, de quinze à vingt francs,
et le respect des camélias, plus chers encore, qui

arrivent par douzaines, dans des boîtes, couchés sur un lit de mousse, recouverts d'une feuille d'ouate. Elle les prenait, comme elle aurait pris des bijoux, délicatement, sans respirer, de peur de les gâter d'un souffle; puis, c'était avec des précautions infinies qu'elle attachait sur des brins de jonc leurs queues courtes. Elle parlait d'eux sérieusement. Elle disait à Marjolin qu'un beau camélia blanc, sans piqûre de rouille, était une chose rare, tout à fait belle. Comme elle lui en faisait admirer un, il s'écria, un jour :

— Oui, c'est gentil, mais j'aime mieux le dessous de ton menton, là, à cette place; c'est joliment plus doux et plus transparent que ton camélia... Il y a des petites veines bleues et roses qui ressemblent à des veines de fleur.

Il la caressait du bout des doigts; puis il approcha le nez, murmurant :

— Tiens, tu sens l'oranger, aujourd'hui.

Cadine avait un très mauvais caractère. Elle ne s'accommodait pas du rôle de servante. Aussi finit-elle par s'établir pour son compte. Comme elle était alors âgée de treize ans, et qu'elle ne pouvait rêver le grand commerce, un banc de vente de l'allée aux fleurs, elle vendit des bouquets de violettes d'un sou, piqués dans un lit de mousse, sur un éventaire d'osier pendu à son cou. Elle rôdait toute la journée dans les Halles, autour des Halles, promenant son bout de pelouse. C'était là sa joie, cette flânerie conti-

nuelle, qui lui dégourdissait les jambes, qui la
tirait des longues heures passées à faire des
bouquets, les genoux pliés, sur une chaise basse.
Maintenant, elle tournait ses violettes en marchant, elle les tournait comme des fuseaux, avec
une merveilleuse légèreté de doigts; elle comptait six à huit fleurs, selon la saison, pliait en
deux un brin de jonc, ajoutait une feuille, roulait un fil mouillé; et, entre ses dents de jeune
loup, elle cassait le fil. Les petits bouquets semblaient pousser tout seuls dans la mousse de
l'éventaire, tant elle les y plantait vite. Le long
des trottoirs, au milieu des coudoiements de la
rue, ses doigts rapides fleurissaient, sans qu'elle
les regardât, la mine effrontément levée, occupée
des boutiques et des passants. Puis, elle se reposait un instant dans le creux d'une porte; elle
mettait au bord des ruisseaux, gras des eaux de
vaisselle, un coin de printemps, une lisière de
bois aux herbes bleuies. Ses bouquets gardaient
ses méchantes humeurs et ses attendrissements;
il y en avait de hérissés, de terribles, qui ne déco-
léraient pas dans leur cornet chiffonné; il y en
avait d'autres, paisibles, amoureux, souriant au
fond de leur collerette propre. Quand elle passait, elle laissait une douce odeur. Marjolin la
suivait béatement. Des pieds à la tête, elle ne
sentait plus qu'un parfum. Lorsqu'il la prenait,
qu'il allait de ses jupes à son corsage, de ses
mains à sa face, il disait qu'elle n'était que

violette, qu'une grande violette. Il enfonçait sa
tête, il répétait :

— Tu te rappelles, le jour où nous sommes
allés à Romainville? C'est tout à fait ça, là surtout, dans ta manche... Ne change plus. Tu sens
trop bon.

Elle ne changea plus. Ce fut son dernier métier. Mais les deux enfants grandissaient, souvent
elle oubliait son éventaire pour courir le quartier. La construction des Halles centrales fut
pour eux un continuel sujet d'escapades. Ils
pénétraient au beau milieu des chantiers, par
quelque fente des clôtures de planches; ils descendaient dans les fondations, grimpaient aux
premières colonnes de fonte. Ce fut alors qu'ils
mirent un peu d'eux, de leurs jeux, de leurs
batteries, dans chaque trou, dans chaque charpente. Les pavillons s'élevèrent sous leurs petites
mains. De là vinrent les tendresses qu'ils eurent
pour les grandes Halles, et les tendresses que
les grandes Halles leur rendirent. Ils étaient
familiers avec ce vaisseau gigantesque, en vieux
amis qui en avaient vu poser les moindres boulons. Ils n'avaient pas peur du monstre, tapaient
de leur poing maigre sur son énormité, le trai-
taient en bon enfant, en camarade avec lequel
on ne se gêne pas. Et les Halles semblaient sourire de ces deux gamins qui étaient la chanson
libre, l'idylle effrontée de leur ventre géant.

Cadine et Marjolin ne couchaient plus ensem-

ble, chez la mère Chantemesse, dans la voiture
de marchand des quatre-saisons. La vieille, qui
les entendait toujours bavarder la nuit, fit un
lit à part pour le petit, par terre, devant l'armoire; mais, le lendemain matin, elle le retrouva
au cou de la petite sous la même couverture.
Alors elle le coucha chez une voisine. Cela rendit
les enfants très malheureux. Dans le jour, quand
la mère Chantemesse n'était pas là, ils se prenaient tout habillés entre les bras l'un de l'autre,
ils s'allongeaient sur le carreau, comme sur un
lit; et cela les amusait beaucoup. Plus tard, ils
polissonnèrent, ils cherchèrent les coins noirs
de la chambre, ils se cachèrent plus souvent au
fond des magasins de la rue au Lard, derrière
les tas de pommes et les caisses d'oranges. Ils
étaient libres et sans honte, comme les moineaux
qui s'accouplent au bord d'un toit.

Ce fut dans la cave du pavillon aux volailles
qu'ils trouvèrent moyen de coucher encore
ensemble. C'était une habitude douce, une sensation de bonne chaleur, une façon de s'endormir l'un contre l'autre, qu'ils ne pouvaient
perdre. Il y avait là, près des tables d'étalage,
de grands paniers de plume dans lesquels ils
tenaient à l'aise. Dès la nuit tombée, ils descendaient, ils restaient toute la soirée, à se tenir
chaud, heureux des mollesses de cette couche,
avec du duvet par-dessus les yeux. Ils traînaient
d'ordinaire leur panier loin du gaz; ils étaient

seuls, dans les odeurs fortes des volailles, tenus
éveillés par de brusques chants de coq qui sortaient de l'ombre. Et ils riaient, ils s'embrassaient, pleins d'une amitié vive qu'ils ne savaient
comment se témoigner. Marjolin était très bête.
Cadine le battait, prise de colère contre lui,
sans savoir pourquoi. Elle le dégourdissait par
sa crânerie de fille des rues. Lentement, dans
les paniers de plumes, ils en surent long. C'était
un jeu. Les poules et les coqs qui couchaient à
côté d'eux, n'avaient pas une plus belle innocence.

Plus tard, ils emplirent les grandes Halles de
leurs amours de moineaux insouciants. Ils
vivaient en jeunes bêtes heureuses, abandonnées
à l'instinct, satisfaisant leurs appétits au milieu
de ces entassements de nourriture, dans lesquels
ils avaient poussé comme des plantes tout en
chair. Cadine, à seize ans, était une fille
échappée, une bohémienne noire du pavé, très
gourmande, très sensuelle. Marjolin, à dix-huit
ans, avait l'adolescence déjà ventrue d'un gros
homme, l'intelligence nulle, vivant par les sens.
Elle découchait souvent pour passer la nuit avec
lui dans la cave aux volailles; elle riait hardiment au nez de la mère Chantemesse, le lendemain, se sauvant sous le balai dont la vieille
tapait à tort et à travers dans la chambre, sans
jamais atteindre la vaurienne, qui se moquait
avec une effronterie rare, disant qu'elle avait

veillé « pour voir s'il poussait des cornes à la lune ». Lui, vagabondait; les nuits où Cadine le laissait seul, il restait avec le planton des forts de garde dans les pavillons; il dormait sur des sacs, sur des caisses, au fond du premier coin venu. Ils en vinrent tous deux à ne plus quitter les Halles. Ce fut leur volière, leur étable, la mangeoire colossale où ils dormaient, s'aimaient, vivaient, sur un lit immense de viandes, de beurres et de légumes.

Mais ils eurent toujours une amitié particulière pour les grands paniers de plumes. Ils revenaient là, les nuits de tendresse. Les plumes n'étaient pas triées. Il y avait de longues plumes noires de dinde et des plumes d'oie, blanches et lisses, qui les chatouillaient aux oreilles, quand ils se retournaient; puis, c'était du duvet de canard, où ils s'enfonçaient comme dans de l'ouate, des plumes légères de poules, dorées, bigarrées, dont ils faisaient monter un vol à chaque souffle, pareil à un vol de mouches ronflant au soleil. En hiver, ils couchaient aussi dans la pourpre des faisans, dans la cendre grise des alouettes, dans la soie mouchetée des perdrix, des cailles et des grives. Les plumes étaient vivantes encore, tièdes d'odeur. Elles mettaient des frissons d'ailes, des chaleurs de nid, entre leurs lèvres. Elles leur semblaient un large dos d'oiseau, sur lequel ils s'allongeaient, et qui les emportait, pâmés aux bras l'un de l'autre. Le matin, Marjolin cherchait Cadine, perdue au fond du panier, comme s'il avait neigé sur elle. Elle se levait ébouriffée, se secouait, sortait d'un nuage, avec son chignon où restait toujours planté quelque panache de coq.

Ils trouvèrent un autre lieu de délices, dans le pavillon de la vente en gros des beurres, des œufs et des fromages. Il s'entasse là, chaque matin, des murs énormes de paniers vides. Tous deux se glissaient, trouaient ce mur, se creusaient une cachette. Puis, quand ils avaient pratiqué une chambre dans le tas, ils ramenaient un panier, ils s'enfermaient. Alors, ils étaient chez eux, ils avaient une maison. Ils s'embrassaient impunément. Ce qui les faisait se moquer du monde, c'était que de minces cloisons d'osier les séparaient seules de la foule des Halles, dont ils entendaient autour d'eux la voix haute. Souvent, ils pouffaient de rire, lorsque des gens s'arrêtaient à deux pas, sans les soupçonner là; ils ouvraient des meurtrières, hasardaient un œil; Cadine, à l'époque des cerises, lançait des noyaux dans le nez de toutes les vieilles femmes qui passaient, ce qui les amusait d'autant plus que les vieilles, effarées, ne devinaient jamais d'où partait cette grêle de noyaux. Ils rôdaient aussi au fond des caves, en connaissaient les trous d'ombre, savaient traverser les grilles les mieux fermées. Une de leurs grandes parties était de pénétrer sur la voie du chemin de fer souterrain,

établi dans le sous-sol, et que des lignes projetées
devaient relier aux différentes gares; des tronçons de cette voie passent sous les rues couvertes,
séparant les caves de chaque pavillon; même, à
tous les carrefours, des plaques tournantes sont
posées, prêtes à fonctionner. Cadine et Marjolin avaient fini par découvrir, dans la barrière
de madriers qui défend la voie, une pièce de
bois moins solide qu'ils avaient rendue mobile;
si bien qu'ils entraient là, tout à l'aise. Ils y
étaient séparés du monde, avec le continu piéti-
nement de Paris, en haut, sur le carreau. La
voie étendait ses avenues, ses galeries désertes,
tachées de jour, sous les regards à grilles de
fonte; dans les bouts noirs, des gaz brûlaient. Ils
se promenaient comme au fond d'un château
à eux, certains que personne ne les dérangerait,
heureux de ce silence bourdonnant, de ces
lueurs louches, de cette discrétion de souterrain,
où leurs amours d'enfants gouailleurs avaient
des frissons de mélodrame. Des caves voisines,
à travers les madriers, toutes sortes d'odeurs
leur arrivaient : la fadeur des légumes, l'âpreté
de la marée, la rudesse pestilentielle des fromages, la chaleur vivante des volailles. C'étaient
de continuels souffles nourrissants qu'ils aspi-
raient entre leurs baisers, dans l'alcôve d'ombre
où ils s'oubliaient, couchés en travers sur les
rails. Puis, d'autres fois, par les belles nuits, par
les aubes claires, ils grimpaient sur les toits, ils

montaient l'escalier roide des tourelles, placées
aux angles des pavillons. En haut, s'élargissaient
des champs de zinc, des promenades, des places,
toute une campagne accidentée dont ils étaient
les maîtres. Ils faisaient le tour des toitures carrées des pavillons, suivaient les toitures allongées
des rues couvertes, gravissaient et descendaient
les pentes, se perdaient dans des voyages sans
fin. Lorsqu'ils se trouvaient las des terres basses,
ils allaient encore plus haut, ils se risquaient le
long des échelles de fer, où les jupes de Cadine
flottaient comme des drapeaux. Alors, ils couraient le second étage de toits, en plein ciel.
Au-dessus d'eux, il n'y avait que les étoiles. Des
rumeurs s'élevaient du fond des Halles sonores,
des bruits roulants, une tempête au loin, entendue la nuit. A cette hauteur, le vent matinal
balayait les odeurs gâtées, les mauvaises haleines
du réveil des marchés. Dans le jour levant, au
bord des gouttières, ils se becquetaient, ainsi
que font les oiseaux, polissonnant sous les tuiles.
Ils étaient tout roses, aux premières rougeurs du
soleil. Cadine riait d'être en l'air, la gorge
moirée, pareille à celle d'une colombe; Marjolin
se penchait pour voir les rues encore pleines de
ténèbres, les mains serrées au zinc, comme des
pattes de ramier. Quand ils redescendaient, avec
la joie du grand air, souriant en amoureux qui
sortent chiffonnés d'une pièce de blé, ils disaient
qu'ils revenaient de la campagne.

Ce fut à la triperie qu'ils firent la connaissance de Claude Lantier. Ils y allaient chaque jour, avec le goût du sang, avec la cruauté de galopins s'amusant à voir des têtes coupées. Autour du pavillon, les ruisseaux coulent rouge; ils y trempaient le bout du pied, y poussaient des tas de feuilles qui les barraient, étalant des mares sanglantes. L'arrivage des abats dans des carrioles qui puent et qu'on lave à grande eau les intéressait. Ils regardaient déballer les paquets de pieds de moutons qu'on empile à terre comme des pavés sales, les grandes langues roidies montrant les déchirements saignants de la gorge, les cœurs de bœuf solides et décrochés comme des cloches muettes. Mais ce qui leur donnait surtout un frisson à fleur de peau, c'étaient les grands paniers qui suent le sang, pleins de têtes de moutons, les cornes grasses, le museau noir, laissant pendre encore aux chairs vives des lambeaux de peau laineuse; ils rêvaient à quelque guillotine jetant dans ces paniers les têtes de troupeaux interminables. Ils les suivaient jusqu'au fond de la cave, le long des rails posés sur les marches de l'escalier, écoutant le cri des roulettes de ces wagons d'osier, qui avaient un sifflement de scie. En bas, c'était une horreur exquise. Ils entraient dans une odeur de charnier, ils marchaient au milieu de flaques sombres, où semblaient s'allumer par instants des yeux de pourpre; leurs semelles se collaient, ils

clapotaient, inquiets, ravis de cette boue hor-
rible. Les becs de gaz avaient une flamme courte,
une paupière sanguinolente qui battait. Autour
des fontaines, sous le jour pâle des soupiraux, ils
s'approchaient des étals. Là, ils jouissaient, à
voir les tripiers, le tablier roidi par les éclaboussures, casser une à une les têtes de moutons, d'un
coup de maillet. Et ils restaient pendant des
heures à attendre que les paniers fussent vides,
retenus par le craquement des os, voulant voir
jusqu'à la fin arracher les langues et dégager les
cervelles des éclats des crânes. Parfois, un can-
tonnier passait derrière eux, lavant la cave à la
lance; des nappes ruisselaient avec un bruit
d'écluse, le jet rude de la lance écorchait les
dalles, sans pouvoir emporter la rouille ni la
puanteur du sang.

Vers le soir, entre quatre et cinq heures,
Cadine et Marjolin étaient sûrs de rencontrer
Claude à la vente en gros des mous de bœuf. Il
était là, au milieu des voitures des tripiers accu-
lées aux trottoirs, dans la foule des hommes en
bourgerons bleus et en tabliers blancs, bousculé,
les oreilles cassées par les offres faites à voix
haute; mais il ne sentait pas même les coups
de coude, il demeurait en extase, en face des
grands mous pendus aux crocs de la criée. Il
expliqua souvent à Cadine et à Marjolin que
rien n'était plus beau. Les mous étaient d'un
rose tendre, s'accentuant peu à peu, bordé, en

bas, de carmin vif; et il les disait en satin moiré,
ne trouvant pas de mot pour peindre cette douceur soyeuse, ces longues allées fraîches, ces
chairs légères qui retombaient à larges plis,
comme des jupes accrochées de danseuses. Il parlait de gaze, de dentelle laissant voir la hanche
d'une jolie femme. Quand un coup de soleil,
tombant sur les grands mous, leur mettait une
ceinture d'or, Claude, pâmé, était plus heureux
que s'il eût vu défiler les nudités des déesses
grecques et les robes de brocart des châtelaines
romantiques.

Le peintre devint le grand ami des deux
gamins. Il avait l'amour des belles brutes. Il rêva
longtemps un tableau colossal, Cadine et Marjolin s'aimant au milieu des Halles centrales,
dans les légumes, dans la marée, dans la viande.
Il les aurait assis sur leur lit de nourriture, les
bras à la taille, échangeant le baiser idyllique.
Et il voyait là un manifeste artistique, le positi-
visme de l'art, l'art moderne tout expérimental
et tout matérialiste; il y voyait encore une satire
de la peinture à idées, un soufflet donné aux
vieilles écoles. Mais pendant près de deux ans, il
recommença les esquisses, sans pouvoir trouver
la note juste. Il creva une quinzaine de toiles.
Il s'en garda une grande rancune, continuant
à vivre avec ses deux modèles, par une sorte
d'amour sans espoir pour son tableau manqué.
Souvent l'après-midi, quand il les rencontrait

rôdant, il battait le quartier des Halles, flânant, les mains au fond des poches, intéressé profondément par la vie des rues.

Tous trois s'en allaient, traînant les talons sur les trottoirs, tenant la largeur, forçant les gens à descendre. Ils humaient les odeurs de Paris, le nez en l'air. Ils auraient reconnu chaque coin, les yeux fermés, rien qu'aux haleines liquoreuses sortant des marchands de vin, aux souffles chauds des boulangeries et des pâtisseries, aux étalages fades des fruitières. C'étaient de grandes tournées. Ils se plaisaient à traverser la rotonde de la Halle au blé, l'énorme et lourde cage de pierre, au milieu des empilements de sacs blancs de farine, écoutant le bruit de leurs pas dans le silence de la voûte sonore. Ils aimaient les bouts de rue voisins, devenus déserts, noirs et tristes comme un coin de ville abandonné, la rue Babille, la rue Sauval, la rue des Deux-Ecus, la rue de Viarmes, blême du voisinage des meuniers, et où grouille à quatre heures la bourse aux grains. D'ordinaire, ils partaient de là. Lentement, ils suivaient la rue Vauvilliers, s'arrêtant aux carreaux des gargotes louches, se montrant du coin de l'œil, avec des rires, le gros numéro jaune d'une maison aux persiennes fermées. Dans l'étranglement de la rue des Prouvaires, Claude clignait les yeux, regardait, en face, au bout de la rue couverte, encadré sous ce vaisseau immense de gare moderne, un portail latéral de

Saint-Eustache, avec sa rosace et ses deux étages
de fenêtres à plein cintre; il disait, par manière
de défi, que tout le Moyen Age et toute la
Renaissance tiendraient sous les Halles centrales.
Puis, en longeant les larges rues neuves, la rue
du Pont-Neuf et la rue des Halles, il expliquait
aux deux gamins la vie nouvelle, les trottoirs
superbes, les hautes maisons, le luxe des magasins; il annonçait un art original qu'il sentait
venir, disait-il, et qu'il se rongeait les poings de
ne pouvoir révéler. Mais Cadine et Marjolin préféraient la paix provinciale de la rue des Bour-
donnais, où l'on peut jouer aux billes, sans
crainte d'être écrasé; la petite faisait la belle, en
passant devant les bonneteries et les ganteries en
gros, tandis que, sur chaque porte, des commis
en cheveux, la plume à l'oreille, la suivaient du
regard, d'un air ennuyé. Ils préféraient encore
les tronçons du vieux Paris restés debout. les
rues de la Poterie et de la Lingerie, avec leurs
maisons ventrues, leurs boutiques de beurre,
d'œufs et de fromages; les rues de la Ferronnerie
et de l'Aiguillerie, les belles rues d'autrefois, aux
étroits magasins obscurs; surtout la rue Courta-
lon, une ruelle noire, sordide, qui va de la place
Sainte-Opportune à la rue Saint-Denis, trouée
d'allées puantes, au fond desquelles ils avaient
polissonné, étant plus jeunes. Rue Saint-Denis,
ils entraient dans la gourmandise; ils souriaient
aux pommes tapées, au bois de réglisse, aux pru-

neaux, au sucre candi des épiciers et des dro-
guistes. Leurs flâneries aboutissaient chaque fois
à des idées de bonnes choses, à des envies de
manger les étalages des yeux. Le quartier était
pour eux une grande table toujours servie, un
dessert éternel, dans lequel ils auraient bien
voulu allonger les doigts. Ils visitaient à peine
un instant l'autre pâté de masures branlantes,
les rues Pirouette, de Mondétour, de la Petite-
Truanderie, de la Grande-Truanderie, intéressés
médiocrement par les dépôts d'escargots, les marchands d'herbes cuites, les bouges des tripiers
et des liquoristes; il y avait cependant, rue de
la Grande-Truanderie, une fabrique de savon,
très douce au milieu des puanteurs voisines, qui
arrêtait Marjolin, attendant que quelqu'un
entrât ou sortît, pour recevoir au visage l'haleine
de la porte. Et ils revenaient vite rue Pierre-
Lescot et rue Rambuteau. Cadine adorait les
salaisons, elle restait en admiration devant les
paquets de harengs saurs, les barils d'anchois et
de câpres, les tonneaux de cornichons et d'olives,
où des cuillers de bois trempaient; l'odeur du
vinaigre la grattait délicieusement à la gorge;
l'âpreté des morues roulées, des saumons fumés,
des lards et des jambons, la pointe aigrelette des
corbeilles de citrons, lui mettaient au bord des
lèvres un petit bout de langue, humide d'appétit; et elle aimait aussi à voir les tas de boîtes
de sardines, qui font, au milieu des sacs et des

caisses, des colonnes ouvragées de métal. Rue Montorgueil, rue Montmartre, il y avait encore de bien belles épiceries, des restaurants dont les soupiraux sentaient bon, des étalages de volailles et de gibier très réjouissants, des marchands de conserves, à la porte desquels des barriques défoncées débordaient d'une choucroute jaune, déchiquetée comme de la vieille guipure. Mais, rue Coquillière, ils s'oubliaient dans l'odeur des truffes. Là, se trouve un grand magasin de comestibles qui souffle jusque sur le trottoir un tel parfum, que Cadine et Marjolin fermaient les yeux, s'imaginant avaler des choses exquises. Claude était troublé; il disait que cela le creusait; il allait revoir la Halle au blé, par la rue Oblin, étudiant les marchandes de salades, sous les portes, et les faïences communes, étalées sur les trottoirs, laissant « les deux brutes » achever leur flânerie dans ce fumet de truffes, le fumet le plus aigu du quartier.

C'étaient là les grandes tournées. Cadine, lorsqu'elle promenait toute seule ses bouquets de violettes, poussait des pointes, rendait particulièrement visite à certains magasins qu'elle aimait. Elle avait surtout une vive tendresse pour la boulangerie Taboureau, où toute une vitrine était réservée à la pâtisserie; elle suivait la rue Turbigo, revenait dix fois, pour passer devant les gâteaux aux amandes, les saint-honoré, les savarins, les flans, les tartes aux fruits, les assiettes

de babas, d'éclairs, de choux à la crème; et elle
était encore attendrie par les bocaux pleins de
gâteaux secs, de macarons et de madeleines. La
boulangerie, très claire, avec ses larges glaces, ses
marbres, ses dorures, ses casiers à pans de fer
ouvragé, son autre vitrine, où des pains longs et
vernis s'inclinaient, la pointe sur une tablette
de cristal, retenus plus haut par une tringle de
laiton, avait une bonne tiédeur de pâte cuite,
qui l'épanouissait, lorsque, cédant à la tentation,
elle entrait acheter une brioche de deux sous.
Une autre boutique, en face du square des Innocents, lui donnait des curiosités gourmandes,
toute une ardeur de désirs inassouvis. C'était
une spécialité de godiveaux. Elle s'arrêtait dans
la contemplation des godiveaux ordinaires, des
godiveaux de brochet, des godiveaux de foies
gras truffés; et elle restait là, rêvant, se disant
qu'il faudrait bien qu'elle finît par en manger
un jour.

Cadine avait aussi ses heures de coquetterie.
Elle s'achetait alors des toilettes superbes à l'étalage des Fabriques de France, qui pavoisaient
la pointe Saint-Eustache d'immenses pièces
d'étoffe, pendues et flottant de l'entresol jusqu'au trottoir. Un peu gênée par son éventaire,
au milieu des femmes des Halles, en tabliers
sales devant ces toilettes des dimanches futurs,
elle touchait les lainages, les flanelles, les coton-
nades, pour s'assurer du grain et de la souplesse

de l'étoffe. Elle se promettait quelque robe de flanelle voyante, de cotonnade à ramages ou de popeline écarlate. Parfois même, elle choisissait dans les vitrines, parmi les coupons plissés et avantagés par la main des commis, une soie tendre, bleu ciel ou vert pomme, qu'elle rêvait de porter avec des rubans roses. Le soir, elle allait recevoir à la face l'éblouissement des grands bijoutiers de la rue Montmartre. Cette terrible rue l'assourdissait de ses files interminables de voitures, la coudoyait de son flot continu de foule, sans qu'elle quittât la place, les yeux emplis de cette splendeur flambante, sous la ligne des réverbères accrochés en dehors à la devanture du magasin. D'abord, c'étaient les blancheurs mates, les luisants aigus de l'argent, les montres alignées, les chaînes pendues, les couverts en croix, et les timbales, les tabatières, les ronds de serviette, les peignes, posés sur les étagères; mais elle avait une affection pour les dés d'argent, bossuant les gradins de porcelaine, que recouvrait un globe. Puis, de l'autre côté, la lueur fauve de l'or jaunissait les glaces. Une nappe de chaînes longues glissait de haut, moirée d'éclairs rouges; les petites montres de femme, retournées du côté du boîtier, avaient des rondeurs scintillantes d'étoiles tombées; les alliances s'enfilaient dans les tringles minces; les bracelets, les broches, les bijoux chers luisaient sur le velours noir des écrins; les bagues

allumaient de courtes flammes bleues, vertes,
jaunes, violettes, dans les grands baguiers carrés;
tandis que, à toutes les étagères, sur deux et
trois rangs, des rangées de boucles d'oreilles, de
croix, de médaillons, mettaient au bord du cristal des tablettes des franges riches de tabernacle.
Le reflet de tout cet or éclairait la rue d'un
coup de soleil, jusqu'au milieu de la chaussée.
Et Cadine croyait entrer dans quelque chose de
saint, dans les trésors de l'empereur. Elle examinait longuement cette forte bijouterie de poissonnières, lisant avec soin les étiquettes à gros
chiffres qui accompagnaient chaque bijou. Elle
se décidait pour des boucles d'oreilles, pour des
poires de faux corail, accrochées à des roses d'or.

Un matin, Claude la surprit en extase devant
un coiffeur de la rue Saint-Honoré. Elle regardait les cheveux d'un air de profonde envie. En
haut, c'était un ruissellement de crinières, des
queues molles, des nattes dénouées, des frisons
en pluie, des cache-peignes à trois étages, tout
un flot de crins et de soies, avec des mèches
rouges qui flambaient, des épaisseurs noires, des
pâleurs blondes, jusqu'à des chevelures blanches
pour les amoureuses de soixante ans. En bas, les
tours discrets, les anglaises toutes frisées, les
chignons pommadés et peignés, dormaient dans
des boîtes de carton. Et, au milieu de ce cadre,
au fond d'une sorte de chapelle, sous les pointes
effiloquées des cheveux accrochés, un buste de

femme tournait. La femme portait une écharpe
de satin cerise, qu'une broche de cuivre fixait
dans le creux des seins; elle avait une coiffure
de mariée très haute, relevée de brins d'oranger,
souriant de sa bouche de poupée, les yeux clairs,
les cils plantés roides et trop longs, les joues de
cire, les épaules de cire comme cuites et enfumées
par le gaz. Cadine attendait qu'elle revînt, avec
son sourire; alors, elle était heureuse, à mesure
que le profil s'accentuait et que la belle femme,
lentement, passait de gauche à droite. Claude
fut indigné. Il secoua Cadine, en lui demandant
ce qu'elle faisait là, devant cette ordure, « cette
fille crevée ramassée à la Morgue ». Il s'emportait contre cette nudité de cadavre, cette laideur
du joli, en disant qu'on ne peignait plus que
des femmes comme ça. La petite ne fut pas
convaincue; elle trouvait la femme bien belle.
Puis, résistant au peintre qui la tirait par un
bras, grattant d'ennui sa tignasse noire, elle lui
montra une queue rousse, énorme, arrachée à
la forte carrure de quelque jument, en lui
avouant qu'elle voudrait avoir ces cheveux-là.

Et, dans les grandes tournées, lorsque tous
trois, Claude, Cadine et Marjolin, rôdaient
autour des Halles, ils apercevaient, par chaque
bout de rue, un coin du géant de fonte. C'étaient
des échappées brusques, des architectures impré-
vues, le même horizon s'offrant sans cesse sous
des aspects divers. Claude se retournait, surtout

rue Montmartre, après avoir passé l'église. Au loin, les Halles, vues de biais, l'enthousiasmaient : une grande arcade, une porte haute, béante, s'ouvrait; puis les pavillons s'entassaient, avec leurs deux étages de toits, leurs persiennes continues, leurs stores immenses; on eût dit des profils de maisons et de palais superposés, une babylone de métal, d'une légèreté hindoue, traversée par des terrasses suspendues, des couloirs aériens, des ponts volants jetés sur le vide. Ils revenaient toujours là, à cette ville autour de laquelle ils flânaient, sans pouvoir la quitter de plus de cent pas. Ils rentraient dans les après-midi tièdes des Halles. En haut, les persiennes sont fermées, les stores baissés. Sous les rues couvertes, l'air s'endort, d'un gris de cendre coupé de barres jaunes par les taches de soleil qui tombent des longs vitraux. Des murmures adoucis sortent des marchés; les pas des rares passants affairés sonnent sur les trottoirs, tandis que des porteurs, avec leur médaille, sont assis à la file sur les rebords de pierre, aux coins des pavillons, ôtant leurs gros souliers, soignant leurs pieds endoloris. C'est une paix de colosse au repos, dans laquelle monte parfois un chant de coq, du fond de la cave aux volailles. Souvent ils allaient alors voir charger les paniers vides sur les camions, qui, chaque après-midi, viennent les reprendre, pour les retourner aux expéditeurs. Les paniers étiquetés de lettres et de

chiffres noirs, faisaient des montagnes, devant
les magasins de commission de la rue Berger
Pile par pile, symétriquement, des hommes les
rangeaient. Mais quand le tas, sur le camion,
atteignait la hauteur d'un premier étage, il fallait que l'homme, resté en bas, balançant la pile
des paniers, prît un élan pour la jeter à son
camarade, perché en haut, les bras en avant.
Claude, qui aimait la force et l'adresse, restait
des heures à suivre le vol de ces masses d'osier,
riant lorsqu'un élan trop vigoureux les enlevait,
les lançait par-dessus le tas, au milieu de la
chaussée. Il adorait aussi le trottoir de la rue
Rambuteau et celui de la rue du Pont-Neuf, au
coin du pavillon des fruits, à l'endroit où se
tiennent les marchandes au petit tas. Les légumes
en plein air le ravissaient, sur les tables recou-
vertes de chiffons noirs mouillés. A quatre
heures, le soleil allumait tout ce coin de verdure.
Il suivait les allées, curieux des têtes colorées
des marchandes; les jeunes, les cheveux retenus
dans un filet, déjà brûlées par leur vie rude; les
vieilles, cassées, ratatinées, la face rouge, sous
le foulard jaune de leur marmotte. Cadine et
Marjolin refusaient de le suivre, en reconnais-
sant de loin la mère Chantemesse qui leur montrait le poing, furieuse de les voir polissonner
ensemble. Il les rejoignait sur l'autre trottoir.
Là, à travers la rue, il trouvait un superbe sujet
de tableau : les marchandes au petit tas sous

leurs grands parasols déteints, les rouges, les
bleus, les violets, attachés à des bâtons, bossuant
le marché, mettant leurs rondeurs vigoureuses
dans l'incendie du couchant, qui se mourait sur
les carottes et les navets. Une marchande, une
vieille guenipe de cent ans, abritait trois salades
maigres sous une ombrelle de soie rose, crevée et
lamentable.

Cependant, Cadine et Marjolin avaient fait
connaissance de Léon, l'apprenti charcutier des
Quenu-Gradelle, un jour qu'il portait une tourte
dans le voisinage. Ils le virent qui soulevait le
couvercle de la casserole, au fond d'un angle
obscur de la rue de Mondétour, et qui prenait
un godiveau avec les doigts, délicatement. Ils se
sourirent, cela leur donna une grande idée du
gamin. Cadine conçut le projet de contenter
enfin une de ses envies les plus chaudes; lorsqu'elle rencontra de nouveau le petit, avec sa
casserole, elle fut très aimable, elle se fit offrir
un godiveau, riant, se léchant les doigts. Mais
elle eut quelque désillusion, elle croyait que
c'était meilleur que ça. Le petit, pourtant, lui
parut drôle, tout en blanc comme une fille qui
va communier, le museau rusé et gourmand.
Elle l'invita à un déjeuner monstre, qu'elle donna
dans les paniers de la criée aux beurres. Ils s'enfermèrent tous trois, elle, Marjolin et Léon,
entre les quatre murs d'osier, loin du monde. La
table fut mise sur un large panier plat. Il y avait

des poires, des noix, du fromage blanc, des crevettes, des pommes de terre frites et des radis.
Le fromage blanc venait d'une fruitière de la
rue de la Cossonnerie; c'était un cadeau. Un friteur de la rue de la Grande-Truanderie avait
vendu à crédit les deux sous de pommes de terre
frites. Le reste, les poires, les noix, les crevettes,
les radis, était volé aux quatre coins des Halles.
Ce fut un régal exquis. Léon ne voulut pas rester
à court d'amabilité, il rendit le déjeuner par un
souper, à une heure du matin, dans sa chambre.
Il servit du boudin froid, des ronds de saucisson,
un morceau de petit salé, des cornichons et de la
graisse d'oie. La charcuterie des Quenu-Gradelle
avait tout fourni. Et cela ne finit plus. les soupers fins succédèrent aux déjeuners délicats, les
invitations suivirent les invitations. Trois fois
par semaine, il y eut des fêtes intimes dans le
trou aux paniers et dans cette mansarde, où
Florent, les nuits d'insomnie, entendait les bruits
étouffés de mâchoires et des rires de flageolet
jusqu'au petit jour.

Alors, les amours de Cadine et de Marjolin
s'étalèrent encore. Ils furent parfaitement heureux. Il faisait le galant, la menait en cabinet
particulier, pour croquer des pommes crues ou
des cœurs de céleri, dans quelque coin noir des
caves. Il vola un jour un hareng saur qu'ils mangèrent délicieusement, sur le toit du pavillon
de la marée, au bord des gouttières. Les Halles

n'avaient pas un trou d'ombre où ils n'allaient
cacher leurs régals tendres d'amoureux. Le quartier, ces files de boutiques ouvertes, pleines de
fruits, de gâteaux, de conserves, ne fut plus un
paradis fermé, devant lequel rôdait leur faim
de gourmands, avec des envies sourdes. Ils allongeaient la main en passant le long des étalages,
chipant un pruneau, une poignée de cerises, un
bout de morue. Ils s'approvisionnaient également
aux Halles, surveillant les allées des marchés,
ramassant tout ce qui tombait, aidant même
souvent à tomber, d'un coup d'épaule, les paniers
de marchandises. Malgré cette maraude, des notes
terribles montaient chez le friteur de la rue de
la Grande-Truanderie. Ce friteur, dont l'échoppe
était appuyée contre une maison branlante, soutenue par de gros madriers verts de mousse,
tenait des moules cuites nageant dans une eau
claire, au fond de grands saladiers de faïence,
des plats de petites limandes jaunes et roidies,
sous leur couche trop épaisse de pâte, des carrés
de gras-double mijotant au cul de la poêle, des
harengs grillés, noirs, charbonnés, si durs, qu'ils
sonnaient comme du bois. Cadine, certaines
semaines, devait jusqu'à vingt sous; cette dette
l'écrasait, il lui fallait vendre un nombre incal-
culable de bouquets de violettes, car elle n'avait
pas à compter du tout sur Marjolin. D'ailleurs,
elle était bien forcée de rendre à Léon ses poli-
tesses; elle se sentait même un peu honteuse de

ne jamais avoir le moindre plat de viande. Lui,
finissait par prendre des jambons entiers. D'habitude, il cachait tout dans sa chemise. Quand il
montait de la charcuterie, le soir, il tirait de sa
poitrine des bouts de saucisse, des tranches de
pâté de foie, des paquets de couennes. Le pain
manquait, et l'on ne buvait pas. Marjolin aperçut
Léon embrassant Cadine, une nuit, entre deux
bouchées. Cela le fit rire. Il aurait assommé le
petit d'un coup de poing; mais il n'était point
jaloux de Cadine, il la traitait en bonne amie
qu'on a depuis longtemps.

Claude n'assistait pas à ces festins. Ayant surpris la bouquetière volant une betterave, dans
un petit panier garni de foin, il lui avait tiré
les oreilles, en la traitant de vaurienne. Cela la
complétait, disait-il. Et il éprouvait, malgré lui,
comme une admiration pour ces bêtes sensuelles,
chipeuses et gloutonnes, lâchées dans la jouissance de tout ce qui traînait, ramassant les
miettes tombées de la desserte d'un géant.

Marjolin était entré chez Gavard, heureux de
n'avoir rien à faire qu'à écouter les histoires
sans fin de son patron. Cadine vendait ses bouquets, habituée aux gronderies de la mère Chantemesse. Ils continuaient leur enfance, sans
honte, allant à leurs appétits, avec des vices tout
naïfs. Ils étaient les végétations de ce pavé gras
du quartier des Halles, où même par les beaux
temps, la boue reste noire et poissante. La fille

à seize ans, le garçon à dix-huit, gardaient la
belle impudence des bambins qui se retroussent
au coin des bornes. Cependant, il poussait dans
Cadine des rêveries inquiètes, lorsqu'elle marchait sur les trottoirs, tournant les queues des
violettes comme des fuseaux. Et Marjolin, lui
aussi, avait un malaise qu'il ne s'expliquait pas.
Il quittait parfois la petite, s'échappait d'une
flânerie, manquait un régal, pour aller voir
madame Quenu, à travers les glaces de la charcuterie. Elle était si belle, si grosse, si ronde,
qu'elle lui faisait du bien. Il éprouvait, devant
elle, une plénitude, comme s'il eût mangé ou bu
quelque chose de bon. Quand il s'en allait, il
emportait une faim et une soif de la revoir.
Cela durait depuis des mois. Il avait eu d'abord
pour elle les regards respectueux qu'il donnait
aux étalages des épiciers et des marchands de
salaisons. Puis, lorsque vinrent les jours de
grande maraude, il rêva, en la voyant, d'allonger
les mains sur sa forte taille, sur ses gros bras,
ainsi qu'il les enfonçait dans les barils d'olives
et dans les caisses de pommes tapées.

Depuis quelque temps, Marjolin voyait la
belle Lisa chaque jour, le matin. Elle passait
devant la boutique de Gavard, s'arrêtait un
instant, causait avec le marchand de volailles.
Elle faisait son marché elle-même, disait-elle,
pour qu'on la volât moins. La vérité était qu'elle
tâchait de provoquer les confidences de Gavard;

à la charcuterie, il se méfiait; dans sa boutique,
il pérorait, racontait tout ce qu'on voulait. Elle
s'était dit qu'elle saurait par lui ce qui se passait
au juste chez monsieur Lebigre; car elle tenait
mademoiselle Saget, sa police secrète, en médiocre confiance. Elle apprit ainsi du terrible
bavard des choses confuses qui l'effrayèrent beaucoup. Deux jours après l'explication qu'elle avait
eue avec Quenu, elle rentra du marché, très
pâle. Elle fit signe à son mari de la suivre dans
la salle à manger. Là, après avoir fermé les
portes :

— Ton frère veut donc nous envoyer à l'échafaud!... Pourquoi m'as-tu caché ce que tu sais?

Quenu jura qu'il ne savait rien. Il fit un
grand serment, affirmant qu'il n'était plus retourné chez monsieur Lebigre et qu'il n'y retour-
nerait jamais. Elle haussa les épaules, en reprenant :

— Tu feras bien, à moins que tu ne désires
y laisser ta peau... Florent est de quelque mauvais coup, je le sens. Je viens d'en apprendre
assez pour deviner où il va... Il retourne au
bagne, entends-tu?

Puis, au bout d'un silence, elle continua d'une
voix plus calme :

— Ah! le malheureux!... Il était ici comme
un coq en pâte, il pouvait redevenir honnête,
il n'avait que de bons exemples. Non, c'est dans
le sang; il se cassera le cou, avec sa politique...

Je veux que ça finisse, tu entends, Quenu? Je t'avais averti.

Elle appuya nettement sur ces derniers mots. Quenu baissait la tête, attendant son arrêt.

— D'abord, dit-elle, il ne mangera plus ici. C'est assez qu'il y couche. Il gagne de l'argent, qu'il se nourrisse.

Il fit mine de protester, mais elle lui ferma la bouche, en ajoutant avec force :

— Alors, choisis entre lui et nous. Je te jure que je m'en vais avec ma fille, s'il reste davantage. Veux-tu que je te le dise, à la fin : c'est un homme capable de tout, qui est venu troubler notre ménage. Mais j'y mettrai bon ordre, je t'assure... Tu as bien entendu : ou lui ou moi.

Elle laissa son mari muet, elle rentra dans la charcuterie, où elle servit une demi-livre de pâté de foie, avec son sourire affable de belle charcutière. Gavard, dans une discussion politique qu'elle avait amenée habilement, s'était échauffé jusqu'à lui dire qu'elle verrait bien, qu'on allait tout flanquer par terre, et qu'il suffirait de deux hommes déterminés comme son beau-frère et lui, pour mettre le feu à la boutique. C'était le mauvais coup dont elle parlait, quelque conspiration à laquelle le marchand de volailles faisait des allusions continuelles, d'un air discret, avec des ricanements qui voulaient en laisser deviner long. Elle voyait une bande de sergents de ville envahir la charcuterie, les bâillonner, elle,

Quenu et Pauline, et les jeter tous trois dans une basse-fosse.

Le soir, au dîner, elle fut glaciale; elle ne servit pas Florent, elle dit à plusieurs reprises :

— C'est drôle comme nous mangeons du pain, depuis quelque temps.

Florent comprit enfin. Il se sentit traiter en parent qu'on jette à la porte. Lisa, dans les deux derniers mois, l'habillait avec les vieux pantalons et les vieilles redingotes de Quenu; et comme il était aussi sec que son frère était rond, ces vêtements en loques lui allaient le plus étrangement du monde. Elle lui passait aussi son vieux linge, des mouchoirs vingt fois reprisés, des serviettes effiloquées, des draps bons à faire des torchons, des chemises usées, élargies par le ventre de son frère, et si courtes qu'elles auraient pu lui servir de vestes. D'ailleurs, il ne retrouvait plus autour de lui les bienveillances molles des premiers temps. Toute la maison haussait les épaules, comme on voyait faire à la belle Lisa; Auguste et Augustine affectaient de lui tourner le dos, tandis que la petite Pauline avait des mots cruels d'enfant terrible, sur les taches de ses habits et les trous de son linge. Les derniers jours, il souffrit surtout à table. Il n'osait plus manger, en voyant l'enfant et la mère le regarder, lorsqu'il se coupait du pain. Quenu restait le nez dans son assiette, évitant de lever les yeux, afin de ne pas se mêler de ce qui se passait. Alors, ce qui le tortura, ce fut de ne pas savoir comment quitter la place. Il retourna dans sa tête, pendant près d'une semaine, sans oser la prononcer, une phrase pour dire qu'il prendrait désormais ses repas dehors.

Cet esprit tendre vivait dans de telles illusions qu'il craignait de blesser son frère et sa belle-sœur en ne mangeant plus chez eux. Il avait mis plus de deux mois à s'apercevoir de l'hostilité sourde de Lisa; parfois encore, il craignait de se tromper, il la trouvait très bonne à son égard. Le désintéressement, chez lui, était poussé jusqu'à l'oubli de ses besoins; ce n'était plus une vertu, mais une indifférence suprême, un manque absolu de personnalité. Jamais il ne songea, même lorsqu'il se vit chassé peu à peu, à l'héritage du vieux Gradelle, aux comptes que sa belle-sœur voulait lui rendre. Il avait, d'ailleurs, arrêté à l'avance tout un projet de budget : avec l'argent que madame Verlaque lui laissait sur ses appointements, et les trente francs d'une leçon que la belle Normande lui avait procurée, il calculait qu'il aurait à dépenser dix-huit sous à son déjeuner et vingt-six sous à son dîner. C'était très suffisant. Enfin, un matin, il se risqua, il profita de la nouvelle leçon qu'il donnait, pour prétendre qu'il lui était impossible de se trouver à la charcuterie aux heures des repas. Ce mensonge laborieux le fit rougir. Et il s'excusait :

— Il ne faut pas m'en vouloir, l'enfant n'est libre qu'à ces heures-là... Ça ne fait rien, je mangerai un morceau dehors, je viendrai vous dire bonsoir dans la soirée.

La belle Lisa restait toute froide, ce qui le troublait davantage. Elle n'avait pas voulu le congédier, pour ne mettre aucun tort de son côté, préférant attendre qu'il se lassât. Il partait, c'était un bon débarras, elle évitait toute démonstration d'amitié qui aurait pu le retenir. Mais Quenu s'écria, un peu ému :

— Ne te gêne pas, mange dehors, si cela te convient mieux... Tu sais que nous ne te renvoyons pas, que diable! Tu viendras manger la soupe avec nous, quelquefois, le dimanche.

Florent se hâta de sortir. Il avait le cœur gros. Quand il ne fut plus là, la belle Lisa n'osa pas reprocher à son mari sa faiblesse, cette invitation pour le dimanche. Elle demeurait victorieuse, elle respirait à l'aise dans la salle à manger de chêne clair, avec des envies de brûler du sucre, pour en chasser l'odeur de maigreur perverse qu'elle y sentait. D'ailleurs, elle garda la défensive. Même, au bout d'une semaine, elle eut des inquiétudes plus vives. Elle ne voyait Florent que rarement, le soir, elle s'imaginait des choses terribles, une machine infernale fabriquée en haut, dans la chambre d'Augustine, ou bien des signaux transmis de la terrasse, pour couvrir le quartier de barricades. Gavard prenait

des allures assombries; il ne répondait que par
des branlements de tête, laissait sa boutique à
la garde de Marjolin pendant des journées
entières. La belle Lisa résolut d'en avoir le cœur
net. Elle sut que Florent avait un congé, et
qu'il allait le passer avec Claude Lantier chez
madame François, à Nanterre. Comme il devait
partir dès le jour, pour ne revenir que dans la
soirée, elle songea à inviter Gavard à dîner; il
parlerait à coup sûr, le ventre à table. Mais, de
toute la matinée, elle ne put rencontrer le marchand de volailles. L'après-midi, elle retourna
aux Halles.

Marjolin était seul à la boutique. Il y som-
meillait pendant des heures, se reposant de ses
longues flâneries. D'habitude, il s'asseyait, allongeait les jambes sur l'autre chaise, la tête
appuyée contre le petit buffet, au fond. L'hiver,
les étalages de gibier le ravissaient; les chevreuils
pendus la tête en bas, les pattes de devant cassées
et nouées par-dessus le cou; les colliers d'alouettes
en guirlande autour de la boutique, comme des
parures de sauvages; les grands lièvres roux, les
perdrix mouchetées, les bêtes d'eau d'un gris
de bronze, les gélinottes de Russie qui arrivent
dans un mélange de paille d'avoine et de charbon, et les faisans, les faisans magnifiques, avec
leur chaperon écarlate, leur gorgerin de satin
vert, leur manteau d'or niellé, leur queue de
flamme traînant comme une robe de cour.

Toutes ces plumes lui rappelaient Cadine, les nuits passées en bas, dans la mollesse des paniers.

Ce jour-là, la belle Lisa trouva Marjolin au milieu de la volaille. L'après-midi était tiède, des souffles passaient dans les rues étroites du pavillon. Elle dut se baisser pour l'apercevoir, vautré au fond de la boutique, sous les chairs crues de l'étalage. En haut, accrochées à la barre à dents de loup, des oies grasses pendaient, le croc enfoncé dans la plaie saignante du cou, le cou long et roidi, avec la masse énorme du ventre, rougeâtre sous le fin duvet se ballonnant ainsi qu'une nudité, au milieu des blancheurs de linge de la queue et des ailes. Il y avait aussi, tombant de la barre, les pattes écartées comme pour quelque saut formidable, les oreilles rabattues, des lapins à l'échine grise, tachée par le bouquet de poils blancs de la queue retroussée, et dont la tête, aux dents aiguës, aux yeux troubles, riait d'un rire de bête morte. Sur la table d'étalage, des poulets plumés montraient leur poitrine charnue, tendue par l'arête du bréchet; des pigeons, serrés sur des claies d'osier, avaient des peaux nues et tendres d'innocents; des canards, de peaux plus rudes, étalaient les palmes de leurs pattes; trois dindes superbes, piquées de bleu comme un menton fraîchement rasé, dormaient sur le dos, la gorge recousue, dans l'éventail noir de leur queue élargie. A côté, sur des assiettes, étaient posés des abattis,

le foie, le gésier, le cou, les pattes, les ailerons;
tandis que, dans un plat ovale, un lapin écorché
et vidé était couché, les quatre membres écartés,
la tête sanguinolente, la peau du ventre fendue,
montrant les deux rognons; un filet de sang
avait coulé tout le long du râble jusqu'à la
queue, d'où il avait taché, goutte à goutte, la
pâleur de la porcelaine. Marjolin n'avait pas
même essuyé la planche à découper, près de
laquelle les pattes du lapin traînaient encore. Il
fermait les yeux à demi, ayant autour de lui,
sur les trois étagères qui garnissaient intérieu-
rement la boutique, d'autres entassements de
volailles mortes, des volailles dans des cornets
de papier comme des bouquets, des cordons
continus de cuisses repliées et de poitrines bom-
bées, entrevues confusément. Au fond de toute
cette nourriture, son grand corps blond, ses
joues, ses mains, son cou puissant, au poil roussâtre, avaient la chair fine des dindes superbes
et la rondeur de ventre des oies grasses.

Quand il aperçut la belle Lisa, il se leva brusquement, rougissant d'avoir été surpris, vautré
de la sorte. Il était toujours très timide, très gêné
devant elle. Et lorsqu'elle lui demanda si monsieur Gavard était là :

— Non, je ne sais pas, balbutia-t-il; il était
là tout à l'heure, mais il est reparti.

Elle souriait en le regardant, elle avait une
grande amitié pour lui. Comme elle laissait

pendre une main, elle sentit un frôlement tiède,
elle poussa un petit cri. Sous la table d'étalage,
dans une caisse, des lapins vivants allongeaient
le cou, flairaient ses jupes.

— Ah! dit-elle en riant, ce sont tes lapins qui
me chatouillent.

Elle se baissa, voulut caresser un lapin blanc
qui se réfugia dans un coin de la caisse. Puis, se
relevant :

— Et rentrera-t-il bientôt, monsieur Gavard?

Marjolin répondit de nouveau qu'il ne savait
pas. Ses mains tremblaient un peu. Il reprit
d'une voix hésitante :

— Peut-être qu'il est à la resserre... Il m'a
dit, je crois, qu'il descendait.

— J'ai envie de l'attendre, alors, reprit Lisa.
On pourrait lui faire savoir que je suis là... A
moins que je ne descende. Tiens! c'est une idée.
Il y a cinq ans que je me promets de voir les resserres... Tu vas me conduire, n'est-ce pas? tu
m'expliqueras.

Il était devenu très rouge. Il sortit précipi-
tamment de la boutique, marchant devant elle,
abandonnant l'étalage, répétant :

— Certainement... Tout ce que vous voudrez, madame Lisa.

Mais, en bas, l'air noir de la cave suffoqua la
belle charcutière. Elle restait sur la dernière
marche, levant les yeux, regardant la voûte, à
bandes de briques blanches et rouges, faite d'ar-

ceaux écrasés, pris dans des nervures de fonte
et soutenus par des colonnettes. Ce qui l'arrêtait
là, plus encore que l'obscurité, c'était une odeur
chaude, pénétrante, une exhalaison de bêtes
vivantes, dont les alcalis la piquaient au nez
et à la gorge.

— Ça sent très mauvais, murmura-t-elle. Ce
ne serait pas sain, de vivre ici.

— Moi, je me porte bien, répondit Marjolin
étonné. L'odeur n'est pas mauvaise, quand on y
est habitué. Puis, on a chaud l'hiver; on est très
à son aise.

Elle le suivit, disant que ce fumet violent de
volaille la répugnait, qu'elle ne mangerait certainement pas de poulet de deux mois. Cependant, les resserres, les étroites cabines où les
marchands gardent les bêtes vivantes, allongeaient leurs ruelles régulières, coupées à angles
droits. Les becs de gaz étaient rares, les ruelles
dormaient, silencieuses, pareilles à un coin de
village, quand la province est au lit. Marjolin
fit toucher à Lisa le grillage à mailles serrées,
tendu sur des cadres de fonte. Et, tout en longeant une rue, elle lisait les noms des locataires,
écrits sur des plaques bleues.

— Monsieur Gavard est tout au fond, dit le
jeune homme, qui marchait toujours.

Ils tournèrent à gauche, ils arrivèrent dans
une impasse, dans un trou d'ombre, où pas un
filet de lumière ne glissait. Gavard n'y était pas

— Ça ne fait rien, reprit Marjolin. Je vais tout de même vous montrer nos bêtes. J'ai une clef de la resserre.

La belle Lisa entra derrière lui dans cette nuit épaisse. Là, elle le trouva tout à coup au milieu de ses jupes; elle crut qu'elle s'était trop avancée contre lui, elle se recula; et elle riait, elle disait :

— Si tu t'imagines que je vais les voir, tes bêtes, dans ce four-là.

Il ne répondit pas tout de suite; puis, il balbutia qu'il y avait toujours une bougie dans la resserre. Mais il n'en finissait plus, il ne pouvait trouver le trou de la serrure. Comme elle l'aidait, elle sentit une haleine chaude sur son cou. Quand il eut ouvert enfin la porte et allumé la bougie, elle le vit si frissonnant, qu'elle s'écria :

— Grand bêta! peut-on se mettre dans un état pareil, parce qu'une porte ne veut pas s'ouvrir! Tu es une demoiselle, avec tes gros poings.

Elle entra dans la resserre. Gavard avait loué deux compartiments, dont il avait fait un seul poulailler, en enlevant la cloison. Par terre, dans le fumier, les grosses bêtes, les oies, les dindons, les canards pataugeaient; en haut, sur les trois rangs des étagères, des boîtes plates à claire-voie contenaient des poules et des lapins. Le grillage de la resserre était tout poussiéreux, tendu de toiles d'araignée, à ce point qu'il semblait garni de stores gris; l'urine des lapins rongeait les pan-

neaux du bas; la fiente de la volaille tachait les
planches d'éclaboussures blanchâtres. Mais Lisa
ne voulut pas désobliger Marjolin, en montrant
davantage son dégoût. Elle fourra les doigts
entre les barreaux des boîtes, pleurant sur le
sort de ces malheureuses poules entassées qui
ne pouvaient pas même se tenir debout. Elle
caressa un canard accroupi dans un coin, la patte
cassée, tandis que le jeune homme lui disait
qu'on le tuerait le soir même, de peur qu'il ne
mourût pendant la nuit.

— Mais, demanda-t-elle, comment font-ils
pour manger?

Alors il lui expliqua que la volaille ne veut
pas manger sans lumière. Les marchands sont
obligés d'allumer une bougie et d'attendre là,
jusqu'à ce que les bêtes aient fini.

— Ça m'amuse, continua-t-il; je les éclaire
pendant des heures. Il faut voir les coups de bec
qu'ils donnent. Puis, lorsque je cache la bougie
avec la main, ils restent tous le cou en l'air,
comme si le soleil s'était couché... C'est qu'il est
bien défendu de leur laisser la bougie et de s'en
aller. Une marchande, la mère Palette, que vous
connaissez, a failli tout brûler, l'autre jour; une
poule avait dû faire tomber la lumière dans la
paille.

— Eh bien, dit Lisa, elle n'est pas gênée, la
volaille, s'il faut lui allumer les lustres à chaque
repas!

Cela le fit rire. Elle était sortie de la resserre, s'essuyant les pieds, remontant un peu sa robe, pour la garer des ordures. Lui, souffla la bougie, referma la porte. Elle eut peur de rentrer ainsi dans la nuit, à côté de ce grand garçon; elle s'en alla en avant, pour ne pas le sentir de nouveau dans ses jupes. Quand il l'eût rejointe :

— Je suis contente tout de même d'avoir vu ça. Il y a, sous ces Halles, des choses qu'on ne soupçonnerait jamais. Je te remercie... Je vais remonter bien vite; on ne doit plus savoir où je suis passée, à la boutique. Si monsieur Gavard revient, dis-lui que j'ai à lui parler tout de suite.

— Mais, dit Marjolin, il est sans doute aux pierres d'abattage... Nous pouvons voir, si vous voulez.

Elle ne répondit pas, oppressée par cet air tiède qui lui chauffait le visage. Elle était toute rose, et son corsage tendu, si mort d'ordinaire, prenait un frisson. Cela l'inquiéta, lui donna un malaise, d'entendre derrière elle le pas pressé de Marjolin, qui lui semblait comme haletant. Elle s'effaça, le laissa passer le premier. Le village, les ruelles noires dormaient toujours. Lisa s'aperçut que son compagnon prenait au plus long. Quand ils débouchèrent en face de la voie ferrée, il lui dit qu'il avait voulu lui montrer le chemin de fer; et ils restèrent là un instant, regardant à travers les gros madriers de la palis-

sade. Il offrit de lui faire visiter la voie. Elle
refusa, en disant que ce n'était pas la peine,
qu'elle voyait bien ce que c'était. Comme ils
revenaient, ils trouvèrent la mère Palette devant
sa resserre, ôtant les cordes d'un large panier
carré, dans lequel on entendait un bruit furieux
d'ailes et de pattes. Lorsqu'elle eut défait le
dernier nœud, brusquement, des grands cous
d'oie parurent, faisant ressort, soulevant le couvercle. Les oies s'échappèrent, effarouchées, la
tête lancée en avant, avec des sifflements, des
claquements de bec qui emplirent l'ombre de
la cave d'une effroyable musique. Lisa ne put
s'empêcher de rire, malgré les lamentations de
la marchande de volailles, désespérée, jurant
comme un charretier, ramenant par le cou deux
oies qu'elle avait réussi à rattraper. Marjolin
s'était mis à la poursuite d'une troisième oie.
On l'entendit courir le long des rues, dépisté,
s'amusant à cette chasse; puis il y eut un bruit
de bataille, tout au fond, et il revint, portant
la bête. La mère Palette, une vieille femme
jaune, la prit entre ses bras, la garda un moment
sur son ventre, dans la pose de la Léda antique.

— Ah! bien, dit-elle, si tu n'avais pas été là!...
L'autre jour, je me suis battue avec une; j'avais
mon couteau, je lui ai coupé le cou.

Marjolin était tout essoufflé. Lorsqu'ils arrivèrent aux pierres d'abattage, dans la clarté plus
vive du gaz, Lisa le vit en sueur, les yeux luisant

d'une flamme qu'elle ne leur connaissait pas.
D'ordinaire, il baissait les paupières devant elle,
ainsi qu'une fille. Elle le trouva très bel homme
comme ça, avec ses larges épaules, sa grande
figure rose, dans les boucles de ses cheveux
blonds. Elle le regardait si complaisamment, de
cet air d'admiration sans danger qu'on peut
témoigner aux garçons trop jeunes, qu'une fois
encore il redevint timide.

— Tu vois bien que monsieur Gavard n'est
pas là, dit-elle. Tu me fais perdre mon temps.

Alors, d'une voix rapide, il lui expliqua l'abattage, les cinq énormes bancs de pierre, s'allongeant du côté de la rue Rambuteau, sous la
clarté jaune des soupiraux et des becs de gaz.
Une femme saignait des poulets, à un bout; ce
qui l'amena à lui faire remarquer que la femme
plumait la volaille presque vivante, parce que
c'est plus facile. Puis, il voulut qu'elle prît des
poignées de plumes sur les bancs de pierre, dans
les tas énormes qui traînaient; il lui disait qu'on
les triait et qu'on les vendait, jusqu'à neuf sous
la livre, selon la finesse. Elle dut aussi enfoncer
la main au fond des grands paniers pleins de
duvet. Il tourna ensuite les robinets des fontaines, placées à chaque pilier. Il ne tarissait
pas en détails : le sang coulait le long des bancs,
faisait des mares sur les dalles; des cantonniers,
toutes les deux heures, lavaient à grande eau,
enlevaient avec des brosses rudes les taches

rouges. Quand Lisa se pencha au-dessus de la bouche d'égout qui sert à l'écoulement, ce fut encore toute une histoire; il raconta que, les jours d'orage, l'eau envahissait la cave par cette bouche; une fois même, elle s'était élevée à trente centimètres, il avait fallu faire réfugier la volaille à l'autre extrémité de la cave, qui va en pente. Il riait encore du vacarme de ces bêtes effarouchées. Cependant, il avait fini, il ne trouvait plus rien, lorsqu'il se rappela le ventilateur. Il la mena tout au fond, lui fit lever les yeux, et elle aperçut l'intérieur d'une des tourelles d'angle, une sorte de large tuyau de dégagement, où l'air nauséabond des resserres montait.

Marjolin se tut, dans ce coin empesté par l'afflux des odeurs. C'était une rudesse alcaline de guano. Mais lui, semblait éveillé et fouetté. Ses narines battirent, il respira fortement, comme retrouvant des hardiesses d'appétit. Depuis un quart d'heure qu'il était dans le sous-sol avec la belle Lisa, ce fumet, cette chaleur de bêtes vivantes le grisait. Maintenant, il n'avait plus de timidité, il était plein du rut qui chauffait le fumier des poulaillers, sous la voûte écrasée, noire d'ombre.

— Allons, dit la belle Lisa, tu es un brave enfant, de m'avoir montré tout ça... Quand tu viendras à la charcuterie, je te donnerai quelque chose.

Elle lui avait pris le menton, comme elle faisait souvent, sans voir qu'il avait grandi. Elle
était un peu émue, à la vérité; émue par cette
promenade sous terre, d'une émotion très douce,
qu'elle aimait à goûter, en chose permise et ne
tirant pas à conséquence. Elle oublia peut-être
sa main un peu plus longtemps que de coutume,
sous ce menton d'adolescent, si délicat à toucher.
Alors, à cette caresse, lui, cédant à une poussée
de l'instinct, s'assurant d'un regard oblique que
personne n'était là, se ramassa, se jeta sur la
belle Lisa, avec une force de taureau. Il l'avait
prise par les épaules. Il la culbuta dans un grand
panier de plumes, où elle tomba comme une
masse, les jupes aux genoux. Et il allait la
prendre à la taille, ainsi qu'il prenait Cadine,
d'une brutalité d'animal qui vole et qui s'emplit, lorsque, sans crier, toute pâle de cette
attaque brusque, elle sortit du panier d'un bond.
Elle leva le bras, comme elle avait vu faire aux
abattoirs, serra son poing de belle femme,
assomma Marjolin d'un seul coup, entre les deux
yeux. Il s'affaissa, sa tête se fendit contre l'angle
d'une pierre d'abattage. A ce moment, un chant
de coq, rauque et prolongé, monta des ténèbres.

La belle Lisa resta toute froide. Ses lèvres
s'étaient pincées, sa gorge avait repris ces rondeurs muettes qui la faisaient ressembler à un
ventre. Sur sa tête, elle entendait le sourd roulement des Halles. Par les soupiraux de la rue

Rambuteau, dans le grand silence étouffé de la
cave, tombaient les bruits du trottoir. Et elle
pensait que ses gros bras seuls l'avaient sauvée.
Elle secoua les quelques plumes collées à ses
jupes. Puis, craignant d'être surprise, sans regarder Marjolin, elle s'en alla. Dans l'escalier,
quand elle eut passé la grille, la clarté du plein
jour lui fut un grand soulagement.

Elle rentra à la charcuterie, très calme, un
peu pâle.

— Tu as été bien longtemps, dit Quenu.

— Je n'ai pas trouvé Gavard, je l'ai cherché
partout, répondit-elle tranquillement. Nous man-
gerons notre gigot sans lui.

Elle fit emplir le pot de saindoux qu'elle
trouva vide, coupa des côtelettes pour son amie
madame Taboureau, qui lui avait envoyé sa
petite bonne. Les coups de couperet qu'elle
donna sur l'étal lui rappelèrent Marjolin, en
bas, dans la cave. Mais elle ne se reprochait rien.
Elle avait agi en femme honnête. Ce n'était pas
pour ce gamin qu'elle irait compromettre sa paix;
elle était trop à l'aise, entre son mari et sa fille.
Cependant, elle regarda Quenu; il avait à la
nuque une peau rude, une couenne rougeâtre, et
son menton rasé était d'une rugosité de bois
noueux; tandis que la nuque et le menton de
l'autre semblaient du velours rose. Il n'y fallait
plus penser, elle ne le toucherait plus là, puisqu'il songeait à des choses impossibles. C'était

un petit plaisir permis qu'elle regrettait, en se
disant que les enfants grandissent vraiment trop
vite.

Comme de légères flammes remontaient à ses
joues, Quenu la trouva « diablement portante ».
Il s'était assis un instant auprès d'elle dans le
comptoir, il répétait :

— Tu devrais sortir plus souvent. Ça te fait
du bien... Si tu veux, nous irons au théâtre, un
de ces soirs, à la Gaîté, où madame Taboureau
a vu cette pièce qui est si bien...

Lisa sourit, dit qu'on verrait ça. Puis, elle
disparut de nouveau. Quenu pensa qu'elle était
trop bonne de courir ainsi après cet animal de
Gavard. Il ne l'avait pas vue prendre l'escalier.
Elle venait de monter à la chambre de Florent,
dont la clef restait accrochée à un clou de la
cuisine. Elle espérait savoir quelque chose dans
cette chambre, puisqu'elle ne comptait plus sur
le marchand de volailles. Elle fit lentement le
tour, examina le lit, la cheminée, les quatre coins.
La fenêtre de la petite terrasse était ouverte,
le grenadier en boutons baignait dans la poussière d'or du soleil couchant. Alors, il lui sembla
que sa fille de boutique n'avait pas quitté cette
pièce, qu'elle y avait encore couché la nuit pré-
cédente; elle n'y sentait pas l'homme. Ce fut
un étonnement, car elle s'attendait à trouver des
caisses suspectes, des meubles à grosses serrures.
Elle alla tâter la robe d'été d'Augustine, tou-

jours pendue à la muraille. Puis, elle s'assit enfin devant la table, lisant une page commencée où le mot « révolution » revenait deux fois. Elle fut effrayée, ouvrit le tiroir, qu'elle vit plein de papiers. Mais son honnêteté se réveilla, en face de ce secret, si mal gardé par cette méchante table de bois blanc. Elle restait penchée au-dessus des papiers, essayant de comprendre sans toucher, très émue, lorsque le chant aigu du pinson, dont un rayon oblique frappait la cage, la fit tressaillir. Elle repoussa le tiroir. C'était très mal ce qu'elle allait faire là.

Comme elle s'oubliait, près de la fenêtre, à se dire qu'elle devait prendre conseil de l'abbé Roustan, un homme sage, elle aperçut, en bas, sur le carreau des Halles, un rassemblement autour d'une civière. La nuit tombait; mais elle reconnut parfaitement Cadine qui pleurait, au milieu du groupe; tandis que Florent et Claude, les pieds blancs de poussière, causaient vivement, au bord du trottoir. Elle se hâta de descendre, surprise de leur retour. Elle était à peine au comptoir, que mademoiselle Saget entra, en disant :

— C'est ce garnement de Marjolin qu'on vient de trouver dans la cave, avec la tête fendue... Vous ne venez pas voir, madame Quenu?

Elle traversa la chaussée pour voir Marjolin. Le jeune homme était étendu, très pâle, les yeux fermés, avec une mèche de ses cheveux blonds

roidie et souillée de sang. Dans le groupe, on
disait que ce ne serait rien, que c'était sa faute
aussi, à ce gamin, qu'il faisait les cent coups
dans les caves; on supposait qu'il avait voulu
sauter par-dessus une des tables d'abattage, un
de ses jeux favoris, et qu'il était tombé le front
contre la pierre. Mademoiselle Saget murmurait
en montrant Cadine qui pleurait :

— Ça doit être cette gueuse qui l'a poussé.
Ils sont toujours ensemble dans les coins.

Marjolin, ranimé par la fraîcheur de la rue,
ouvrit de grands yeux étonnés. Il examina tout
le monde; puis, ayant rencontré le visage de
Lisa penché sur lui, il lui sourit doucement,
d'un air humble, avec une caresse de soumission.
Il semblait ne plus se souvenir. Lisa, tranquil-
lisée, dit qu'il fallait le transporter tout de suite
à l'hospice; elle irait le voir, elle lui porterait
des oranges et des biscuits. La tête de Marjolin
était retombée. Quand on emporta la civière,
Cadine la suivit, ayant au cou son éventaire, ses
bouquets de violettes piqués dans une pelouse
de mousse, et sur lesquels roulaient ses larmes
chaudes, sans qu'elle songeât le moins du monde
aux fleurs qu'elle brûlait ainsi de son gros chagrin.

Comme Lisa rentrait à la charcuterie, elle
entendit Claude qui serrait la main à Florent
et le quittait, en murmurant :

— Ah! le sacré gamin! il me gâte ma journée...

Nous nous étions crânement amusés, tout de
même!

Claude et Florent, en effet, revenaient harassés
et heureux. Ils rapportaient une bonne senteur
de plein air. Ce matin-là, avant le jour, madame
François avait déjà vendu ses légumes. Ils allèrent tous trois chercher la voiture, rue Montorgueil, au *Compas d'or*. Ce fut comme un avant-
goût de la campagne, en plein Paris. Derrière
le restaurant Philippe, dont les boiseries dorées
montent jusqu'au premier étage, se trouve une
cour de ferme, noire et vivante, grasse de l'odeur
de la paille fraîche et du crottin chaud; des
bandes de poules fouillent du bec la terre molle;
des constructions en bois verdi, des escaliers,
des galeries, des toitures crevées, s'adossent aux
vieilles maisons voisines; et, au fond, sous un
hangar à grosse charpente, Balthazar attendait,
tout attelé, mangeant son avoine dans un sac
attaché au licou. Il descendit la rue Montorgueil
au petit trot, l'air satisfait de retourner si vite
à Nanterre. Mais il ne repartait pas à vide. La
maraîchère avait un marché passé avec la compagnie chargée du nettoyage des Halles; elle
emportait, deux fois par semaine, une charretée
de feuilles, prises à la fourche dans les tas d'ordures qui encombrent le carreau. C'était un
excellent fumier. En quelques minutes, la voiture déborda. Claude et Florent s'allongèrent
sur ce lit épais de verdure; madame François

prit les guides, et Balthazar s'en alla de son
allure lente, la tête un peu basse d'avoir tant
de monde à traîner.

La partie était projetée depuis longtemps. La
maraîchère riait d'aise; elle aimait les deux
hommes, elle leur promettait une omelette au
lard comme on n'en mange pas dans « ce gredin
de Paris ». Eux, goûtaient la jouissance de cette
journée de paresse et de flânerie dont le soleil
se levait à peine. Au loin, Nanterre était une
joie pure dans laquelle ils allaient entrer.

— Vous êtes bien, au moins? demanda madame François en prenant la rue du Pont-Neuf.

Claude jura que « c'était doux comme un matelas de mariée ». Couchés tous les deux sur le
dos, les mains croisées sous la tête, ils regardaient
le ciel pâle, où les étoiles s'éteignaient. Tout le
long de la rue de Rivoli, ils gardèrent le silence,
attendant de ne plus voir de maisons, écoutant
la digne femme qui causait avec Balthazar, en
lui disant doucement :

— Prends-le à ton aise, va, mon vieux... Nous
ne sommes pas pressés, nous arriverons toujours...

Aux Champs-Elysées, comme le peintre n'apercevait plus des deux côtés que des têtes d'arbres,
avec la grande masse verte du jardin des Tuileries, au fond, il eut un réveil, il se mit à parler,
tout seul. En passant devant la rue du Roule,
il avait regardé ce portail latéral de Saint-Eus-

tache, qu'on voit de loin, par-dessous le hangar
géant d'une rue couverte des Halles. Il y revenait sans cesse, voulait y trouver un symbole.

— C'est une curieuse rencontre, disait-il, ce
bout d'église encadré sous cette avenue de fonte...
Ceci tuera cela, le fer tuera la pierre, et les
temps sont proches... Est-ce que vous croyez au
hasard, vous, Florent? Je m'imagine que le besoin
de l'alignement n'a pas seul mis de cette façon
une rosace de Saint-Eustache au beau milieu
des Halles centrales. Voyez-vous, il y a là tout
un manifeste : c'est l'art moderne, le réalisme,
le naturalisme, comme vous voudrez l'appeler,
qui a grandi en face de l'art ancien... Vous n'êtes
pas de cet avis?

Florent gardant le silence, il continua :

— Cette église est d'une architecture bâtarde,
d'ailleurs; le Moyen Age y agonise, et la Renaissance y balbutie... Avez-vous remarqué quelles
églises on nous bâtit aujourd'hui? Ça ressemble
à tout ce qu'on veut, à des bibliothèques, à des
observatoires, à des pigeonniers, à des casernes;
mais, sûrement, personne n'est convaincu que le
bon Dieu demeure là-dedans. Les maçons du
bon Dieu sont morts, la grande sagesse serait de
ne plus construire ces laides carcasses de pierre,
où nous n'avons personne à loger... Depuis le
commencement du siècle, on n'a bâti qu'un seul
monument original, un monument qui ne soit
copié nulle part, qui ait poussé naturellement

dans le sol de l'époque; et ce sont les Halles centrales, entendez-vous, Florent, une œuvre crâne,
allez, et qui n'est encore qu'une révélation
timide du xxe siècle... C'est pourquoi Saint-Eustache est enfoncé, parbleu! Saint-Eustache est
là-bas avec sa rosace, vide de son peuple dévot,
tandis que les Halles s'élargissent à côté, toutes
bourdonnantes de vie... Voilà ce que je vois,
mon brave!

— Ah! bien, dit en riant madame François,
savez-vous, monsieur Claude, que la femme qui
vous a coupé le filet n'a pas volé ses cinq sous?
Balthazar tend les oreilles pour vous écouter...
Hue donc, Balthazar!

La voiture montait lentement. A cette heure
matinale, l'avenue était déserte, avec ses chaises
de fonte alignées sur les deux trottoirs, et ses
pelouses, coupées de massifs, qui s'enfonçaient
sous le bleuissement des arbres. Au rond-point,
un cavalier et une amazone passèrent au petit
trot. Florent, qui s'était fait un oreiller d'un
paquet de feuilles de choux, regardait toujours
le ciel, où s'allumait une grande lueur rose. Par
moments, il fermait les yeux pour mieux sentir
la fraîcheur du matin lui couler sur la face, si
heureux de s'éloigner des Halles, d'aller dans
l'air pur, qu'il restait sans voix, n'écoutant même
pas ce qu'on disait autour de lui.

— Ils sont encore bons ceux qui mettent l'art
dans une boîte à joujoux! reprit Claude au bout

d'un silence. C'est leur grand mot : on ne fait
pas de l'art avec de la science, l'industrie tue
la poésie; et tous les imbéciles se mettent à
pleurer sur les fleurs, comme si quelqu'un songeait à se mal conduire à l'égard des fleurs... Je
suis agacé, à la fin, positivement. J'ai des envies
de répondre à ces pleurnicheries par des œuvres
de défi. Ça m'amuserait de révolter un peu ces
braves gens... Voulez-vous que je vous dise quelle
a été ma plus belle œuvre, depuis que je travaille, celle dont le souvenir me satisfait le plus?
C'est toute une histoire... L'année dernière, la
veille de la Noël, comme je me trouvais chez
ma tante Lisa, le garçon de la charcuterie,
Auguste, cet idiot, vous savez, était en train de
faire l'étalage. Ah! le misérable! il me poussa
à bout par la façon molle dont il composait son
ensemble. Je le priai de s'ôter de là, en lui disant
que j'allais lui peindre ça, un peu proprement.
Vous comprenez, j'avais tous les tons vigoureux,
le rouge des langues fourrées, le jaune des jambonneaux, le bleu des rognures de papier, le
rose des pièces entamées, le vert des feuilles de
bruyère, surtout le noir des boudins, un noir
superbe que je n'ai jamais pu retrouver sur ma
palette. Naturellement, la crépine, les saucisses,
les andouilles, les pieds de cochons panés, me
donnaient des gris d'une grande finesse. Alors je
fis une véritable œuvre d'art. Je pris les plats,
les assiettes, les terrines, les bocaux; je posai les

tons, je dressai une nature morte étonnante, où
éclataient des pétards de couleur, soutenus par
des gammes savantes. Les langues rouges s'allongeaient avec des gourmandises de flamme, et
les boudins noirs, dans le chant clair des saucisses, mettaient les ténèbres d'une indigestion
formidable. J'avais peint, n'est-ce pas? la glou-
tonnerie du réveillon, l'heure de minuit donnée
à la mangeaille, la goinfrerie des estomacs vidés
par les cantiques. En haut, une grande dinde
montrait sa poitrine blanche, marbrée, sous la
peau, des taches noires des truffes. C'était barbare et superbe, quelque chose comme un ventre
aperçu dans une gloire, mais avec une cruauté
de touche, un emportement de raillerie tels, que
la foule s'attroupa devant la vitrine, inquiétée
par cet étalage qui flambait si rudement... Quand
ma tante Lisa revint de la cuisine, elle eut peur,
s'imaginant que j'avais mis le feu aux graisses
de la boutique. La dinde, surtout, lui parut si
indécente, qu'elle me flanqua à la porte, pendant qu'Auguste rétablissait les choses, étalant
sa bêtise. Jamais ces brutes ne comprendront le
langage d'une tache rouge mise à côté d'une
tache grise... N'importe, c'est mon chef-d'œuvre.
Je n'ai jamais rien fait de mieux.

Il se tut, souriant, recueilli dans ce souvenir.
La voiture était arrivée à l'arc de triomphe. De
grands souffles, sur ce sommet, venaient des avenues ouvertes autour de l'immense place. Flo-

rent se mit sur son séant, aspira fortement ces
premières odeurs d'herbe qui montaient des for-
tifications. Il se tourna, ne regarda plus Paris,
voulut voir la campagne au loin. A la hauteur
de la rue de Longchamp, madame François lui
montra l'endroit où elle l'avait ramassé. Cela le
rendit tout songeur. Et il la contemplait, si saine
et si calme, les bras un peu tendus, tenant les
guides. Elle était plus belle que Lisa, avec son
mouchoir au front, son teint rude, son air de
bonté brusque. Quand elle jetait un léger claquement de langue, Balthazar, dressant les
oreilles, allongeait le pas sur le pavé.

En arrivant à Nanterre, la voiture prit à
gauche, entra dans une ruelle étroite, longea
des murailles et vint s'arrêter tout au fond d'une
impasse. C'était au bout du monde, comme
disait la maraîchère. Il fallut décharger les
feuilles de choux. Claude et Florent ne voulurent pas que le garçon jardinier, occupé à
planter des salades, se dérangeât. Ils s'armèrent
chacun d'une fourche pour jeter le tas dans le
trou au fumier. Cela les amusa. Claude avait
une amitié pour le fumier. Les épluchures des
légumes, les boues des Halles, les ordures tombées de cette table gigantesque, restaient
vivantes, revenaient où les légumes avaient
poussé, pour tenir chaud à d'autres générations
de choux, de navets, de carottes. Elles repous-
saient en fruits superbes, elles retournaient s'éta-

ler sur le carreau. Paris pourrissait tout, rendait
tout à la terre qui, sans jamais se lasser, réparait
la mort.

— Tenez, dit Claude en donnant son dernier
coup de fourche, voilà un trognon de chou que
je reconnais. C'est au moins la dixième fois qu'il
pousse dans ce coin là-bas, près de l'abricotier.

Ce mot fit rire Florent. Mais il devint grave, il
se promena lentement dans le potager, pendant
que Claude faisait une esquisse de l'écurie, et
que madame François préparait le déjeuner. Le
potager formait une longue bande de terrain,
séparée au milieu par une allée étroite. Il montait un peu; et, tout en haut, en levant la tête,
on apercevait les casernes basses du Mont-Valérien. Des haies vives le séparaient d'autres pièces
de terre; ces murs d'aubépines, très élevés, bor-
naient l'horizon d'un rideau vert; si bien que,
de tout le pays environnant, on aurait dit que le
Mont-Valérien seul se dressât curieusement pour
regarder dans le clos de madame François. Une
grande paix venait de cette campagne qu'on ne
voyait pas. Entre les quatre haies, le long du
potager, le soleil de mai avait comme une pâmoison de tiédeur, un silence plein d'un bourdon-
nement d'insectes, une somnolence d'enfante-
ment heureux. A certains craquements, à certains soupirs légers, il semblait qu'on entendît
naître et pousser les légumes. Les carrés d'épinards et d'oseille, les bandes de radis, de navets,

de carottes, les grands plants de pommes de terre et de choux, étalaient leurs nappes régulières, leur terreau noir, verdi par les panaches des feuilles. Plus loin, les rigoles de salades, les oignons, les poireaux, les céleris, alignés, plantés au cordeau, semblaient des soldats de plomb à la parade; tandis que les petits pois et les haricots commençaient à enrouler leur mince tige dans la forêt d'échalas, qu'ils devaient, en juin, changer en bois touffu. Pas une mauvaise herbe ne traînait. On aurait pris le potager pour deux tapis parallèles aux dessins réguliers, vert sur fond rougeâtre, qu'on brossait soigneusement chaque matin. Des bordures de thym mettaient des franges grises aux deux côtés de l'allée.

Florent allait et venait, dans l'odeur du thym que le soleil chauffait. Il était profondément heureux de la paix et de la propreté de la terre. Depuis près d'un an, il ne connaissait les légumes que meurtris par les cahots des tombereaux, arrachés de la veille, saignants encore. Il se réjouissait, à les trouver là chez eux, tranquilles dans le terreau, bien portants de tous leurs membres. Les choux avaient une large figure de prospérité, les carottes étaient gaies, les salades s'en allaient à la file avec des nonchalances de fainéantes. Alors, les Halles qu'il avait laissées le matin, lui parurent un vaste ossuaire, un lieu de mort où ne traînait que le cadavre des êtres, un charnier de puanteur et de décomposition.

Et il ralentissait le pas, et il se reposait dans le potager de madame François, comme d'une longue marche au milieu de bruits assourdissants et de senteurs infectes. Le tapage, l'humidité nauséabonde du pavillon de la marée s'en allaient de lui; il renaissait à l'air pur. Claude avait raison, tout agonisait aux Halles. La terre était la vie, l'éternel berceau, la santé du monde.

— L'omelette est prête! cria la maraîchère.

Lorsqu'ils furent attablés tous trois dans la cuisine, la porte ouverte au soleil, ils mangèrent si gaiement, que madame François émerveillée regardait Florent, en répétant à chaque bouchée :

— Vous n'êtes plus le même, vous avez dix ans de moins. C'est ce gueux de Paris qui vous noircit la mine comme ça. Il me semble que vous avez un coup de soleil dans les yeux, maintenant... Voyez-vous, ça ne vaut rien les grandes villes; vous devriez venir demeurer ici.

Claude riait, disait que Paris était superbe. Il en défendait jusqu'aux ruisseaux, tout en gardant une bonne tendresse pour la campagne. L'après-midi, madame François et Florent se trouvèrent seuls au bout du potager, dans un coin du terrain planté de quelques arbres fruitiers. Ils s'étaient assis par terre, ils causaient raisonnablement. Elle le conseillait avec une grande amitié, à la fois maternelle et tendre. Elle lui fit mille questions sur sa vie, sur ce qu'il comptait devenir plus tard, s'offrant à lui simplement, s'il avait un jour besoin d'elle pour son bonheur. Lui, se sentait très touché. Jamais une femme ne lui avait parlé de la sorte. Elle lui faisait l'effet d'une plante saine et robuste, grandie ainsi que les légumes dans le terreau du potager; tandis qu'il se souvenait des Lisa, des Normandes, des belles filles des Halles, comme de chairs suspectes, parées à l'étalage. Il respira là quelques heures de bien-être absolu, délivré des odeurs de nourriture au milieu desquelles il s'affolait, renaissant dans la sève de la campagne, pareil à ce chou que Claude prétendait avoir vu pousser plus de dix fois.

Vers cinq heures, ils prirent congé de madame François. Ils voulaient revenir à pied. La maraîchère les accompagna jusqu'au bout de la ruelle, et gardant un instant la main de Florent dans la sienne :

— Venez, si vous avez jamais quelque chagrin, dit-elle doucement.

Pendant un quart d'heure, Florent marcha sans parler, assombri déjà, se disant qu'il laissait sa santé derrière lui. La route de Courbevoie était blanche de poussière. Ils aimaient tous deux les grandes courses, les gros souliers sonnant sur la terre dure. De petites fumées montaient derrière leurs talons, à chaque pas. Le soleil oblique prenait l'avenue en écharpe, allongeait leurs deux ombres en travers de la chaussée,

si démesurément, que leurs têtes allaient jusqu'à l'autre bord, filant sur le trottoir opposé.

Claude, les bras ballants, faisant de grandes
enjambées régulières, regardait complaisamment
les deux ombres, heureux et perdu dans le caden-
cement de la marche, qu'il exagérait encore en
le marquant des épaules. Puis, comme sortant
d'une songerie :

— Est-ce que vous connaissez la bataille des
Gras et des Maigres? demanda-t-il.

Florent, surpris, dit que non. Alors Claude
s'enthousiasma, parla de cette série d'estampes
avec beaucoup d'éloges. Il cita certains épisodes :
les Gras, énormes à crever, préparant la goinfrerie du soir, tandis que les Maigres, pliés par
le jeûne, regardent de la rue avec la mine
d'échalas envieux; et encore les Gras, à table,
les joues débordantes, chassant un Maigre qui
a eu l'audace de s'introduire humblement, et
qui ressemble à une quille au milieu d'un
peuple de boules. Il voyait là tout le drame
humain; il finit par classer les hommes en
Maigres et en Gras, en deux groupes hostiles
dont l'un dévore l'autre, s'arrondit le ventre et
jouit.

— Pour sûr, dit-il, Caïn était un gras et Abel
un Maigre. Depuis le premier meurtre, ce sont
toujours les grosses faims qui ont sucé le sang
des petits mangeurs... C'est une continuelle
ripaille, du plus faible au plus fort, chacun ava-

lant son voisin et se trouvant avalé à son tour...
Voyez-vous, mon brave, défiez-vous des Gras.

Il se tut un instant, suivant toujours des yeux
leurs deux ombres que le soleil couchant allongeait davantage. Et il murmura :

— Nous sommes des Maigres, nous autres,
vous comprenez... Dites-moi si, avec des ventres
plats comme les nôtres, on tient beaucoup de
place au soleil.

Florent regarda les deux ombres en souriant.
Mais Claude se fâchait. Il criait :

— Vous avez tort de trouver ça drôle. Moi,
je souffre d'être un Maigre. Si j'étais un Gras, je
peindrais tranquillement, j'aurais un bel atelier,
je vendrais mes tableaux au poids de l'or. Au
lieu de ça, je suis un Maigre, je veux dire que
je m'extermine le tempérament à vouloir trouver
des machines qui font hausser les épaules des
Gras. J'en mourrai, c'est sûr, la peau collée aux
os, si plat qu'on pourra me mettre entre deux
feuillets d'un livre pour m'enterrer... Et vous,
donc! vous êtes un Maigre surprenant, le roi
des Maigres, ma parole d'honneur. Vous vous
rappelez votre querelle avec les poissonnières;
c'était superbe, ces gorges géantes lâchées contre
votre poitrine étroite; et elles agissaient d'instinct, elles chassaient au Maigre, comme les
chattes chassent aux souris... En principe, vous
entendez, un Gras a l'horreur d'un Maigre, si
bien qu'il éprouve le besoin de l'ôter de sa vue,

à coups de dents, ou à coups de pieds. C'est
pourquoi, à votre place, je prendrais mes précautions. Les Quenu sont des Gras, les Méhudin
sont des Gras, enfin vous n'avez que des Gras
autour de vous. Moi, ça m'inquiéterait.

— Et Gavard, et mademoiselle Saget, et votre
ami Marjolin? demanda Florent, qui continuait
à sourire.

— Oh! si vous voulez, répondit Claude, je
vais vous classer toutes nos connaissances. Il y a
longtemps que j'ai leurs têtes dans un carton,
à mon atelier, avec l'indication de l'ordre auquel
elles appartiennent. C'est tout un chapitre d'histoire naturelle... Gavard est un Gras, mais un
Gras qui pose pour le Maigre. La variété est
assez commune... Mademoiselle Saget et madame
Lecœur sont des Maigres; d'ailleurs, variétés très
à craindre, Maigres désespérés, capables de tout
pour engraisser... Mon ami Marjolin, la petite
Cadine, la Sarriette, trois Gras, innocents encore,
n'ayant que les faims aimables de la jeunesse. Il
est à remarquer que le Gras, tant qu'il n'a pas
vieilli, est un être charmant... Monsieur Lebigre,
un Gras, n'est-ce pas? Quant à vos amis politiques, ce sont généralement des Maigres, Charvet, Clémence, Logre, Lacaille. Je ne fais une
exception que pour cette grosse bête d'Alexandre
et pour le prodigieux Robine. Celui-ci m'a
donné bien du mal.

Le peintre continua sur ce ton, du pont de

Neuilly à l'arc de triomphe. Il revenait, achevait
certains portraits d'un trait caractéristique :
Logre était un Maigre qui avait son ventre entre
les deux épaules; la belle Lisa était tout en
ventre, et la belle Normande, tout en poitrine;
mademoiselle Saget avait certainement laissé
échapper dans sa vie une occasion d'engraisser,
car elle détestait les Gras, tout en gardant un
dédain pour les Maigres; Gavard compromettait
sa graisse, il finirait plat comme une punaise.

— Et madame François? dit Florent.

Claude fut très embarrassé par cette question.
Il chercha, balbutia :

— Madame François, Madame François...
Non, je ne sais pas, je n'ai jamais songé à la
classer... C'est une brave femme, madame François, voilà tout... Elle n'est ni dans les Gras ni
dans les Maigres, parbleu!

Ils rirent tous les deux. Ils se trouvaient en
face de l'arc de triomphe. Le soleil, au ras des
coteaux de Suresnes, était si bas sur l'horizon,
que leurs ombres colossales tachaient la blancheur du monument, très haut, plus haut que
les statues énormes des groupes, de deux barres
noires, pareilles à deux traits faits au fusain.
Claude s'égaya davantage, fit aller les bras, se
plia; puis, en s'en allant :

— Avez-vous vu? quand le soleil s'est couché,
nos deux têtes sont allées toucher le ciel.

Mais Florent ne riait plus. Paris le reprenait,

Paris qui l'effrayait maintenant, après lui avoir
coûté tant de larmes, à Cayenne. Lorsqu'il arriva
aux Halles, la nuit tombait, les odeurs étaient
suffocantes. Il baissa la tête, en rentrant dans
son cauchemar de nourritures gigantesques, avec
le souvenir doux et triste de cette journée de
santé claire, toute parfumée de thym.

V

Le lendemain, vers quatre heures, Lisa se rendit à Saint-Eustache. Elle avait fait, pour traverser la place, une toilette sérieuse, tout en soie noire, avec son châle tapis. La belle Normande, qui, de la poissonnerie, la suivit des yeux jusque sous la porte de l'église, en resta suffoquée.

— Ah! bien, merci! dit-elle méchamment, la grosse donne dans les curés, maintenant... Ça la calmera, cette femme, de se tremper le derrière dans l'eau bénite.

Elle se trompait, Lisa n'était point dévote. Elle ne pratiquait pas, disait d'ordinaire qu'elle tâchait de rester honnête en toutes choses, et que cela suffisait. Mais elle n'aimait pas qu'on parlât mal de la religion devant elle; souvent elle faisait taire Gavard, qui adorait les histoires de prêtres et de religieuses, les polissonneries de sacristie. Cela lui semblait tout à fait inconvenant. Il fallait laisser à chacun sa croyance, respecter les scrupules de tout le monde. Puis, d'ail-

leurs, les prêtres étaient généralement de braves
gens. Elle connaissait l'abbé Roustan, de Saint-
Eustache, un homme distingué, de bon conseil,
dont l'amitié lui paraissait très sûre. Et elle
finissait, en expliquant la nécessité absolue de
la religion, pour le plus grand nombre; elle la
regardait comme une police qui aidait à main-
tenir l'ordre, et sans laquelle il n'y avait pas
de gouvernement possible. Quand Gavard poussait les choses un peu trop loin sur ce chapitre,
disant qu'on devrait flanquer les curés dehors et
fermer leurs boutiques, elle haussait les épaules,
elle répondait :

— Vous seriez bien avancé!... On se massa-
crerait dans les rues, au bout d'un mois, et l'on
se trouverait forcé d'inventer un autre bon Dieu.
En 93. ça s'est passé comme cela... Vous savez,
n'est-ce pas? que moi je ne vis pas avec les curés;
mais je dis qu'il en faut, parce qu'il en faut.

Aussi, lorsque Lisa allait dans une église, elle
se montrait recueillie. Elle avait acheté un beau
paroissien, qu'elle n'ouvrait jamais, pour assister
aux enterrements et aux mariages. Elle se levait,
s'agenouillait, aux bons endroits, s'appliquant
à garder l'attitude décente qu'il convenait
d'avoir. C'était, pour elle, une sorte de tenue
officielle que les gens honnêtes, les commerçants
et les propriétaires, devaient garder devant la
religion.

Ce jour-là, la belle charcutière, en entrant à

Saint-Eustache, laissa doucement retomber la double porte en drap vert déteint, usé par la main des dévotes. Elle trempa les doigts dans le bénitier, se signa correctement. Puis, à pas étouffés, elle alla jusqu'à la chapelle de Sainte-Agnès, où deux femmes agenouillées, la face dans les mains, attendaient, pendant que la robe bleue d'une troisième débordait du confessionnal. Elle parut contrariée; et, s'adressant à un bedeau qui passait, avec sa calotte noire, en traînant les pieds :

— C'est donc le jour de confession de monsieur l'abbé Roustan? demanda-t-elle.

Il répondit que monsieur l'abbé n'avait plus que deux pénitentes, que ce ne serait pas long, et que, si elle voulait prendre une chaise, son tour arriverait tout de suite. Elle remercia, sans dire qu'elle ne venait pas pour se confesser. Elle résolut d'attendre, marchant à petits pas sur les dalles, allant jusqu'à la grande porte, d'où elle regarda la nef toute nue, haute et sévère, entre les bas-côtés peints de couleurs vives; elle levait un peu le menton, trouvant le maître-autel trop simple, ne goûtant pas cette grandeur froide de la pierre, préférant les dorures et les bariolages des chapelles latérales. Du côté de la rue du Jour, ces chapelles restaient grises, éclairées par des fenêtres poussiéreuses; tandis que, du côté des Halles, le coucher du soleil allumait les vitraux des verrières, égayées de teintes très

tendres, des verts et des jaunes surtout, si limpides, qu'ils lui rappelèrent les bouteilles de
liqueur, devant la glace de monsieur Lebigre.
Elle revint de ce côté, qui semblait comme
attiédi par cette lumière de braise, s'intéressa un
instant aux châsses, aux garnitures des autels,
aux peintures vues dans des reflets de prisme.
L'église était vide, toute frissonnante du silence
de ses voûtes. Quelques jupes de femmes faisaient des taches sombres dans l'effacement jau-
nâtre des chaises; et, des confessionnaux fermés,
un chuchotement sortait. En repassant devant la
chapelle de Sainte-Agnès, elle vit que la robe
bleue était toujours aux pieds de l'abbé Roustan.

— Moi, j'aurais fini en dix secondes, si je
voulais, pensa-t-elle avec l'orgueil de son honnêteté.

Elle alla au fond. Derrière le maître-autel,
dans l'ombre de la double rangée de piliers, la
chapelle de la Vierge est toute moite de silence
et d'obscurité. Les vitraux, très sombres, ne déta-
chent que des robes de saints, à larges pans
rouges et violets, brûlant comme des flammes
d'amour mystique dans le recueillement, l'adora-
tion muette des ténèbres. C'est un coin de
mystère, un enfoncement crépusculaire du paradis, où brillent les étoiles de deux cierges, où
quatre lustres à lampes de métal, tombant de la
voûte, à peine entrevus, font songer aux grands

encensoirs d'or que les anges balancent au coucher de Marie. Entre les piliers, des femmes sont
toujours là, pâmées sur des chaises retournées,
abîmées dans cette volupté noire.

Lisa, debout, regardait, très tranquillement.
Elle n'était point nerveuse. Elle trouvait qu'on
avait tort de ne pas allumer les lustres, que cela
serait plus gai avec des lumières. Même il y avait
une indécence dans cette ombre, un jour et un
souffle d'alcôve, qui lui semblaient peu conve-
nables. A côté d'elle, des cierges brûlant sur une
herse lui chauffaient la figure, tandis qu'une
vieille femme grattait avec un gros couteau la
cire tombée, figée en larmes pâles. Et, dans le
frisson religieux de la chapelle. dans cette
pâmoison muette d'amour, elle entendait très
bien le roulement des fiacres qui débouchaient
de la rue Montmartre, derrière les saints rouges
et violets des vitraux. Au loin, les Halles grondaient, d'une voix continue.

Comme elle allait quitter la chapelle, elle vit
entrer la cadette des Méhudin, Claire, la marchande de poissons d'eau douce. Elle fit allumer
un cierge à la herse. Puis, elle vint s'agenouiller
derrière un pilier, les genoux cassés sur la
pierre, si pâle dans ses cheveux blonds mal
attachés, qu'elle semblait une morte. Là, se
croyant cachée, elle agonisa, elle pleura à
chaudes larmes, avec des ardeurs de prières qui
la pliaient comme sous un grand vent, avec tout

un emportement de femme qui se livre. La belle charcutière resta fort surprise, car les Méhudin n'étaient guère dévotes. Claire, surtout, parlait de la religion et des prêtres, d'ordinaire, d'une façon à faire dresser les cheveux sur la tête.

— Qu'est-ce qu'il lui prend donc? se dit-elle en revenant de nouveau à la chapelle de Sainte-Agnès. Elle aura empoisonné quelque homme, cette gueuse.

L'abbé Roustan sortait enfin de son confessionnal. C'était un bel homme, d'une quarantaine d'années, l'air souriant et bon. Quand il reconnut madame Quenu, il lui serra les mains, l'appela « chère dame », l'emmena à la sacristie, où il ôta son surplis, en lui disant qu'il allait être tout à elle. Ils revinrent, lui en soutane, tête nue, elle se carrant dans son châle tapis, et ils se promenèrent le long des chapelles latérales, du côté de la rue du Jour. Ils parlaient à voix basse. Le soleil se mourait dans les vitraux, l'église devenait noire, les pas des dernières dévotes avaient un frôlement doux sur les dalles.

Cependant, Lisa expliqua ses scrupules à l'abbé Roustan. Jamais il n'était question entre eux de religion. Elle ne se confessait pas, elle le consultait simplement dans les cas difficiles, à titre d'homme discret et sage, qu'elle préférait, disait-elle parfois, à ces hommes d'affaires louches qui sentent le bagne. Lui, se montrait d'une complaisance inépuisable; il feuilletait le code

pour elle, lui indiquait les bons placements
d'argent, résolvait avec tact les difficultés
morales, lui recommandait des fournisseurs,
avait une réponse prête à toutes les demandes,
si diverses et si compliquées qu'elles fussent, le
tout naturellement, sans mettre Dieu de l'affaire.
sans chercher à en tirer un bénéfice quelconque
à son profit ou au profit de la religion. Un remer-
ciement et un sourire lui suffisaient. Il semblait
bien aise d'obliger cette belle madame Quenu,
dont sa femme de ménage lui parlait souvent
avec respect, comme d'une personne très esti-
mée dans le quartier. Ce jour-là, la consultation
fut particulièrement délicate. Il s'agissait de
savoir quelle conduite l'honnêteté l'autorisait à
tenir vis-à-vis de son beau-frère, si elle avait le
droit de le surveiller, de l'empêcher de les
compromettre, son mari, sa fille et elle; et encore
jusqu'où elle pourrait aller dans un danger pres-
sant. Elle ne demanda pas brutalement ces
choses, elle posa les questions avec des ménagements si bien choisis que l'abbé put disserter sur
la matière sans entrer dans les personnalités. Il
fut plein d'arguments contradictoires. En somme,
il jugea qu'une âme juste avait le droit, le devoir
même d'empêcher le mal, quitte à employer les
moyens nécessaires au triomphe du bien.

— Voilà mon opinion, chère dame, dit-il en
finissant. La discussion des moyens est toujours
grave. Les moyens sont le grand piège où se

prennent les vertus ordinaires... Mais je connais
votre belle conscience. Pesez chacun de vos actes,
et si rien ne proteste en vous, allez hardiment...
Les natures honnêtes ont cette grâce merveilleuse de mettre de leur honnêteté dans tout ce
qu'elles touchent.

Et changeant de voix, il continua :

— Dites bien à monsieur Quenu que je lui
souhaite le bonjour. Quand je passerai, j'entrerai
pour embrasser ma bonne petite Pauline... Au
revoir, chère dame, et tout à votre disposition.

Il rentra dans la sacristie. Lisa, en s'en allant,
eut la curiosité de voir si Claire priait toujours;
mais Claire était retournée à ses carpes et à ses
anguilles; il n'y avait plus, devant la chapelle de
la Vierge, où la nuit s'était faite, qu'une débandade de chaises renversées, culbutées, sous la
chaleur dévote des femmes qui s'étaient agenouillées là.

Quand la belle charcutière traversa de nouveau la place, la Normande, qui guettait sa
sortie, la reconnut dans le crépuscule à la rondeur de ses jupes.

— Merci! s'écria-t-elle, elle est restée plus
d'une heure. Quand les curés la vident de ses
péchés, celle-là, les enfants de chœur font la
chaîne pour jeter les seaux d'ordures à la rue.

Le lendemain matin, Lisa monta droit à la
chambre de Florent. Elle s'y installa en toute
tranquillité, certaine de n'être pas dérangée,

décidée d'ailleurs à mentir, à dire qu'elle venait
s'assurer de la propreté du linge, si Florent
remontait. Elle l'avait vu, en bas, très occupé,
au milieu de la marée. S'asseyant devant la petite
table, elle enleva le tiroir, le mit sur ses genoux,
le vida avec de grandes précautions, en ayant
grand soin de replacer les paquets de papiers
dans le même ordre. Elle trouva d'abord les premiers chapitres de l'ouvrage sur Cayenne, puis
les projets, les plans de toutes sortes, la transformation des octrois en taxes sur les transactions,
la réforme du système administratif des Halles,
et les autres. Ces pages de fine écriture qu'elle
s'appliquait à lire, l'ennuyèrent beaucoup; elle
allait remettre le tiroir, convaincue que Florent
cachait ailleurs la preuve de ses mauvais desseins, rêvant déjà de fouiller la laine des matelas, lorsqu'elle découvrit, dans une enveloppe à
lettre, le portrait de la Normande. La photographie était un peu noire. La Normande posait
debout, le bras droit appuyé sur une colonne
tronquée; et elle avait tous ses bijoux, une robe
de soie neuve qui bouffait, un rire insolent.
Lisa oublia son beau-frère, ses terreurs, ce qu'elle
était venue faire là. Elle s'absorba dans une de
ces contemplations de femme dévisageant une
autre femme, tout à l'aise, sans crainte d'être
vue. Jamais elle n'avait eu le loisir d'étudier sa
rivale de si près. Elle examina les cheveux, le
nez, la bouche, éloigna la photographie, la rap-

procha. Puis, les lèvres pincées, elle lut sur le revers, écrit en grosses vilaines lettres : « Louise à son ami Florent. » Cela la scandalisa, c'était un aveu. L'idée lui vint de prendre cette carte, de la garder comme une arme contre son ennemie. Elle la remit lentement dans l'enveloppe, en songeant que ce serait mal, et qu'elle la retrouverait toujours, d'ailleurs.

Alors, feuilletant de nouveau les pages volantes, les rangeant une à une, elle eut l'idée de regarder au fond, à l'endroit où Florent avait repoussé le fil et les aiguilles d'Augustine; et là, entre le paroissien et la *Clef des songes,* elle découvrit ce qu'elle cherchait, des notes très compromettantes, simplement défendues par une chemise de papier gris. L'idée d'une insurrection, du renversement de l'empire, à l'aide d'un coup de force, avancée un soir par Logre chez monsieur Lebigre, avait lentement mûri dans l'esprit ardent de Florent. Il y vit bientôt un devoir, une mission. Ce fut le but enfin trouvé de son évasion de Cayenne et de son retour à Paris. Croyant avoir à venger sa maigreur contre cette ville engraissée, pendant que les défenseurs du droit crevaient la faim en exil, il se fit justicier, il rêva de se dresser, des Halles mêmes, pour écraser ce règne de mangeailles et de soûleries. Dans ce tempérament tendre, l'idée fixe plantait aisément son clou. Tout prenait des grossissements formidables, les histoires les plus étranges

se bâtissaient, il s'imaginait que les Halles
s'étaient emparées de lui, à son arrivée, pour
l'amollir, l'empoisonner de leurs odeurs. Puis,
c'était Lisa qui voulait l'abêtir; il l'évitait pendant des deux ou trois jours, comme un dissol-
vant qui aurait fondu ses volontés, s'il l'avait
approchée. Ces crises de terreurs puériles, ces
emportements d'homme révolté, aboutissaient
toujours à de grandes douceurs, à des besoins
d'aimer, qu'il cachait avec une honte d'enfant.
Le soir surtout, le cerveau de Florent s'embarrassait de fumées mauvaises. Malheureux de sa
journée, les nerfs tendus, refusant le sommeil
par une peur sourde de ce néant, il s'attardait
davantage chez monsieur Lebigre ou chez les
Méhudin; et, quand il rentrait, il ne se couchait
encore pas, il écrivait, il préparait la fameuse
insurrection. Lentement, il trouva tout un plan
d'organisation. Il partagea Paris en vingt sections, une par arrondissement, ayant chacune un
chef, une sorte de général, qui avait sous ses
ordres vingt lieutenants commandant à vingt
compagnies d'affiliés. Toutes les semaines, il y
aurait un conseil tenu par les chefs, chaque fois
dans un local différent; pour plus de discrétion,
d'ailleurs, les affiliés ne connaîtraient que le
lieutenant, qui, lui-même, s'aboucherait uniquement avec le chef de sa section; il serait utile
aussi que ces compagnies se crussent toutes chargées de missions imaginaires, ce qui achèverait

de dépister la police. Quant à la mise en œuvre de ces forces, elle était des plus simples. On attendrait la formation complète des cadres; puis on profiterait de la première émotion politique. Comme on n'aurait sans doute que quelques fusils de chasse, on s'emparerait d'abord des postes, on désarmerait les pompiers, les gardes de Paris, les soldats de la ligne, sans livrer bataille autant que possible, en les invitant à faire cause commune avec le peuple. Ensuite, on marcherait droit au Corps législatif, pour aller de là à l'Hôtel de Ville. Ce plan, auquel Florent revenait chaque soir, comme à un scénario de drame qui soulageait sa surexcitation nerveuse, n'était encore qu'écrit sur des bouts de papier, raturés, montrant les tâtonnements de l'auteur, permettant de suivre les phases de cette conception à la fois enfantine et scientifique. Lorsque Lisa eut parcouru les notes, sans toutes les comprendre, elle resta tremblante, n'osant plus toucher à ces papiers, avec la peur de les voir éclater entre ses mains comme des armes chargées.

Une dernière note l'épouvanta plus encore que les autres. C'était une demi-feuille, sur laquelle Florent avait dessiné la forme des insignes qui distingueraient les chefs et les lieutenants; à côté, se trouvaient également les guidons des compagnies. Même des légendes au crayon disaient la couleur des guidons pour les vingt arrondissements. Les insignes des chefs étaient des écharpes rouges; ceux des lieutenants, des brassards également rouges. Ce fut pour Lisa, la réalisation immédiate de l'émeute; elle vit ces hommes, avec toutes ces étoffes rouges, passer devant sa charcuterie, envoyer des balles dans les glaces et dans les marbres, voler les saucisses et les andouilles de l'étalage. Les infâmes projets de son beau-frère étaient un attentat contre elle-même, contre son bonheur. Elle referma le tiroir, regardant la chambre, se disant que c'était elle pourtant qui logeait cet homme, qu'il couchait dans ses draps, qu'il usait ses meubles. Et elle était particulièrement exaspérée par la pensée qu'il cachait l'abominable machine infernale dans cette petite table de bois blanc, qui lui avait servi autrefois chez l'oncle Gradelle, avant son mariage, une table innocente, toute déclouée.

Elle resta debout, songeant à ce qu'elle allait faire. D'abord, il était inutile d'instruire Quenu. Elle eut l'idée d'avoir une explication avec Florent, mais elle craignit qu'il ne s'en allât commettre son crime plus loin, tout en les compromettant, par méchanceté. Elle se calmait un peu, elle préféra le surveiller. Au premier danger, elle verrait. En somme, elle avait à présent de quoi le faire retourner aux galères.

Comme elle rentrait à la boutique, elle vit Augustine tout émotionnée. La petite Pauline

avait disparu depuis une grande demi-heure.
Aux questions inquiètes de Lisa, elle ne put que
répondre :

— Je ne sais pas, madame. Elle était là tout
à l'heure, sur le trottoir, avec un petit garçon...
Je les regardais; puis, j'ai entamé un jambon
pour un monsieur, et je ne les ai plus vus.

— Je parie que c'est Muche, s'écria la charcutière; ah! le gredin d'enfant!

C'était Muche, en effet. Pauline, qui étrennait justement, ce jour-là, une robe neuve à raies
bleues, avait voulu la montrer. Elle se tenait
toute droite, devant la boutique, bien sage, les
lèvres pincées par cette moue grave d'une petite
femme de six ans qui craint de se salir. Ses jupes,
très courtes, très empesées, bouffaient comme
des jupes de danseuse, montrant ses bas blancs
bien tirés, ses bottines vernies, d'un bleu d'azur;
tandis que son grand tablier, qui la décolletait,
avait, aux épaules, un étroit volant brodé, d'où
ses bras, adorables d'enfance, sortaient nus et
roses. Elle portait des boutons de turquoises aux
oreilles, une jeannette au cou, un ruban de
velours bleu dans les cheveux, très bien peignée,
avait l'air gras et tendre de sa mère, la grâce
parisienne d'une poupée neuve.

Muche, des Halles, l'avait aperçu. Il mettait
dans le ruisseau des petits poissons morts que
l'eau emportait, et qu'il suivait le long du trottoir, en disant qu'ils nageaient. Mais la vue de

Pauline, si belle, si propre, lui fit traverser la
chaussée, sans casquette, la blouse déchirée, le
pantalon tombant et montrant la chemise, dans
le débraillé d'un galopin de sept ans. Sa mère
lui avait bien défendu de jouer jamais avec
« cette grosse bête d'enfant que ses parents bourraient à la faire crever ». Il rôda un instant,
s'approcha, voulut toucher la jolie robe à raies
bleues. Pauline, d'abord flattée, eut une moue
de prude, recula, en murmurant d'un ton fâché :

— Laisse-moi... Maman ne veut pas.

Cela fit rire le petit Muche, qui était très
dégourdi et très entreprenant.

— Ah! bien, dit-il, tu es joliment godiche!...
Ça ne fait rien que ta maman ne veuille pas...
Nous allons jouer à nous pousser, veux-tu?

Il devait nourrir l'idée mauvaise de salir Pauline. Celle-ci, en le voyant s'apprêter à lui donner une poussée dans le dos, recula davantage,
fit mine de rentrer. Alors, il fut très doux. Il
remonta ses culottes, en homme du monde.

— Es-tu bête! c'est pour rire... Tu es bien
gentille comme ça. Est-ce que c'est à ta maman,
ta petite croix?

Elle se rengorgea, dit que c'était à elle. Lui,
doucement, l'amenait jusqu'au coin de la rue
Pirouette; il lui touchait les jupes, en s'étonnant,
en trouvant ça drôlement raide; ce qui causait
un plaisir infini à la petite. Depuis qu'elle faisait la belle sur le trottoir, elle était très vexée

de voir que personne ne la regardait. Mais,
malgré les compliments de Muche, elle ne voulut
pas descendre du trottoir.

— Quelle grue! s'écria-t-il, en redevenant
grossier. Je vas t'asseoir sur ton panier aux
crottes, tu sais, madame Belles-fesses!

Elle s'effaroucha. Il l'avait prise par la main;
et comprenant sa faute, se montrant de nouveau
câlin, fouillant vivement dans sa poche :

— J'ai un sou, dit-il.

La vue du sou calma Pauline. Il tenait le sou
du bout des doigts, devant elle, si bien qu'elle
descendit sur la chaussée, sans y prendre garde,
pour suivre le sou. Décidément, le petit Muche
était en bonne fortune.

— Qu'est-ce que tu aimes? demanda-t-il.

Elle ne répondit pas tout de suite; elle ne
savait pas, elle aimait trop de choses. Lui, nomma
une foule de friandises : de la réglisse, de la
mélasse, des boules de gomme, du sucre en
poudre. Le sucre en poudre fit beaucoup réfléchir la petite; on trempe un doigt, et on le suce;
c'est très bon. Elle restait toute sérieuse. Puis, se
décidant :

— Non, j'aime bien les cornets.

Alors, il lui prit le bras, il l'emmena, sans
qu'elle résistât. Ils traversèrent la rue Rambuteau, suivirent le large trottoir des Halles, allèrent jusque chez un épicier de la rue de la Cossonnerie, qui avait la renommée des cornets. Les

cornets sont de minces cornets de papier, où les
épiciers mettent les débris de leur étalage, les
dragées cassées, les marrons glacés tombés en
morceaux, les fonds suspects des bocaux de
bonbons. Muche fit les choses galamment; il
laissa choisir le cornet par Pauline, un cornet
de papier bleu, ne le lui reprit pas, donna son
sou. Sur le trottoir, elle vida les miettes de
toutes sortes dans les deux poches de son tablier;
et ces poches étaient si étroites, qu'elles furent
pleines. Elle croquait doucement, miette par
miette, ravie, mouillant son doigt, pour avoir la
poussière trop fine; si bien que cela fondait les
bonbons, et que deux taches brunes marquaient
déjà les deux poches du tablier. Muche avait un
rire sournois. Il la tenait par la taille, la chiffon-
nant à son aise, lui faisant tourner le coin de la
rue Pierre-Lescot, du côté de la place des Innocents, en lui disant :

— Hein? tu veux bien jouer, maintenant?...
C'est bon, ce que tu as dans tes poches. Tu vois
que je ne voulais pas te faire de mal, grande
bête.

Et lui-même, il fourrait les doigts au fond des
poches. Ils entrèrent dans le square. C'était là
sans doute que le petit Muche rêvait de conduire
sa conquête. Il lui fit les honneurs du square,
comme d'un domaine à lui, très agréable, où il
galopinait pendant des après-midi entiers. Jamais Pauline n'était allée si loin; elle aurait

sangloté comme une demoiselle enlevée, si elle
n'avait pas eu du sucre dans les poches. La fontaine, au milieu de la pelouse coupée de corbeilles, coulait, avec la déchirure de ses nappes;
et les nymphes de Jean Goujon, toutes blanches
dans le gris de la pierre, penchant leurs urnes,
mettaient leur grâce nue au milieu de l'air noir
du quartier Saint-Denis. Les enfants firent le
tour, regardant l'eau tomber des six bassins, intéressés par l'herbe, rêvant certainement de traverser la pelouse centrale. ou de se glisser sous
les massifs de houx et de rhododendrons. dans
la plate-bande longeant la grille du square.
Cependant le petit Muche. qui était parvenu à
froisser la belle robe, par-derrière, dit, avec son
rire en dessous :

— Nous allons jouer à nous jeter du sable,
veux-tu?

Pauline était séduite. Ils se jetèrent du sable,
en fermant les yeux. La sable entrait par le corsage décolleté de la petite, coulait tout le long,
jusque dans ses bas et ses bottines. Muche s'amusait beaucoup, à voir le tablier blanc devenir
tout jaune. Mais il trouva sans doute que c'était
encore trop propre.

— Hein? si nous plantions des arbres.
demanda-t-il tout à coup. C'est moi qui sais faire
de jolis jardins!

— Vrai, des jardins! murmura Pauline pleine
d'admiration.

Alors, comme le gardien du square n'était pas
là, il lui fit creuser des trous dans une plate-
bande. Elle était à genoux, au beau milieu de la
terre molle, s'allongeant sur le ventre, enfonçant
jusqu'aux coudes ses adorables bras nus. Lui,
cherchait des bouts de bois, cassait des branches.
C'étaient les arbres du jardin, qu'il plantait dans
les trous de Pauline. Seulement, il ne trouvait
jamais les trous assez profonds, il la traitait en
mauvais ouvrier, avec des rudesses de patron.
Quand elle se releva, elle était noire des pieds à
la tête; elle avait de la terre dans les cheveux,
toute barbouillée, si drôle avec ses bras de charbonnier, que Muche tapa dans ses mains, en
s'écriant :

— Maintenant, nous allons les arroser... Tu
comprends, ça ne pousserait pas.

Ce fut le comble. Ils sortaient du square,
ramassaient de l'eau au ruisseau, dans le creux
de leurs mains, revenaient en courant arroser les
bouts de bois. En route, Pauline, qui était trop
grosse et qui ne savait pas courir, laissait échapper toute l'eau entre ses doigts, le long de ses
jupes; si bien qu'au sixième voyage, elle semblait
s'être roulée dans le ruisseau. Muche la trouva
très bien, quand elle fut très sale. Il la fit asseoir
avec lui sous un rhododendron, à côté du jardin
qu'ils avaient planté. Il lui racontait que ça
poussait déjà. Il lui avait pris la main, en l'appelant sa petite femme.

— Tu ne regrettes pas d'être venue, n'est-ce pas? Au lieu de rester sur le trottoir, où tu as l'air de t'ennuyer fameusement... Tu verras, je sais tout plein de jeux, dans les rues. Il faudra revenir, entends-tu. Seulement, on ne parle pas de ça à sa maman. On ne fait pas la bête... Si tu dis quelque chose, tu sais, je te tirerai les cheveux, quand je passerai devant chez toi.

Pauline répondait toujours oui. Lui, par dernière galanterie, lui remplissait de terre les deux poches de son tablier. Il la serrait de près, cherchant maintenant à lui faire du mal, par une cruauté de gamin. Mais elle n'avait plus de sucre, elle ne jouait plus, et elle devenait inquiète. Comme il s'était mis à la pincer, elle pleura en disant qu'elle voulait s'en aller. Cela égaya beaucoup Muche, qui se montra cavalier; il la menaça de ne pas la reconduire chez ses parents. La petite, tout à fait terrifiée, poussait des soupirs étouffés, comme une belle à la merci d'un séducteur, au fond d'une auberge inconnue. Il aurait certainement fini par la battre, pour la faire taire, lorsqu'une voix aigre, la voix de mademoiselle Saget, s'écria à côté d'eux :

— Mais, Dieu me pardonne! c'est Pauline... Veux-tu bien la laisser tranquille, méchant vaurien!

La vieille fille prit Pauline par la main, en poussant des exclamations sur l'état pitoyable de sa toilette. Muche ne s'effraya guère; il les suivit, riant sournoisement de son œuvre, répétant que c'était elle qui avait voulu venir, et qu'elle s'était laissée tomber par terre. Mademoiselle Saget était une habituée du square des Innocents. Chaque après-midi, elle y passait une bonne heure, pour se tenir au courant des bavardages du menu peuple. Là, aux deux côtés, il y a une longue file demi-circulaire de bancs mis bout à bout. Les pauvres gens qui étouffent dans les taudis des étroites rues voisines s'y entassent : les vieilles desséchées, l'air frileux, en bonnet fripé; les jeunes en camisole, les jupes mal attachées, les cheveux nus, éreintées, fanées déjà de misère; quelques hommes aussi, des vieillards proprets, des porteurs aux vestes grasses, des messieurs suspects à chapeau noir; tandis que, dans l'allée, la marmaille se roule, traîne des voitures sans roues, emplit des seaux de sable, pleure et se mord, une marmaille terrible, déguenillée, mal mouchée, qui pullule au soleil comme une vermine. Mademoiselle Saget était si mince, qu'elle trouvait toujours à se glisser sur un banc. Elle écoutait, elle entamait la conversation avec une voisine, quelque femme d'ouvrier toute jaune, raccommodant du linge, tirant d'un petit panier, réparé avec des ficelles, des mouchoirs et des bas troués comme des cribles. D'ailleurs, elle avait des connaissances. Au milieu des piaillements intolérables de la marmaille et du roulement continu des voitures, derrière, dans la rue Saint-

Denis, c'étaient des cancans sans fin, des histoires
sur les fournisseurs, les épiciers, les boulangers,
les bouchers, toute une gazette du quartier,
enfiellée par les refus de crédit et l'envie sourde
du pauvre. Elle apprenait, surtout, parmi ces
malheureuses, les choses inavouables, ce qui descendait des garnis louches, ce qui sortait des
loges noires des concierges, les saletés de la médi-
sance, dont elle relevait, comme d'une pointe de
piment, ses appétits de curiosité. Puis, devant
elle, la face tournée du côté des Halles, elle
avait la place, les trois pans de maisons, percées
de leurs fenêtres, dans lesquelles elle cherchait
à entrer du regard; elle semblait se hausser, aller
le long des étages, ainsi qu'à des trous de verre,
jusqu'aux œils-de-bœuf des mansardes; elle dévi-
sageait les rideaux, reconstruisait un drame sur
la simple apparition d'une tête entre deux persiennes, avait fini par savoir l'histoire des locataires de toutes ces maisons, rien qu'à en regarder
les façades. Le restaurant Baratte l'intéressait
d'une façon particulière, avec sa boutique de
marchand de vin, sa marquise découpée et dorée,
formant terrasse, laissant déborder la verdure de
quelques pots de fleurs, ses quatre étages étroits,
ornés et peinturlurés; elle se plaisait au fond
bleu tendre, aux colonnes jaunes, à la stèle sur-
montée d'une coquille, à cette devanture de
temple de carton, badigeonnée sur la face d'une
maison décrépite, terminée en haut, au bord du

toit, par une galerie de zinc passée à la couleur. Derrière les persiennes flexibles, à bandes rouges, elle lisait les bons petits déjeuners, les soupers fins, les noces à tout casser. Et elle mentait même; c'était là que Florent et Gavard venaient faire des bombances avec ces deux salopes de Méhudin; au dessert, il se passait des choses abominables.

Cependant, Pauline pleurait plus fort, depuis que la vieille fille la tenait par la main. Celle-ci se dirigeait vers la porte du square, lorsqu'elle parut se raviser. Elle s'assit sur le bout d'un banc, cherchant à faire taire la petite.

— Voyons, ne pleure plus, les sergents de ville te prendraient... Je vais te reconduire chez toi. Tu me connais bien, n'est-ce pas? Je suis « bonne amie », tu sais... Allons, fais une risette.

Mais les larmes la suffoquaient, elle voulait s'en aller. Alors, mademoiselle Saget, tranquillement, la laissa sangloter, attendant qu'elle eût fini. La pauvre enfant était toute grelottante, les jupes et les bas mouillés; les larmes qu'elle essuyait avec ses poings sales lui mettaient de la terre jusqu'aux oreilles. Quand elle se fut un peu calmée, la vieille reprit d'un ton douce-reux :

— Ta maman n'est pas méchante, n'est-ce pas? Elle t'aime bien.

— Oui, oui, répondit Pauline, le cœur encore très gros.

— Et ton papa, il n'est pas méchant non plus,
il ne te bat pas, il ne se dispute pas avec ta
maman? Qu'est-ce qu'ils disent le soir, quand ils
vont se coucher?

— Ah! je ne sais pas; moi, j'ai chaud dans
mon lit.

— Ils parlent de ton cousin Florent?

— Je ne sais pas.

Mademoiselle Saget prit un air sévère, en feignant de se lever et de s'en aller.

— Tiens! tu n'es qu'une menteuse... Tu sais
qu'il ne faut pas mentir... Je vais te laisser là,
si tu mens, et Muche te pincera.

Muche, qui rôdait devant le banc, intervint,
disant de son ton décidé de petit homme :

— Allez, elle est trop dinde pour savoir...
Moi, je sais que mon bon ami Florent a eu l'air
joliment cornichon, hier, quand maman lui a
dit comme ça, en riant, qu'il pouvait l'embrasser,
si cela lui faisait plaisir.

Mais Pauline, menacée d'être abandonnée,
s'était remise à pleurer.

— Tais-toi donc, tais-toi donc, mauvaise gale!
murmura la vieille en la bousculant. Là, je ne
m'en vais pas, je t'achèterai un sucre d'orge,
hein! un sucre d'orge!... Alors, tu ne l'aimes
pas, ton cousin Florent?

— Non, maman dit qu'il n'est pas honnête.

— Ah! tu vois bien que ta maman disait
quelque chose.

— Un soir, dans mon lit, j'avais Mouton, je dormais avec Mouton... Elle disait à papa : « .Ton frère, il ne s'est sauvé du bagne que pour nous y ramener tous avec lui. »

Mademoiselle Saget poussa un léger cri. Elle s'était mise debout, toute frémissante. Un trait de lumière venait de la frapper en pleine face. Elle reprit la main de Pauline, la fit trotter jusqu'à la charcuterie, sans parler, les lèvres pincées par un sourire intérieur, les regards pointus d'une joie aiguë. Au coin de la rue Pirouette, Muche, qui les accompagnait en gambadant, jouissant de voir la petite courir dans ses bas crottés, disparut prudemment. Lisa était dans une inquiétude mortelle. Quand elle aperçut sa fille faite comme un torchon, elle eut un tel saisissement, qu'elle la tourna de tous les côtés, sans même songer à la battre. La vieille disait de sa voix mauvaise :

— C'est le petit Muche... Je vous la ramène, vous comprenez... Je les ai découverts ensemble, sous un arbre du square. Je ne sais pas ce qu'ils faisaient... A votre place, je la regarderais. Il est capable de tout, cet enfant de gueuse.

Lisa ne trouvait pas une parole. Elle ne savait pas par quel bout prendre sa fille, tant les bottines boueuses, les bas tachés, les jupes déchirées, les mains et la figure noircies la dégoûtaient. Le velours bleu, les boutons d'oreille, la jeannette, disparaissaient sous une couche de crasse. Mais ce qui acheva de l'exaspérer, ce furent les poches pleines de terre. Elle se pencha, les vida, sans respect pour le dallage blanc et rose de la boutique. Puis, elle ne put prononcer qu'un mot, elle entraîna Pauline, en disant :

— Venez, ordure.

Mademoiselle Saget, qui était tout égayée par cette scène, au fond de son chapeau noir, traversa vivement la rue Rambuteau. Ses pieds menus touchaient à peine le pavé; une jouissance la portait, comme un souffle plein de caresses chatouillantes. Elle savait donc enfin! Depuis près d'une année qu'elle brûlait, voilà qu'elle possédait Florent, tout entier, tout d'un coup. C'était un contentement inespéré, qui la guérissait de quelque maladie; car elle sentait bien que cet homme-là l'aurait fait mourir à petit feu, en se refusant plus longtemps à ses ardeurs de curiosité. Maintenant, le quartier des Halles lui appartenait; il n'y avait plus de lacune dans sa tête; elle aurait raconté chaque rue, boutique par boutique. Et elle poussait de petits soupirs pâmés, tout en entrant dans le pavillon aux fruits.

— Eh! mademoiselle Saget, cria la Sarriette de son banc, qu'est-ce que vous avez donc à rire toute seule?... Est-ce que vous avez gagné le gros lot à la loterie?

— Non, non... Ah! ma petite, si vous saviez!...

La Sarriette était adorable, au milieu de ses

fruits, avec son débraillé de belle fille. Ses cheveux frisottants lui tombaient sur le front,
comme des pampres. Ses bras nus, son cou nu,
tout ce qu'elle montrait de nu et de rose, avait
une fraîcheur de pêche et de cerise. Elle s'était
pendu par gaminerie des guignes aux oreilles,
des guignes noires qui sautaient sur ses joues,
quand elle se penchait, toute sonore de rires.
Ce qu'il l'amusait si fort, c'était qu'elle mangeait des groseilles, et qu'elle les mangeait à
s'en barbouiller la bouche, jusqu'au menton et
jusqu'au nez; elle avait la bouche rouge, une
bouche maquillée, fraîche du jus des groseilles,
comme peinte et parfumée de quelque fard du
sérail. Une odeur de prune montait de ses jupes.
Son fichu mal noué sentait la fraise.

Et, dans l'étroite boutique, autour d'elle, les
fruits s'entassaient. Derrière, le long des étagères,
il y avait des files de melons, des cantaloups cou-
turés de verrues, des maraîchers aux guipures
grises, des culs-de-singe avec leurs bosses nues.
A l'étalage, les beaux fruits, délicatement parés
dans des paniers, avaient des rondeurs de joues
qui se cachent, des faces de belles enfants entrevues à demi sous un rideau de feuilles; les pêches
surtout, les Montreuil rougissantes, de peau fine
et claire comme des filles du Nord, et les pêches
du Midi, jaunes et brûlées, ayant le hâle des
filles de Provence. Les abricots prenaient sur la
mousse des tons d'ambre, ces chaleurs de coucher

de soleil qui chauffent la nuque des brunes, à
l'endroit où frisent de petits cheveux. Les cerises,
rangées une à une, ressemblaient à des lèvres
trop étroites de Chinoise qui souriaient : les
Montmorency, lèvres trapues de femme grasse;
les Anglaises, plus allongées et plus graves; les
guignes, chair commune, noire, meurtrie de baisers; les bigarreaux tachés de blanc et de rose,
au rire à la fois joyeux et fâché. Les pommes,
les poires s'empilaient, avec des régularités d'architecture, faisant des pyramides, montrant des
rougeurs de seins naissants, des épaules et des
hanches dorées, toute une nudité discrète, au
milieu des brins de fougère; elles étaient de
peaux différentes, les pommes d'api au berceau,
les rambourg avachies, les calville en robe
blanche, les canada sanguines, les châtaignier
couperosées, les reinettes blondes, piquées de
rousseur; puis, les variétés des poires, la blan-
quette, l'angleterre, les beurrés, les messire-jean,
les duchesses, trapues, allongées, avec des cous
de cygne ou des épaules apoplectiques, les
ventres jaunes et verts, relevés d'une pointe de
carmin. A côté, les prunes transparentes montraient des douceurs chlorotiques de vierge; les
reines-claudes, les prunes de monsieur étaient
pâlies d'une fleur d'innocence; les mirabelles
s'égrenaient comme les perles d'or d'un rosaire,
oublié dans une boîte avec des bâtons de vanille.
Et les fraises, elles aussi, exhalaient un parfum

frais, un parfum de jeunesse, les petites surtout,
celles qu'on cueille dans les bois, plus encore
que les grosses fraises de jardin, qui sentent la
fadeur des arrosoirs. Les framboises ajoutaient
un bouquet à cette odeur pure. Les groseilles,
les cassis, les noisettes, riaient avec des mines
délurées; pendant que des corbeilles de raisins,
des grappes lourdes, chargées d'ivresse, se
pâmaient au bord de l'osier, en laissant retomber
leurs grains roussis par les voluptés trop chaudes
du soleil.

La Sarriette vivait là, comme dans un verger,
avec des griseries d'odeurs. Les fruits à bas prix,
les cerises, les prunes, les fraises, entassés devant
elle sur des paniers plats, garnis de papier, se
meurtrissaient, tachaient l'étalage de jus, d'un
jus fort qui fumait dans la chaleur. Elle sentait
aussi la tête lui tourner, en juillet, par les
après-midi brûlants, lorsque les melons l'entouraient d'une puissante vapeur de musc. Alors,
ivre, montrant plus de chair sous son fichu, à
peine mûre et toute fraîche de printemps, elle
tentait la bouche, elle inspirait des envies de
maraude. C'était elle, c'étaient ses bras, c'était
son cou, qui donnaient à ses fruits cette vie
amoureuse, cette tiédeur satinée de femme. Sur
le banc de vente, à côté, une vieille marchande,
une ivrognesse affreuse, n'étalait que des pommes
ridées, des poires pendantes comme des seins
vides, des abricots cadavéreux, d'un jaune

infâme de sorcière. Mais, elle, faisait de son
étalage une grande volupté nue. Ses lèvres
avaient posé là une à une les cerises, des baisers
rouges; elle laissait tomber de son corsage les
pêches soyeuses; elle fournissait aux prunes sa
peau la plus tendre, la peau de ses tempes, celle
de son menton, celle des coins de sa bouche; elle
laissait couler un peu de son sang rouge dans
les veines des groseilles. Ses ardeurs de belle fille
mettaient en rut ces fruits de la terre, toutes
ces semences, dont les amours s'achevaient sur un
lit de feuilles, au fond des alcôves tendues de
mousse des petits paniers. Derrière sa boutique,
l'allée aux fleurs avait une senteur fade, auprès
de l'arôme de vie qui sortait de ses corbeilles
entamées et de ses vêtements défaits.

Cependant, la Sarriette, ce jour-là, était toute
grise d'un arrivage de mirabelles, qui encombrait
le marché. Elle vit bien que mademoiselle Saget
avait quelque grosse nouvelle, et elle voulut la
faire causer; mais la vieille, en piétinant d'impatience :

— Non, non, je n'ai pas le temps... Je cours
voir madame Lecœur. Ah! j'en sais de belles!...
Venez, si vous voulez.

A la vérité, elle ne traversait le pavillon aux
fruits que pour racoler la Sarriette. Celle-ci ne
put résister à la tentation. Monsieur Jules était
là, se dandinant sur une chaise retournée, rasé
et frais comme un chérubin.

— Garde un instant la boutique, n'est-ce pas? lui dit-elle. Je reviens tout de suite.

Mais lui se leva, lui cria de sa voix grasse, comme elle tournait l'allée :

— Eh! pas de ça, Lisette! Tu sais, je file, moi... Je ne veux pas attendre une heure comme l'autre jour... Avec ça que tes prunes me donnent mal à la tête.

Il s'en alla tranquillement, les mains dans les poches. La boutique resta seule. Mademoiselle Saget faisait courir la Sarriette. Au pavillon du beurre, une voisine leur dit que madame Lecœur était à la cave. La Sarriette descendit la chercher, pendant que la vieille s'installait au milieu des fromages.

En bas, la cave est très sombre; le long des ruelles, les resserres sont tendues d'une toile métallique à mailles fines, par crainte des incendies; les becs de gaz, fort rares, font des taches jaunes sans rayons, dans la buée nauséabonde, qui s'alourdit sous l'écrasement de la voûte. Mais, madame Lecœur travaillait le beurre, sur une des tables placées le long de la rue Berger. Les soupiraux laissent tomber un jour pâle. Les tables, continuellement lavées à grande eau par des robinets, ont des blancheurs de tables neuves. Tournant le dos à la pompe du fond, la marchande pétrissait « la maniotte », au milieu d'une boîte de chêne. Elle prenait, à côté d'elle, les échantillons des différents beurres, les mêlait, les corrigeait l'un par l'autre, ainsi qu'on procède pour le coupage des vins. Pliée en deux, les épaules pointues, les bras maigres et noueux, comme des échalas, nus jusqu'aux épaules, elle enfonçait furieusement les poings dans cette pâte grasse qui prenait un aspect blanchâtre et crayeux. Elle suait, elle poussait un soupir à chaque effort.

— C'est mademoiselle Saget qui voudrait vous parler, ma tante, dit la Sarriette.

Madame Lecœur s'arrêta, ramena son bonnet sur ses cheveux, de ses doigts pleins de beurre, sans paraître avoir peur des taches.

— J'ai fini, qu'elle attende un instant, répondit-elle.

— Elle a quelque chose de très intéressant à vous dire.

— Rien qu'une minute, ma petite.

Elle avait replongé les bras. Le beurre lui montait jusqu'aux coudes. Amolli préalablement dans l'eau tiède, il huilait sa chair de parchemin, faisant ressortir les grosses veines violettes qui lui couturaient la peau, pareilles à des chapelets de varices éclatées. La Sarriette était toute dégoûtée par ces vilains bras, s'acharnant au milieu de cette masse fondante. Mais elle se rappelait le métier; autrefois, elle mettait, elle aussi, ses petites mains adorables dans le beurre, pendant des après-midi entières; même c'était là sa pâte d'amande, un onguent qui lui conservait la peau blanche, les ongles roses, et dont ses doigts déliés semblaient avoir gardé la souplesse. Aussi, au bout d'un silence, reprit-elle :

— Elle ne sera pas fameuse, votre maniotte, ma tante... Vous avez là des beurres trop forts.

— Je le sais bien, dit madame Lecœur entre deux gémissements, mais que veux-tu? il faut tout faire passer... Il y a des gens qui veulent payer bon marché; on leur fait du bon marché... Va, c'est toujours trop bon pour les clients.

La Sarriette pensait qu'elle n'en mangerait pas volontiers, du beurre travaillé par les bras de sa tante. Elle regarda dans un petit pot plein d'une sorte de teinture rouge.

— Il est trop clair, votre raucourt, murmura-t-elle.

Le raucourt sert à rendre à la maniotte une belle couleur jaune. Les marchandes croient garder religieusement le secret de cette teinture, qui provient simplement de la graine du rocouyer; il est vrai qu'elles en fabriquent avec des carottes et des fleurs de soucis.

— A la fin, venez-vous! dit la jeune femme qui s'impatientait et qui n'était plus habituée à l'odeur infecte de la cave. Mademoiselle Saget est peut-être déjà partie... Elle doit savoir des choses très graves sur mon oncle Gavard.

Madame Lecœur, du coup, ne continua pas. Elle laissa la maniotte et le raucourt. Elle ne

s'essuya pas même les bras. D'une légère tape,
elle ramena de nouveau son bonnet, marchant
sur les talons de sa nièce, remontant l'escalier,
en répétant avec inquiétude :

— Tu crois qu'elle ne nous aura pas atten-
dues?

Mais elle se rassura, en apercevant mademoiselle Saget, au milieu des fromages. Elle n'avait
eu garde de s'en aller. Les trois femmes s'assirent
au fond de l'étroite boutique. Elles y étaient les
unes sur les autres, se parlant le nez dans la
face. Mademoiselle Saget garda le silence pendant deux bonnes minutes; puis, quand elle vit
les deux autres toutes brûlantes de curiosité,
d'une voix pointue :

— Vous savez, ce Florent...? Eh bien, je peux
vous dire d'où il vient, maintenant.

Et elle les laissa un instant encore suspendues
à ses lèvres.

— Il vient du bagne, dit-elle enfin, en assour-
dissant terriblement sa voix.

Autour d'elles, les fromages puaient. Sur les
deux étagères de la boutique, au fond, s'alignaient des mottes de beurre énormes; les
beurres de Bretagne, dans des paniers, débordaient; les beurres de Normandie, enveloppés
de toile, ressemblaient à des ébauches de ventres,
sur lesquelles un sculpteur aurait jeté des linges
mouillés; d'autres mottes, entamées, taillées par
les larges couteaux en rochers à pic, pleines de

vallons et de cassures, étaient comme des cimes
éboulées, dorées par la pâleur d'un soir d'automne. Sous la table d'étalage, de marbre rouge
veiné de gris, des paniers d'œufs mettaient une
blancheur de craie; et, dans des caisses, sur des
clayons de paille, des bondons posés bout à bout,
des gournay rangés à plat comme des médailles,
faisaient des nappes plus sombres, tachées de
tons verdâtres. Mais c'était surtout sur la table
que les fromages s'empilaient. Là, à côté des
pains de beurre à la livre, dans des feuilles de
poirée, s'élargissait un cantal géant, comme
fendu à coups de hache; puis venaient un chester, couleur d'or, un gruyère, pareil à une roue
tombée de quelque char barbare, des hollande,
ronds comme des têtes coupées, barbouillées de
sang séché, avec cette dureté de crâne vide qui
les fait nommer têtes-de-mort. Un parmesan, au
milieu de cette lourdeur de pâte cuite, ajoutait
sa pointe d'odeur aromatique. Trois brie, sur
des planches rondes, avaient des mélancolies de
lunes éteintes; deux, très secs, étaient dans leur
plein, le troisième, dans son deuxième quartier,
coulait, se vidait d'une crème blanche, étalée en
lac, ravageant les minces planchettes, à l'aide
desquelles on avait vainement essayé de le
contenir. Des port-salut, semblables à des disques
antiques, montraient en exergue le nom imprimé
des fabricants. Un romantour, vêtu de son papier
d'argent, donnait le rêve d'une barre de nougat,

d'un fromage sucré, égaré parmi ces fermentations âcres. Les roquefort, eux aussi, sous des cloches de cristal, prenaient des mines princières, des faces marbrées et grasses, veinées de bleu et de jaune, comme attaqués d'une maladie honteuse de gens riches qui ont trop mangé de truffes; tandis que, dans un plat à côté, des fromages de chèvre, gros comme un poing d'enfant, durs et grisâtres, rappelaient les cailloux que les boucs, menant leur troupeau, font rouler aux coudes des sentiers pierreux. Alors, commençaient les puanteurs : les mont-d'or, jaune clair, puant une odeur douceâtre; les troyes, très épais, meurtris sur les bords, d'âpreté déjà plus forte, ajoutant une fétidité de cave humide; les camembert, d'un fumet de gibier trop faisandé; les neufchâtel, les limbourg, les marolles, les pont-l'évêque, carrés, mettant chacun leur note aiguë et particulière dans cette phrase rude jusqu'à la nausée; les livarot, teintés de rouge, terribles à la gorge comme une vapeur de soufre; puis enfin, par-dessus tous les autres, les olivet, enveloppés de feuilles de noyer, ainsi que ces charognes que les paysans couvrent de branches, au bord d'un champ, fumantes au soleil. La chaude après-midi avait amolli les fromages; les moisissures des croûtes fondaient, se vernissaient avec des tons riches de cuivre rouge et de vert-de-gris, semblables à des blessures mal fermées; sous les feuilles de chêne, un souffle soulevait la peau des olivet, qui battait comme une poitrine, d'une haleine lente et grosse d'homme endormi; un flot de vie avait troué un livarot, accouchant par cette entaille d'un peuple de vers. Et, derrière les balances, dans sa boîte mince, un géromé anisé répandait une infection telle, que des mouches étaient tombées autour de la boîte, sur le marbre rouge veiné de gris.

Mademoiselle Saget avait ce géromé presque sous le nez. Elle se recula, appuya la tête contre les grandes feuilles de papier jaunes et blanches, accrochées par un coin, au fond de la boutique.

— Oui, répéta-t-elle avec une grimace de dégoût, il vient du bagne... Hein! ils n'ont pas besoin de faire les fiers, les Quenu-Gradelle!

Mais madame Lecœur et la Sarriette poussaient des exclamations d'étonnement. Ce n'était pas possible. Qu'avait-il donc commis pour aller au bagne? aurait-on jamais soupçonné cette madame Quenu, cette vertu qui faisait la gloire du quartier, de choisir un amant au bagne?

— Eh! non, vous n'y êtes pas, s'écria la vieille impatientée. Ecoutez-moi donc... Je savais bien que j'avais déjà vu ce grand escogriffe quelque part.

Elle leur conta l'histoire de Florent. Maintenant, elle se souvenait d'un bruit vague qui avait couru dans le temps, d'un neveu du vieux Gradelle envoyé à Cayenne, pour avoir tué six

gendarmes sur une barricade; elle l'avait même
aperçu une fois, rue Pirouette. C'était bien lui,
c'était le faux cousin. Et elle se lamentait, en
ajoutant qu'elle perdait la mémoire, qu'elle
était finie, que bientôt elle ne saurait plus rien.
Elle pleurait cette mort de sa mémoire, comme
un érudit qui verrait s'envoler au vent les notes
amassées par le travail de toute une existence.

— Six gendarmes, murmura la Sarriette avec
admiration, il doit avoir une poigne solide, cet
homme-là.

— Et il en a bien fait d'autres, ajouta mademoiselle Saget. Je ne vous conseille pas de le
rencontrer à minuit.

— Quel gredin! balbutia madame Lecœur,
tout à fait épouvantée.

Le soleil oblique entrait sous le pavillon, les
fromages puaient plus fort. A ce moment, c'était
surtout le marolles qui dominait; il jetait des
bouffées puissantes, une senteur de vieille litière,
dans la fadeur des mottes de beurre. Puis, le vent
parut tourner; brusquement, des râles de limbourg arrivèrent entre les trois femmes, aigres et
amers, comme soufflés par des gorges de mou-
rants.

— Mais, reprit madame Lecœur, il est le
beau-frère de la grosse Lisa, alors... Il n'a pas
couché avec...

Elles se regardèrent, surprises par ce côté du
nouveau cas de Florent. Cela les ennuyait de

lâcher leur première version. La vieille demoiselle hasarda, en haussant les épaules :

— Ça n'empêcherait pas... quoique, à vrai dire,
ça me paraîtrait vraiment raide... Enfin, je n'en
mettrais pas ma main au feu.

— D'ailleurs, fit remarquer la Sarriette, ce
serait ancien, il n'y coucherait toujours plus,
puisque vous l'avez vu avec les deux Méhudin.

— Certainement, comme je vous vois, ma
belle, s'écria mademoiselle Saget, piquée, croyant
qu'on doutait. Il y est tous les soirs, dans les
jupes des Méhudin... Puis, ça nous est égal.
Qu'il ait couché avec qui il voudra, n'est-ce pas?
Nous sommes d'honnêtes femmes, nous... C'est
un fier coquin!

— Bien sûr, conclurent les deux autres. C'est
un scélérat fini.

En somme, l'histoire tournait au tragique;
elles se consolaient d'épargner la belle Lisa, en
comptant sur quelque épouvantable catastrophe
amenée par Florent. Evidemment, il avait de
mauvais desseins; ces gens-là ne s'échappent que
pour mettre le feu partout; puis, un homme
pareil ne pouvait être entré aux Halles sans
« manigancer quelque coup ». Alors, ce furent
des suppositions prodigieuses. Les deux marchandes déclarèrent qu'elles allaient ajouter un
cadenas à leur resserre; même la Sarriette se
rappela que, l'autre semaine, on lui avait volé
un panier de pêches. Mais mademoiselle Saget

les terrifia, en leur apprenant que les « rouges »
ne procédaient pas comme cela; ils se moquaient
bien d'un panier de pêches; ils se mettaient à
deux ou trois cents pour tuer tout le monde,
piller à leur aise. Ça, c'était de la politique,
disait-elle avec la supériorité d'une personne
instruite. Madame Lecœur en fut malade; elle
voyait les Halles flamber, une nuit que Florent
et ses complices se seraient cachés au fond des
caves, pour s'élancer de là sur Paris.

— Eh! j'y songe, dit tout à coup la vieille, il
y a l'héritage du vieux Gradelle... Tiens! tiens!
ce sont les Quenu qui ne doivent pas rire.

Elle était toute réjouie. Les commérages
tournèrent. On tomba sur les Quenu, quand elle
eut raconté l'histoire du trésor dans le saloir,
qu'elle savait jusqu'aux plus minces détails. Elle
disait même le chiffre de quatre-vingt-cinq
mille francs, sans que Lisa ni son mari se rappe-
lassent l'avoir confié à âme qui vive. N'importe,
les Quenu n'avaient pas donné sa part « au
grand maigre ». Il était trop mal habillé pour
ça. Peut-être qu'il ne connaissait seulement pas
l'histoire du saloir. Tous voleurs, ces gens-là.
Puis, elles rapprochèrent leurs têtes, baissant la
voix, décidant qu'il serait peut-être dangereux
de s'attaquer à la belle Lisa, mais qu'il fallait
« faire son affaire au rouge », pour qu'il ne
mangeât plus l'argent de ce pauvre monsieur
Gavard.

Au nom de Gavard, il se fit un silence. Elles se regardèrent toutes trois, d'un air prudent. Et, comme elles soufflaient un peu, ce fut le camembert qu'elles sentirent surtout. Le camembert, de son fumet de venaison, avait vaincu les odeurs plus sourdes du marolles et du limbourg; il élargissait ses exhalaisons, étouffait les autres senteurs sous une abondance surprenante d'haleines gâtées. Cependant, au milieu de cette phrase vigoureuse, le parmesan jetait par moments un filet mince de flûte champêtre; tandis que les brie y mettaient des douceurs fades de tambourins humides. Il y eut une reprise suffocante du livarot. Et cette symphonie se tint un moment sur une note aiguë du géromé anisé, prolongée en point d'orgue.

— J'ai vu madame Léonce, reprit mademoiselle Saget, avec un coup d'œil significatif.

Alors, les deux autres furent très attentives. Madame Léonce était la concierge de Gavard, rue de la Cossonnerie. Il habitait là une vieille maison, un peu en retrait, occupée au rez-de-chaussée par un entrepositaire de citrons et d'oranges, qui avait fait badigeonner la façade en bleu, jusqu'au deuxième étage. Madame Léonce faisait son ménage, gardait les clefs des armoires, lui montait de la tisane lorsqu'il était enrhumé. C'était une femme sévère, de cinquante et quelques années, parlant lentement, d'une façon interminable; elle s'était fâchée un

jour, parce que Gavard lui avait pincé la taille;
ce qui ne l'empêcha pas de lui poser des sangsues,
à un endroit délicat, à la suite d'une chute qu'il
avait faite. Mademoiselle Saget qui, tous les
mercredis soir, allait prendre le café dans sa
loge, lia avec elle une amitié encore plus étroite,
quand le marchand de volailles vint habiter la
maison. Elles causaient ensemble du digne
homme pendant des heures entières; elles l'aimaient beaucoup; elles voulaient son bonheur.

— Oui, j'ai vu madame Léonce, répéta la
vieille : nous avons pris le café, hier... Je l'ai
trouvée très peinée. Il paraît que monsieur Gavard ne rentre plus avant une heure. Dimanche,
elle lui a monté du bouillon, parce qu'elle lui
avait vu le visage tout à l'envers.

— Elle sait bien ce qu'elle fait, allez, dit
madame Lecœur, que ces soins de la concierge
inquiétaient.

Mademoiselle Saget crut devoir défendre son
amie.

— Pas du tout, vous vous trompez... Madame
Léonce est au-dessus de sa position. C'est une
femme très comme il faut... Ah! bien, si elle
voulait s'emplir les mains, chez monsieur Gavard, il y a longtemps qu'elle n'aurait eu qu'à
se baisser. Il paraît qu'il laisse tout traîner...
C'est justement à propos de cela que je veux
vous parler. Mais, silence, n'est-ce pas? Je vous
dis ça sous le sceau du secret.

Elles jurèrent leurs grands dieux qu'elles seraient muettes. Elles avançaient le cou. Alors l'autre, solennellement :

— Vous saurez donc que monsieur Gavard est tout chose depuis quelque temps... Il a acheté des armes, un grand pistolet qui tourne, vous savez. Madame Léonce dit que c'est une horreur, que ce pistolet est toujours sur la cheminée ou sur la table, et qu'elle n'ose plus essuyer... Et ce n'est rien encore. Son argent...

— Son argent, répéta madame Lecœur, dont les joues brûlaient.

— Eh bien, il n'a plus d'actions, il a tout vendu, il a maintenant dans une armoire un tas d'or...

— Un tas d'or, dit la Sarriette ravie.

— Oui, un gros tas d'or. Il y en a plein sur une planche. Ça éblouit. Madame Léonce m'a raconté qu'il avait ouvert l'armoire un matin devant elle, et que ça lui a fait mal aux yeux, tant ça brillait.

Il y eut un nouveau silence. Les paupières des trois femmes battaient, comme si elles avaient vu le tas d'or. La Sarriette se mit à rire la première, en murmurant :

— Moi, si mon oncle me donnait ça, je m'amuserais joliment avec Jules... Nous ne nous lèverions plus, nous ferions monter de bonnes choses du restaurant.

Madame Lecœur restait comme écrasée sous

cette révélation, sous cet or qu'elle ne pouvait
maintenant chasser de sa vue. L'envie l'étreignait
aux flancs. Enfin elle leva ses bras maigres, ses
mains sèches, dont les ongles débordaient de
beurre figé; et elle ne put que balbutier, d'un
ton plein d'angoisse :

— Il n'y faut pas penser, ça fait trop de mal.

— Eh! ce serait votre bien, si un accident arrivait, dit mademoiselle Saget. Moi, à votre place,
je veillerais à mes intérêts... Vous comprenez,
ce pistolet ne me dit rien de bon. Monsieur Gavard est mal conseillé. Tout ça finira mal.

Elles en revinrent à Florent. Elles le déchirè-
rent avec plus de fureur encore. Puis, posément,
elles calculèrent où ces mauvaises histoires pouvaient les mener, lui et Gavard. Très loin, à
coup sûr, si l'on avait la langue trop longue.
Alors, elles jurèrent, quant à elles, de ne pas
ouvrir la bouche, non que cette canaille de
Florent méritât le moindre ménagement, mais
parce qu'il fallait éviter à tout prix que le digne
monsieur Gavard fût compromis. Elles s'étaient
levées, et comme mademoiselle Saget s'en allait :

— Pourtant, dans le cas d'un accident,
demanda la marchande de beurre, croyez-vous
qu'on pourrait se fier à madame Léonce?... C'est
elle peut-être qui a la clef de l'armoire?

— Vous m'en demandez trop long, répondit
la vieille. Je la crois très honnête femme; mais,
après tout, je ne sais pas; il y a des circonstances...

Enfin, je vous ai prévenues toutes les deux; c'est votre affaire.

Elles restaient debout, se saluant, dans le bouquet final des fromages. Tous, à cette heure, donnaient à la fois. C'était une cacophonie de souffles infects, depuis les lourdeurs molles des pâtes cuites, du gruyère et du hollande, jusqu'aux pointes alcalines de l'olivet. Il y avait des ronflements sourds du cantal, du chester, des fromages de chèvre, pareils à un chant large de basse, sur lesquels se détachaient, en notes piquées, les petites fumées brusques des neufchâtel, des troyes et des mont-d'or. Puis les odeurs s'effaraient, roulaient les unes sur les autres, s'épaississaient des bouffées du port-salut, du limbourg, du géromé, du marolles, du livarot, du pont-l'évêque, peu à peu confondues, épanouies en une seule explosion de puanteurs. Cela s'épandait, se soutenait, au milieu du vibrement général, n'ayant plus de parfums distincts, d'un vertige continu de nausée et d'une force terrible d'asphyxie. Cependant, il semblait que c'étaient les paroles mauvaises de madame Lecœur et de mademoiselle Saget qui puaient si fort.

— Je vous remercie bien, dit la marchande de beurre. Allez! si je suis jamais riche, je vous récompenserai.

Mais la vieille ne s'en allait pas. Elle prit un bondon, le retourna, le remit sur la table de marbre. Puis, elle demanda combien ça coûtait.

— Pour moi? ajouta-t-elle avec un sourire.

— Pour vous, rien, répondit madame Lecœur.
Je vous le donne.

Et elle répéta :

— Ah! si j'étais riche!

Alors, mademoiselle Saget lui dit que ça viendrait un jour. Le bondon avait déjà disparu dans
le cabas. La marchande de beurre redescendit à
la cave, tandis que la vieille demoiselle recondui-
sait la Sarriette jusqu'à sa boutique. Là, elles
causèrent un instant de monsieur Jules. Les
fruits, autour d'elles, avaient leur odeur fraîche
de printemps.

— Ça sent meilleur chez vous que chez votre
tante, dit la vieille. J'en avais mal au cœur, tout
à l'heure. Comment fait-elle pour vivre là-
dedans?... Au moins, ici, c'est doux, c'est bon.
Cela vous rend toute rose, ma belle.

La Sarriette se mit à rire. Elle aimait les
compliments. Puis, elle vendit une livre de mirabelles à une dame, en disant que c'était un sucre.

— J'en achèterais bien, des mirabelles, murmura mademoiselle Saget, quand la dame fut
partie; seulement il m'en faut si peu... Une
femme seule, vous comprenez...?

— Prenez-en donc une poignée, s'écria la jolie
brune. Ce n'est pas ça qui me ruinera... Envoyez-
moi Jules, n'est-ce pas? si vous le voyez. Il doit
fumer son cigare, sur le premier banc, en sortant
de la grande rue, à droite.

Mademoiselle Saget avait élargi les doigts pour prendre la poignée de mirabelles, qui alla rejoindre le bondon dans le cabas. Elle feignit de vouloir sortir des Halles; mais elle fit un détour par une des rues couvertes, marchant lentement, songeant que des mirabelles et un bondon composaient un dîner par trop maigre. D'ordinaire, après sa tournée de l'après-midi, lorsqu'elle n'avait pas réussi à faire emplir son cabas par les marchandes, qu'elle comblait de cajoleries et d'histoires, elle en était réduite aux rogatons. Elle retourna sournoisement au pavillon du beurre. Là, du côté de la rue Berger, derrière les bureaux des facteurs aux huîtres, se trouvent les bancs de viandes cuites. Chaque matin, de petites voitures fermées, en forme de caisses, doublées de zinc et garnies de soupiraux, s'arrêtent aux portes des grandes cuisines, rapportent pêle-mêle la desserte des restaurants, des ambassades, des ministères. Le triage a lieu dans la cave. Dès neuf heures, les assiettes s'étalent, parées, à trois sous et à cinq sous, morceaux de viande, filet de gibier, têtes ou queues de poissons, légumes, charcuterie, jusqu'au dessert, des gâteaux à peine entamés et des bonbons presque entiers. Les meurt-de-faim, les petits employés, les femmes grelottant la fièvre, font queue; et parfois les gamins huent des ladres blêmes, qui achètent avec des regards sournois, guettant si personne ne les voit. Mademoiselle Saget se

glissa devant une boutique, dont la marchande
affichait la prétention de ne vendre que des
reliefs sortis des Tuileries. Un jour, elle lui
avait même fait prendre une tranche de gigot,
en lui affirmant qu'elle venait de l'assiette de
l'empereur. Cette tranche de gigot, mangée avec
quelque fierté, restait comme une consolation
pour la vanité de la vieille demoiselle. Si elle
se cachait, c'était d'ailleurs pour se ménager
l'entrée des magasins du quartier, où elle rôdait
sans jamais rien acheter. Sa tactique était de se
fâcher avec les fournisseurs, dès qu'elle savait
leur histoire; elle allait chez d'autres, les quittait, se raccommodait, faisait le tour des Halles;
de façon qu'elle finissait par s'installer dans
toutes les boutiques. On aurait cru à des provisions formidables, lorsqu'en réalité elle vivait
de cadeaux et de rogatons payés de son argent,
en désespoir de cause.

Ce soir-là, il n'y avait qu'un grand vieillard
devant la boutique. Il flairait une assiette, poisson et viande mêlés. Mademoiselle Saget flaira
de son côté un lot de friture froide. C'était à
trois sous. Elle marchanda, l'obtint à deux sous.
La friture froide s'engouffra dans le cabas. Mais
d'autres acheteurs arrivaient, les nez s'approchaient des assiettes, d'un mouvement uniforme.
L'odeur de l'étalage était nauséabonde, une
odeur de vaisselle grasse et d'évier mal lavé.

— Venez me voir demain, dit la marchande à

la vieille. Je vous mettrai de côté quelque chose de bon... Il y a un grand dîner aux Tuileries, ce soir.

Mademoiselle Saget promettait de venir, lorsque, en se retournant, elle aperçut Gavard qui avait entendu et qui la regardait. Elle devint très rouge, serra ses épaules maigres, s'en alla sans paraître le reconnaître. Mais il la suivit un instant, haussant les épaules, marmottant que la méchanceté de cette pie-grièche ne l'étonnait plus, « du moment qu'elle s'empoisonnait des saletés sur lesquelles on avait roté aux Tuileries. »

Dès le lendemain, une rumeur sourde courut dans les Halles. Madame Lecœur et la Sarriette tenaient leurs grands serments de discrétion. En cette circonstance, mademoiselle Saget se montra particulièrement habile : elle se tut, laissant aux deux autres le soin de répandre l'histoire de Florent. Ce fut d'abord un récit écourté, de simples mots qui se colportaient tout bas; puis, les versions diverses se fondirent, les épisodes s'allongèrent, une légende se forma, dans laquelle Florent jouait un rôle de Croquemitaine. Il avait tué dix gendarmes, à la barricade de la rue Grenéta; il était revenu sur un bateau de pirates qui massacraient tout en mer; depuis son arrivée, on le voyait rôder la nuit avec des hommes suspects, dont il devait être le chef. Là, l'imagination des marchandes se lançait librement, rêvait les choses les plus dramatiques, une bande de contrebandiers en plein Paris. ou bien une vaste association qui centralisait les vols commis dans les Halles. On plaignit beaucoup les Quenu-Gradelle, tout en parlant méchamment de l'héritage. Cet héritage passionna. L'opinion générale fut que Florent était revenu pour prendre sa part du trésor. Seulement. comme il était peu explicable que le partage ne fût pas encore fait, on inventa qu'il attendait une bonne occasion pour tout empocher. Un jour, on trouverait certainement les Quenu-Gradelle massacrés. On racontait que déjà, chaque soir, il y avait des querelles épouvantables entre les deux frères et la belle Lisa.

Lorsque ces contes arrivèrent aux oreilles de la belle Normande, elle haussa les épaules en riant.

— Allez donc, dit-elle, vous ne le connaissez pas... Il est doux comme un mouton, le cher homme.

Elle venait de refuser nettement la main de monsieur Lebigre, qui avait tenté une démarche officielle. Depuis deux mois, tous les dimanches, il donnait aux Méhudin une bouteille de liqueur. C'était Rose qui apportait la bouteille. de son air soumis. Elle se trouvait toujours chargée d'un compliment pour la Normande, d'une phrase aimable qu'elle répétait fidèlement. sans paraître le moins du monde ennuyée de cette étrange commission. Quand Monsieur Lebigre

se vit congédié, pour montrer qu'il n'était pas
fâché, et qu'il gardait de l'espoir, il envoya Rose,
le dimanche suivant, avec deux bouteilles de
champagne et un gros bouquet. Ce fut justement à la belle poissonnière qu'elle remit le
tout, en récitant d'une haleine ce madrigal de
marchand de vin :

— Monsieur Lebigre vous prie de boire ceci
à sa santé qui a été beaucoup ébranlée par ce
que vous savez. Il espère que vous voudrez bien
un jour le guérir, en étant pour lui aussi belle
et aussi bonne que ces fleurs.

La Normande s'amusa de la mine ravie de
la servante. Elle l'embarrassa en lui parlant de
son maître, qui était très exigeant, disait-on. Elle
lui demanda si elle l'aimait beaucoup, s'il portait des bretelles, s'il ronflait la nuit. Puis, elle
lui fit remporter le champagne et le bouquet.

— Dites à monsieur Lebigre qu'il ne vous
renvoie plus... Vous êtes trop bonne, ma petite.
Ça m'irrite de vous voir si douce, avec vos bouteilles sous vos bras. Vous ne pouvez donc pas le
griffer, votre monsieur?

— Dame! il veut que je vienne, répondit Rose
en s'en allant. Vous avez tort de lui faire de la
peine, vous... Il est bien bel homme.

La Normande était conquise par le caractère
tendre de Florent. Elle continuait à suivre les
leçons de Muche, le soir, sous la lampe, rêvant
qu'elle épousait ce garçon si bon pour les

enfants; elle gardait son banc de poissonnière, il
arrivait à un poste élevé dans l'administration
des Halles. Mais ce rêve se heurtait au respect
que le professeur lui témoignait; il la saluait, se
tenait à distance, lorsqu'elle aurait voulu rire
avec lui, se laisser chatouiller, aimer enfin
comme elle savait aimer. Cette résistance sourde
fut justement ce qui lui fit caresser l'idée de
mariage, à toute heure. Elle s'imaginait de
grandes jouissances d'amour-propre. Florent
vivait ailleurs, plus haut et plus loin. Il aurait
peut-être cédé, s'il ne s'était pas attaché au petit
Muche; puis, cette pensée d'avoir une maîtresse,
dans cette maison, à côté de la mère et de la
sœur, lui répugnait.

La Normande apprit l'histoire de son amoureux avec une grande surprise. Jamais il n'avait
ouvert la bouche de ces choses. Elle le querella.
Ces aventures extraordinaires mirent dans ses
tendresses pour lui un piment de plus. Alors,
pendant des soirées, il fallut qu'il racontât tout
ce qui lui était arrivé. Elle tremblait que la
police ne finît par le découvrir; mais lui, la ras-
surait, disait que c'était trop vieux, que la police,
maintenant, ne se dérangerait plus. Un soir, il
lui parla de la femme du boulevard Montmartre,
de cette dame en capote rose, dont la poitrine
trouée avait saigné sur ses mains. Il pensait à
elle souvent encore; il avait promené son souvenir navré dans les nuits claires de la Guyane;

il était rentré en France, avec la songerie folle
de la retrouver sur un trottoir, par un beau
soleil, bien qu'il sentît toujours sa lourdeur de
morte en travers de ses jambes. Peut-être qu'elle
s'était relevée, pourtant. Parfois, dans les rues,
il avait reçu un coup dans la poitrine, en croyant
la reconnaître. Il suivait les capotes roses, les
châles tombant sur les épaules, avec des frissons
au cœur. Quand il fermait les yeux, il la voyait
marcher, venir à lui; mais elle laissait glisser son
châle, elle montrait les deux taches rouges de sa
guimpe, elle lui apparaissait d'une blancheur de
cire, avec des yeux vides, des lèvres doulou-
reuses. Sa grande souffrance fut longtemps de ne
pas savoir son nom, de n'avoir d'elle qu'une
ombre, qu'il nommait d'un regret. Lorsque l'idée
de femme se levait en lui, c'était elle qui se
dressait, qui s'offrait comme la seule bonne, la
seule pure. Il se surprit bien des fois à rêver
qu'elle le cherchait sur ce boulevard où elle
était restée, qu'elle lui aurait donné toute une
vie de joie, si elle l'avait rencontré quelques
secondes plus tôt. Et il ne voulait plus d'autre
femme, il n'en existait plus pour lui. Sa voix
tremblait tellement en parlant d'elle, que la
Normande comprit, avec son instinct de fille
amoureuse, et qu'elle fut jalouse.

— Pardi, murmura-t-elle méchamment, il
vaut mieux que vous ne la revoyiez pas. Elle ne
doit pas être belle, à cette heure.

Florent resta tout pâle, avec l'horreur de l'image évoquée par la poissonnière. Son souvenir d'amour tombait au charnier. Il ne lui pardonna pas cette brutalité atroce, qui mit, dès lors, dans l'adorable capote de soie, la mâchoire saillante, les yeux béants d'un squelette. Quand la Normande le plaisantait sur cette dame « qui avait couché avec lui, au coin de la rue Vivienne », il devenait brutal, il la faisait taire d'un mot presque grossier.

Mais ce qui frappa surtout la belle Normande dans ces révélations, ce fut qu'elle s'était trompée en croyant enlever un amoureux à la belle Lisa. Cela diminuait son triomphe, si bien qu'elle en aima moins Florent pendant huit jours. Elle se consola avec l'histoire de l'héritage. La belle Lisa ne fut plus une bégueule, elle fut une voleuse qui gardait le bien de son beau-frère, avec des mines hypocrites pour tromper le monde. Chaque soir, maintenant, pendant que Muche copiait les modèles d'écriture, la conversation tombait sur le trésor du vieux Gradelle.

— A-t-on jamais vu l'idée du vieux! disait la poissonnière en riant. Il voulait donc le saler, son argent, qu'il l'avait mis dans un saloir... quatre-vingt-cinq mille francs, c'est une jolie somme, d'autant plus que les Quenu ont sans doute menti; il y avait peut-être le double, le triple... Ah! bien, c'est moi qui exigerais ma part, et vite!

— Je n'ai besoin de rien, répétait toujours
Florent. Je ne saurais seulement pas où le mettre, cet argent.

Alors elle s'emportait :

— Tenez, vous n'êtes pas un homme. Ça fait
pitié... Vous ne comprenez donc pas que les
Quenu se moquent de vous? La grosse vous
passe le vieux linge et les vieux habits de son
mari. Je ne dis pas cela pour vous blesser, mais
enfin, tout le monde s'en aperçoit... Vous avez
là un pantalon raide de graisse, que le quartier
a vu au derrière de votre frère pendant trois
ans... Moi, à votre place, je leur jetterais leurs
guenilles à la figure, et je ferais mon compte.
C'est quarante-deux mille cinq cents francs,
n'est-ce pas? Je ne sortirais pas sans mes quarante-
deux mille cinq cents francs.

Florent avait beau lui expliquer que sa
belle-sœur lui offrait sa part, qu'elle la tenait
à sa disposition, que c'était lui qui n'en voulait pas. Il entrait dans les plus petits détails,
tâchait de la convaincre de l'honnêteté des
Quenu.

— Va-t'en voir s'ils viennent, Jean! chantait-
elle d'une voix ironique. Je la connais, leur
honnêteté. La grosse la plie tous les matins dans
son armoire à glace, pour ne pas la salir... Vrai,
mon pauvre ami, vous me faites de la peine.
C'est plaisir que de vous dindonner, au moins.
Vous n'y voyez pas plus clair qu'un enfant de

cinq ans... Elle vous le mettra, un jour, dans la
poche, votre argent, et elle vous le reprendra.
Le tour n'est pas plus malin à jouer. Voulez-vous
que j'aille réclamer votre dû, pour voir? Ça
serait drôle, je vous en réponds. J'aurais le magot
ou je casserais tout chez eux, ma parole d'honneur.

— Non, non, vous ne seriez pas à votre place,
se hâtait de dire Florent effrayé. Je verrai, j'aurai peut-être besoin d'argent bientôt.

Elle doutait, elle haussait les épaules, en murmurant qu'il était bien trop mou. Sa continuelle
préoccupation fut ainsi de le jeter sur les Quenu-
Gradelle, employant toutes les armes, la colère,
la raillerie, la tendresse. Puis, elle nourrit un
autre projet. Quand elle aurait épousé Florent,
ce serait elle qui irait gifler la belle Lisa, si elle
ne rendait pas l'héritage. Le soir, dans son lit,
elle en rêvait tout éveillée : elle entrait chez la
charcutière, s'asseyait au beau milieu de la boutique, à l'heure de la vente, faisait une scène
épouvantable. Elle caressa tellement ce projet,
il finit par la séduire à un tel point, qu'elle se
serait mariée uniquement pour aller réclamer
les quarante-deux mille cinq cents francs du
vieux Gradelle.

La mère Méhudin, exaspérée par le congé
donné à monsieur Lebigre, criait partout que sa
fille était folle, que « le grand maigre » avait
dû lui faire manger quelque sale drogue. Quand

elle connut l'histoire de Cayenne, elle fut terrible, le traita de galérien, d'assassin, dit que ce
n'était pas étonnant, s'il restait si plat de coqui-
nerie. Dans le quartier, c'était elle qui racontait
les versions les plus atroces de l'histoire. Mais,
au logis, elle se contentait de gronder, affectant
de fermer le tiroir à l'argenterie, dès que Florent
arrivait. Un jour, à la suite d'une querelle avec
sa fille aînée, elle s'écria :

— Ça ne peut pas durer, c'est cette canaille
d'homme, n'est-ce pas, qui te détourne de moi?
Ne me pousse pas à bout, car j'irais le dénoncer
à la préfecture, aussi vrai qu'il fait jour!

— Vous iriez le dénoncer, répéta la Normande toute tremblante, les poings serrés. Ne
faites pas ce malheur... Ah! si vous n'étiez pas
ma mère...

Claire, témoin de la querelle, se mit à rire,
d'un rire nerveux qui lui déchirait la gorge.
Depuis quelque temps, elle était plus sombre,
plus fantasque, les yeux rougis, la figure toute
blanche.

— Eh bien, quoi? demanda-t-elle, tu la battrais... Est-ce que tu me battrais aussi, moi, qui
suis ta sœur? Tu sais, ça finira par là. Je débarrasserai la maison, j'irai à la préfecture pour
éviter la course à maman.

Et comme la Normande étouffait, balbutiant
des menaces, elle ajouta :

— Tu n'auras pas la peine de me battre,

moi... Je me jetterai à l'eau, en repassant sur le pont...

De grosses larmes roulaient de ses yeux. Elle s'enfuit dans sa chambre, fermant les portes avec violence. La mère Méhudin ne reparla plus de dénoncer Florent. Seulement, Muche rapporta à sa mère qu'il la rencontrait causant avec monsieur Lebigre, dans tous les coins du quartier.

La rivalité de la belle Normande et de la belle Lisa prit alors un caractère plus muet et plus inquiétant. L'après-midi, quand la tente de la charcuterie, de coutil gris à bandes roses, se trouvait baissée, la poissonnière criait que la grosse avait peur, qu'elle se cachait. Il y avait aussi le store de la vitrine, qui l'exaspérait, lorsqu'il était tiré; il représentait, au milieu d'une clairière, un déjeuner de chasse, avec des messieurs en habit noir et des dames décolletées, qui mangeaient, sur l'herbe jaune, un pâté rouge aussi grand qu'eux. Certes, la belle Lisa n'avait pas peur. Dès que le soleil s'en allait, elle remontait le store; elle regardait tranquillement, de son comptoir, en tricotant, le carreau des Halles planté de platanes, plein d'un grouillement de vauriens qui fouillaient la terre, sous les grilles des arbres; le long des bancs, des porteurs fumaient leur pipe; aux deux bouts du trottoir, deux colonnes d'affichage étaient comme vêtues d'un habit d'arlequin par les carrés verts, jaunes, rouges, bleus, des affiches de

théâtre. Elle surveillait parfaitement la belle
Normande, tout en ayant l'air de s'intéresser aux
voitures qui passaient. Parfois, elle feignait de
se pencher, de suivre, jusqu'à la station de la
pointe Saint-Eustache, l'omnibus allant de la
Bastille à la place Wagram; c'était pour mieux
voir la poissonnière, qui se vengeait du store en
mettant à son tour de larges feuilles de papier
gris sur sa tête et sur sa marchandise, sous le
prétexte de se protéger contre le soleil couchant.
Mais l'avantage restait maintenant à la belle
Lisa. Elle se montrait très calme à l'approche
du coup décisif, tandis que l'autre, malgré ses
efforts pour avoir ce grand air distingué, se laissait toujours aller à quelque insolence trop
grosse qu'elle regrettait ensuite. L'ambition de
la Normande était de paraître « comme il faut ».
Rien ne la touchait davantage que d'entendre
vanter les bonnes manières de sa rivale. La mère
Méhudin avait remarqué ce point faible. Aussi
n'attaquait-elle plus sa fille que par là.

— J'ai vu madame Quenu sur sa porte, disait-
elle parfois, le soir. C'est étonnant comme cette
femme-là se conserve. Et propre avec ça, et l'air
d'une vraie dame!... C'est le comptoir, vois-tu.
Le comptoir, ça vous maintient une femme, ça
la rend distinguée.

Il y avait là une allusion détournée aux propositions de monsieur Lebigre. La belle Normande ne répondait pas, restait un instant sou-

cieuse. Elle se voyait à l'autre coin de la rue
Pirouette, dans le comptoir du marchand de vin,
faisant pendant à la belle Lisa. Ce fut le premier ébranlement dans ses tendresses pour Florent.

Florent, à la vérité, devenait terriblement difficile à défendre. Le quartier entier se ruait sur
lui. Il semblait que chacun eût un intérêt immé-
diat à l'exterminer. Aux Halles, maintenant, les
uns juraient qu'il s'était vendu à la police; les
autres affirmaient qu'on l'avait vu dans la cave
aux beurres, cherchant à trouer les toiles métalliques des resserres, pour jeter des allumettes
enflammées. C'était un grossissement de calom-
nies, un torrent d'injures, dont la source avait
grandi, sans qu'on sût au juste d'où elle sortait.
Le pavillon de la marée fut le dernier à se
mettre en insurrection. Les poissonnières
aimaient Florent pour sa douceur. Elles le défen-
dirent quelque temps; puis, travaillées par des
marchandes qui venaient du pavillon aux
beurres et du pavillon aux fruits, elles cédèrent.
Alors, recommença, contre ce maigre, la lutte
des ventres énormes, des gorges prodigieuses. Il
fut perdu de nouveau dans les jupes, dans les
corsages pleins à crever, qui roulaient furieusement autour de ses épaules pointues. Lui, ne
voyait rien, marchant droit à son idée fixe.

Maintenant, à toute heure, dans tous les coins,
le chapeau noir de mademoiselle Saget apparais-

sait, au milieu de ce déchaînement. Sa petite
face pâle semblait se multiplier. Elle avait juré
une rancune terrible à la société qui se réunissait dans le cabinet vitré de monsieur Lebigre.
Elle accusait ces messieurs d'avoir répandu l'histoire des rogatons. La vérité était que Gavard,
un soir, raconta que « cette vieille bique », qui
venait les espionner, se nourrissait des saletés
dont la clique bonapartiste ne voulait plus. Clémence eut une nausée. Robine avala vite un
doigt de bière, comme pour se laver le gosier.
Cependant le marchand de volailles répétait son
mot :

— Les Tuileries ont roté dessus.

Il disait cela avec une grimace abominable.
Ces tranches de viande ramassées sur l'assiette
de l'empereur étaient pour lui des ordures sans
nom, une déjection politique, un reste gâté de
toutes les cochonneries du règne. Alors, chez
monsieur Lebigre, on ne prit plus mademoiselle
Saget qu'avec des pincettes! elle devint un
fumier vivant, une bête immonde nourrie de
pourritures dont les chiens eux-mêmes n'auraient
pas voulu. Clémence et Gavard colportèrent
l'histoire dans les Halles, si bien que la vieille
demoiselle en souffrit beaucoup dans ses bons
rapports avec les marchandes. Quand elle chipo-
tait, bavardant sans rien acheter, on la renvoyait
aux rogatons. Cela coupa la source de ses renseignements. Certains jours, elle ne savait même

pas ce qui se passait. Elle en pleurait de rage. Ce
fut à cette occasion qu'elle dit crûment à la
Sarriette et à madame Lecœur :

— Vous n'avez plus besoin de me pousser,
allez, mes petites... Je lui ferai son affaire, à votre
Gavard.

Les deux autres restèrent un peu interdites;
mais elles ne protestèrent pas. Le lendemain,
d'ailleurs, mademoiselle Saget, plus calme, s'attendrit de nouveau sur ce pauvre monsieur Gavard, qui était si mal conseillé, et qui décidément courait à sa perte.

Gavard, en effet, se compromettait beaucoup.
Depuis que la conspiration mûrissait, il traînait
partout dans sa poche le revolver qui effrayait
tant sa concierge, madame Léonce. C'était un
grand diable de revolver, qu'il avait acheté chez
le meilleur armurier de Paris, avec des allures
très mystérieuses. Le lendemain, il le montrait
à toutes les femmes du pavillon aux volailles,
comme un collégien qui cache un roman
défendu dans son pupitre. Lui, laissait passer le
canon au bord de sa poche; il le faisait voir, d'un
clignement d'yeux; puis, il avait des réticences,
des demi-aveux, toute la comédie d'un homme
qui feint délicieusement d'avoir peur. Ce pistolet lui donnait une importance énorme; il le
rangeait définitivement parmi les gens dangereux. Parfois, au fond de sa boutique, il consentait à le sortir tout à fait de sa poche, pour le

montrer à deux ou trois femmes. Il voulait que
les femmes se missent devant lui, afin, disait-il,
de le cacher avec leurs jupes. Alors, il l'armait,
le manœuvrait, ajustait une oie ou une dinde
pendues à l'étalage. L'effroi des femmes le ravissait; il finissait par les rassurer en leur disant
qu'il n'était pas chargé. Mais il avait aussi des
cartouches sur lui, dans une boîte qu'il ouvrait
avec des précautions infinies. Quand on avait
pesé les cartouches, il se décidait enfin à rentrer
son arsenal. Et, les bras croisés, jubilant, pérorant pendant des heures :

— Un homme est un homme avec ça, disait-il
d'un air de vantardise. Maintenant, je me moque
des argousins... Dimanche, je suis allé l'essayer
avec un ami, dans la plaine Saint-Denis. Vous
comprenez, on ne dit pas à tout le monde qu'on
a de ces joujoux-là... Ah! mes pauvres petites,
nous tirions dans un arbre, et, chaque fois, paf!
l'arbre était touché... Vous verrez, vous verrez;
dans quelque temps, vous entendrez parler
d'Anatole.

C'était son revolver qu'il avait appelé Anatole. Il fit si bien que le pavillon, au bout de
huit jours, connut le pistolet et les cartouches.
Sa camaraderie avec Florent, d'ailleurs, paraissait louche. Il était trop riche, trop gras, pour
qu'on le confondît dans la même haine. Mais il
perdit l'estime des gens habiles, il réussit même
à effrayer les peureux. Dès lors, il fut enchanté.

— C'est imprudent de porter des armes sur soi, disait mademoiselle Saget. Ça lui jouera un mauvais tour.

Chez monsieur Lebigre, Gavard triomphait. Depuis qu'il ne mangeait plus chez les Quenu, Florent vivait là, dans le cabinet vitré. Il y déjeunait, y dînait, venait à chaque heure s'y enfermer. Il en avait fait une sorte de chambre à lui, un bureau où il laissait traîner de vieilles redingotes, des livres, des papiers. Monsieur Lebigre tolérait cette prise de possession; il avait même enlevé l'une des deux tables pour meubler l'étroite pièce d'une banquette rembourrée, sur laquelle, à l'occasion, Florent aurait pu dormir. Quand celui-ci éprouvait quelques scrupules, le patron le priait de ne point se gêner et mettait la maison entière à sa disposition. Logre également lui témoignait une grande amitié. Il s'était fait son lieutenant. A toute heure, il l'entretenait de l' « affaire », pour lui rendre compte de ses démarches et lui donner les noms des nouveaux affiliés. Dans la besogne, il avait pris le rôle d'organisateur; c'était lui qui devait aboucher les gens, créer les sections, préparer chaque maille du vaste filet où Paris tomberait à un signal donné. Florent restait le chef, l'âme du complot. D'ailleurs, le bossu paraissait suer sang et eau, sans arriver à des résultats appréciables; bien qu'il eût juré connaître dans chaque quartier deux ou trois groupes d'hommes solides,

pareils au groupe qui se réunissait chez monsieur
Lebigre, il n'avait jusque-là fourni aucun renseignement précis, jetant des noms en l'air,
racontant des courses sans fin, au milieu de l'enthousiasme du peuple. Ce qu'il rapportait de
plus clair, c'était des poignées de main; un tel,
qu'il tutoyait, lui avait serré la main en lui
disant « qu'il en serait »; au Gros-Caillou, un
grand diable, qui ferait un chef de section
superbe, lui avait démanché le bras; rue Popin-
court, tout un groupe d'ouvriers l'avait embrassé.
A l'entendre, du jour au lendemain, on réuni-
rait cent mille hommes. Quand il arrivait, l'air
exténué, se laissant tomber sur la banquette du
cabinet, variant ses histoires, Florent prenait des
notes, s'en remettait à lui pour la réalisation de
ses promesses. Bientôt, dans la poche de ce dernier le complot vécut; les notes devinrent des
réalités, des données indiscutables, sur lesquelles
le plan s'échafauda tout entier; il n'y avait plus
qu'une bonne occasion à attendre. Logre disait,
avec ses gestes passionnés, que tout irait sur des
roulettes.

A cette époque, Florent fut parfaitement heureux. Il ne marchait plus à terre, comme soulevé
par cette idée intense de se faire le justicier des
maux qu'il avait vu souffrir. Il était d'une cré-
dulité d'enfant et d'une confiance de héros.
Logre lui aurait conté que le génie de la colonne
de Juillet allait descendre pour se mettre à leur

tête, sans le surprendre. Chez monsieur Lebigre, le soir, il avait des effusions, il parlait de la prochaine bataille comme d'une fête à laquelle tous les braves gens seraient conviés. Mais si Gavard ravi jouait alors avec son revolver, Charvet devenait plus aigre, ricanait en haussant les épaules. L'attitude de chef de complot prise par son rival le mettait hors de lui, le dégoûtait de la politique. Un soir que, de bonne heure, il se trouvait seul avec Logre et monsieur Lebigre, il se soulagea :

— Un garçon, dit-il, qui n'a pas deux idées en politique, qui aurait mieux fait d'entrer comme professeur d'écriture dans un pensionnat de demoiselles... Ce serait un malheur s'il réussissait, car il nous mettrait ses sacrés ouvriers sur les bras, avec ses rêvasseries sociales. Voyez-vous, c'est ça qui perd le parti. Il n'en faut plus, des pleurnicheurs, des poètes humanitaires, des gens qui s'embrassent à la moindre égratignure... Mais il ne réussira pas. Il se fera coffrer, voilà tout.

Logre et le marchand de vin ne bronchèrent pas. Ils laissaient aller Charvet.

— Et il y a longtemps, continua-t-il, qu'il le serait, coffré, s'il était aussi dangereux qu'il veut le faire croire. Vous savez, avec ses airs retour de Cayenne... Ça fait pitié. Je vous dis que la police, dès le premier jour, a su qu'il était à Paris. Si elle l'a laissé tranquille, c'est qu'elle se moque de lui.

Logre eut un léger tressaillement.

— Moi, on me file depuis quinze ans, reprit l'hébertiste avec une pointe d'orgueil. Je ne vais pourtant pas crier cela sur les toits... Seulement, je n'en serai pas de sa bagarre. Je ne veux point me laisser pincer comme un imbécile... Peut-être a-t-il une demi-douzaine de mouchards à ses trousses, qui vous le prendront au collet, le jour où la préfecture aura besoin de lui...

— Oh! non, quelle idée! dit monsieur Lebigre qui ne parlait jamais.

Il était un peu pâle, il regardait Logre dont la bosse roulait doucement contre la cloison vitrée.

— Ce sont des suppositions, murmura le bossu.

— Des suppositions, si vous voulez, répondit le professeur libre. Je sais comment ça se pratique... En tout cas, ce n'est pas encore cette fois que les argousins me prendront. Vous ferez ce que vous voudrez, vous autres; mais si vous m'écoutiez, vous surtout, monsieur Lebigre, vous ne compromettriez pas votre établissement, qu'on vous fera fermer.

Logre ne put retenir un sourire. Charvet leur parla plusieurs fois dans ce sens; il devait nourrir le projet de détacher les deux hommes de Florent en les effrayant. Il les trouva toujours d'un calme et d'une confiance qui le surprirent fort. Cependant, il venait encore assez régulièrement le soir, avec Clémence. La grande brune n'était plus tabletière à la poissonnerie. Monsieur Manoury l'avait congédiée.

— Ces facteurs, tous des gueux, grognait Logre.

Clémence, renversée contre la cloison, roulant une cigarette entre ses longs doigts minces, répondait de sa voix nette :

— Eh! c'est de bonne guerre... Nous n'avions point les mêmes opinions politiques, n'est-ce pas? Ce Manoury, qui gagne de l'argent gros comme lui, lécherait les bottes de l'empereur. Moi, si j'avais un bureau, je ne le garderais pas vingt-quatre heures pour employé.

La vérité était qu'elle avait la plaisanterie très lourde, et qu'elle s'était amusée, un jour, à mettre, sur les tablettes de vente, en face des limandes, des raies, des maquereaux adjugés, les noms des dames et des messieurs les plus connus de la cour. Ces surnoms de poissons donnés à de hauts dignitaires, ces adjudications de comtesses et de baronnes, vendues à trente sous pièce, avaient profondément effrayé monsieur Manoury, Gavard en riait encore.

— N'importe, disait-il en tapant sur les bras de Clémence, vous êtes un homme, vous!

Clémence avait trouvé une nouvelle façon de faire le grog. Elle emplissait d'abord le verre d'eau chaude; puis, après avoir sucré, elle versait, sur la tranche de citron qui nageait, le rhum goutte à goutte, de façon à ne pas le mélanger avec l'eau; et elle l'allumait, le regardait brûler, très sérieuse, fumant lentement, le visage verdi par la haute flamme de l'alcool. Mais c'était là une consommation chère qu'elle ne put continuer à prendre, quand elle eut perdu sa place. Charvet lui faisait remarquer avec un rire pincé qu'elle n'était plus riche maintenant. Elle vivait d'une leçon de français qu'elle donnait, en haut de la rue Miromesnil, de très bonne heure, à une jeune personne qui perfectionnait son instruction, en cachette même de sa femme de chambre. Alors, elle ne demanda plus qu'une chope, le soir. Elle la buvait, d'ailleurs, en toute philosophie.

Les soirées du cabinet vitré n'étaient plus si bruyantes. Charvet se taisait brusquement, blême d'une rage froide, lorsqu'on le délaissait pour écouter son rival. La pensée qu'il avait régné là, qu'avant l'arrivée de l'autre, il gouvernait le groupe en despote, lui mettait au cœur le cancer d'un roi dépossédé. S'il venait encore, c'était qu'il avait la nostalgie de ce coin étroit, où il se rappelait de si douces heures de tyrannie sur Gavard et sur Robine; la bosse de Logre lui-même, alors, lui appartenait, ainsi que les gros bras d'Alexandre et la figure sombre de Lacaille; d'un mot, il les pliait, leur entrait son opinion dans la gorge, leur cassait son sceptre sur les épaules. Mais, aujourd'hui, il souffrait trop, il finissait par ne plus parler, gonflant le dos, sifflant d'un air de dédain, ne daignant pas combat-

tre les sottises débitées devant lui. Ce qui le
désespérait surtout, c'était d'avoir été évincé peu
à peu, sans qu'il s'en aperçût. Il ne s'expliquait
pas la supériorité de Florent. Il disait souvent,
après l'avoir entendu parler de sa voix douce, un
peu triste, pendant des heures :

— Mais c'est un curé, ce garçon-là. Il ne lui
manque qu'une calotte.

Les autres semblaient boire ses paroles. Charvet, qui rencontrait des vêtements de Florent à
toutes les patères, feignait de ne plus savoir où
accrocher son chapeau, de peur de le salir. Il
repoussait les papiers qui traînaient, disait qu'on
n'était plus chez soi, depuis que « ce monsieur »
faisait tout dans le cabinet. Il se plaignit même
au marchand de vin, en lui demandant si le
cabinet appartenait à un seul consommateur ou
à la société. Cette invasion de ses Etats fut le
coup de grâce. Les hommes étaient des brutes. Il
prenait l'humanité en grand mépris, lorsqu'il
voyait Logre et monsieur Lebigre couver Florent
des yeux. Gavard l'exaspérait avec son revolver.
Robine, qui restait silencieux derrière sa chope,
lui parut décidément l'homme le plus fort de la
bande; celui-là devait juger les gens à leur
valeur, il ne se payait pas de mots. Quant à
Lacaille et à Alexandre, ils le confirmaient dans
son idée que le peuple est trop bête, qu'il a
besoin d'une dictature révolutionnaire de dix
ans pour apprendre à se conduire.

Cependant, Logre affirmait que les sections seraient bientôt complètement organisées. Florent commençait à distribuer les rôles. Alors, un soir, après une dernière discussion où il eut le dessous, Charvet se leva, prit son chapeau, en disant :

— Bien le bonsoir, et faites-vous casser la tête, si cela vous amuse... Moi, je n'en suis pas, vous entendez. Je n'ai jamais travaillé pour l'ambition de personne.

Clémence, qui mettait son châle, ajouta froidement :

— Le plan est inepte.

Et comme Robine les regardait sortir d'un œil très doux, Charvet lui demanda s'il ne s'en allait pas avec eux. Robine, ayant encore trois doigts de bière dans sa chope, se contenta d'allonger une poignée de main. Le couple ne revint plus. Lacaille apprit un jour à la société que Charvet et Clémence fréquentaient maintenant une brasserie de la rue Serpente; il les avait vus, par un carreau, gesticulant beaucoup, au milieu d'un groupe attentif de très jeunes gens.

Jamais Florent ne put enrégimenter Claude. Il rêva un instant de lui donner ses idées en politique, d'en faire un disciple qui l'eût aidé dans sa tâche révolutionnaire. Pour l'initier, il l'amena un soir chez monsieur Lebigre. Mais Claude passa la soirée à faire un croquis de Robine, avec le chapeau et le paletot marron, la

barbe appuyée sur la pomme de la canne. Puis,
en sortant avec Florent :

— Non, voyez-vous, dit-il, ça ne m'intéresse
pas, tout ce que vous racontez là-dedans. Ça peut
être très fort, mais ça m'échappe... Ah! par
exemple, vous avez un monsieur superbe, ce
sacré Robine. Il est profond comme un puits,
cet homme... J'y retournerai, seulement pas
pour la politique. J'irai prendre un croquis de
Logre et un croquis de Gavard, afin de les
mettre avec Robine dans un tableau splendide,
auquel je songeais, pendant que vous discutiez
la question... comment dites-vous ça? la question
des deux Chambres, n'est-ce pas?... Hein! vous
imaginez-vous Gavard, Logre et Robine causant
politique, embusqués derrière leurs chopes? Ce
serait le succès du Salon, mon cher, un succès à
tout casser, un vrai tableau moderne celui-là.

Florent fut chagrin de son scepticisme politique. Il le fit monter chez lui, le retint jusqu'à
deux heures du matin sur l'étroite terrasse, en
face du grand bleuissement des Halles. Il le caté-
chisait, lui disait qu'il n'était pas un homme,
s'il se montrait si insouciant du bonheur de son
pays. Le peintre secouait la tête, en répondant :

— Vous avez peut-être raison. Je suis un
égoïste. Je ne peux pas même dire que je fais
de la peinture pour mon pays, parce que d'abord
mes ébauches épouvantent tout le monde, et
qu'ensuite, lorsque je peins, je songe unique-

ment à mon plaisir personnel. C'est comme si je
me chatouillais moi-même, quand je peins : ça
me fait rire par tout le corps... Que voulez-vous,
on est bâti de cette façon, on ne peut pourtant
pas aller se jeter à l'eau... Puis, la France n'a pas
besoin de moi, ainsi que dit ma tante Lisa... Et
me permettez-vous d'être franc? Eh bien, si je
vous aime, vous, c'est que vous m'avez l'air de
faire de la politique absolument comme je fais
de la peinture. Vous vous chatouillez, mon cher.

Et comme l'autre protestait :

— Laissez donc! vous êtes un artiste dans
votre genre, vous rêvez politique; je parie que
vous passez des soirées ici, à regarder les étoiles,
en les prenant pour les bulletins de vote de l'infini... Enfin, vous vous chatouillez avec vos idées
de justice et de vérité. Cela est si vrai que vos
idées, de même que mes ébauches, font une peur
atroce aux bourgeois... Puis là, entre nous, si vous
étiez Robine, croyez-vous que je m'amuserais à
être votre ami... Ah! grand poète que vous êtes!

Ensuite, il plaisanta, disant que la politique
ne le gênait pas, qu'il avait fini par s'y accoutu-
mer, dans les brasseries et dans les ateliers. A ce
propos, il parla d'un café de la rue Vauvilliers,
le café qui se trouvait au rez-de-chaussée de la
maison habitée par la Sarriette. Cette salle
fumeuse, aux banquettes de velours éraillé, aux
tables de marbre jaunies par les bavures des
glorias, était le lieu de réunion habituel de la

belle jeunesse des Halles. Là, monsieur Jules
régnait sur une bande de porteurs, de garçons
de boutique, de messieurs à blouses blanches,
à casquettes de velours. Lui, portait, à la nais-
sance des favoris, deux mèches de poils collées
contre les joues en accroche-cœur. Chaque
samedi, il se faisait arrondir les cheveux au
rasoir, pour avoir le cou blanc, chez un coiffeur
de la rue des Deux-Ecus, où il était abonné au
mois. Aussi, donnait-il le ton à ces messieurs,
lorsqu'il jouait au billard, avec des grâces étu-
diées, développant ses hanches, arrondissant les
bras et les jambes, se couchant à demi sur le
tapis, dans une pose cambrée qui donnait à ses
reins toute leur valeur. La partie finie, on causait. La bande était très réactionnaire, très mon-
daine. Monsieur Jules lisait les journaux aimables. Il connaissait le personnel des petits
théâtres, tutoyait les célébrités du jour, savait la
chute ou le succès de la pièce jouée la veille.
Mais il avait un faible pour la politique. Son
idéal était Morny, comme il le nommait tout
court. Il lisait les séances du Corps législatif, en
riant d'aise aux moindres mots de Morny. C'était
Morny qui se moquait de ces gueux de républicains! Et il partait de là pour dire que la crapule
seule détestait l'empereur, parce que l'empereur
voulait le plaisir de tous les gens comme il faut.

— Je suis allé quelquefois dans leur café, dit
Claude à Florent. Ils sont bien drôles aussi, ceux

là, avec leurs pipes, lorsqu'ils parlent des bals
de la cour, comme s'ils y étaient invités... Le
petit qui est avec la Sarriette, vous savez, s'est
joliment moqué de Gavard, l'autre soir. Il
l'appelle mon oncle... Quand la Sarriette est descendue pour le venir chercher, il a fallu qu'elle
payât; et elle en a eu pour six francs, parce qu'il
avait perdu les consommations au billard... Une
jolie fille, hein! cette Sarriette.

— Vous menez une belle vie, murmura Florent en souriant. Cadine, la Sarriette, et les
autres, n'est-ce pas?

Le peintre haussa les épaules.

— Ah! bien, vous vous trompez, répondit-il. Il
ne me faut pas de femmes à moi, ça me dérangerait trop. Je ne sais seulement pas à quoi ça sert,
une femme; j'ai toujours eu peur d'essayer...
Bonsoir, dormez bien. Si vous êtes ministre, un
jour, je vous donnerai des idées pour les embel-
lissements de Paris.

Florent dut renoncer à en faire un disciple
docile. Cela le chagrina; car, malgré son bel
aveuglement de fanatique, il finissait par sentir
autour de lui l'hostilité qui grandissait à chaque
heure. Même chez les Méhudin, il trouvait un
accueil plus froid; la vieille avait des rires en
dessous, Muche n'obéissait plus, la belle Normande le regardait avec de brusques impa-
tiences, quand elle approchait sa chaise près de
la sienne, sans pouvoir le tirer de sa froideur.

Elle lui dit une fois qu'il avait l'air d'être dégoûté d'elle, et il ne trouva qu'un sourire embarrassé, tandis qu'elle allait s'asseoir rudement de l'autre côté de la table. Il avait également perdu l'amitié d'Auguste. Le garçon charcutier n'entrait plus dans sa chambre, quand il montait se coucher. Il était très effrayé par les bruits qui couraient sur cet homme, avec lequel il osait auparavant s'enfermer jusqu'à minuit. Augustine lui faisait jurer de ne plus commettre une pareille imprudence. Mais Lisa acheva de les fâcher, en les priant de retarder leur mariage, tant que le cousin n'aurait pas rendu la chambre du haut; elle ne voulait pas donner à sa nouvelle fille de boutique le cabinet du premier étage. Dès lors, Auguste souhaita qu'on « emballât le galérien ». Il avait trouvé la charcuterie rêvée, pas à Plaisance, un peu plus loin, à Montrouge; les lards devenaient avantageux, Augustine disait qu'elle était prête, en riant de son rire de grosse fille puérile. Aussi chaque nuit, au moindre bruit qui le réveillait, éprouvait-il une fausse joie, en croyant que la police empoignait Florent.

Chez les Quenu-Gradelle, on ne parlait point de ces choses. Une entente tacite du personnel de la charcuterie avait fait le silence autour de Quenu. Celui-ci, un peu triste de la brouille de son frère et de sa femme, se consolait en ficelant ses saucissons et en salant ses bandes de lard.

Il venait parfois sur le seuil de la boutique étaler
sa couenne rouge qui riait dans la blancheur du
tablier tendu par son ventre, sans se douter du
redoublement de commérages que son apparition faisait naître au fond des Halles. On le plaignait, on le trouvait moins gras, bien qu'il fût
énorme; d'autres, au contraire, l'accusaient de
ne pas assez maigrir de la honte d'avoir un frère
comme le sien. Lui, pareil aux maris trompés,
qui sont les derniers à connaître leur accident,
avait une belle ignorance, une gaieté attendrie,
quand il arrêtait quelque voisine sur le trottoir,
pour lui demander des nouvelles de son fromage
d'Italie ou de sa tête de porc à la gelée. La voisine prenait une figure apitoyée, semblait lui
présenter ses condoléances, comme si tous les
cochons de la charcuterie avaient eu la jaunisse.

— Qu'ont-elles donc toutes, à me regarder d'un
air d'enterrement? demanda-t-il un jour à Lisa.
Est-ce que tu me trouves mauvaise mine, toi?

Elle le rassura, lui dit qu'il était frais comme
une rose; car il avait une peur atroce des mala-
dies, geignant, mettant tout en l'air chez lui,
lorsqu'il souffrait de la moindre indisposition.
Mais la vérité était que la grande charcuterie
des Quenu-Gradelle devenait sombre : les glaces
pâlissaient, les marbres avaient des blancheurs
glacées, les viandes cuites du comptoir dormaient
dans des graisses jaunies, dans des lacs de gelée
trouble. Claude entra même un jour pour dire

à sa tante que son étalage avait l'air « tout embêté ». C'était vrai. Sur le lit de fines rognures bleues, les langues fourrées de Strasbourg prenaient des mélancolies blanchâtres de langues malades, tandis que les bonnes figures jaunes des jambonneaux, toutes malingres, étaient surmontées de pompons verts désolés. D'ailleurs, dans la boutique, les pratiques ne demandaient plus un bout de boudin, dix sous de lard, une demi-livre de saindoux, sans baisser leur voix navrée, comme dans la chambre d'un moribond. Il y avait toujours deux ou trois jupes pleurardes plantées devant l'étuve refroidie. La belle Lisa menait le deuil de la charcuterie avec une dignité muette. Elle laissait retomber ses tabliers blancs d'une façon plus correcte sur sa robe noire. Ses mains propres, serrées aux poignets par les grandes manches, sa figure, qu'une tristesse de convenance embellissait encore, disait nettement à tout le quartier, à toutes les curieuses défilant du matin au soir, qu'ils subissaient un malheur immérité, mais qu'elle en connaissait les causes et qu'elle saurait en triompher. Et parfois elle se baissait, elle promettait du regard des jours meilleurs aux deux poissons rouges, inquiets eux aussi, nageant dans l'aquarium de l'étalage, languissamment.

La belle Lisa ne se permettait plus qu'un régal. Elle donnait sans peur des tapes sous le menton satiné de Marjolin. Il venait de sortir de

l'hospice, le crâne raccommodé, aussi gras, aussi
réjoui qu'auparavant, mais bête, plus bête
encore, tout à fait idiot. La fente avait dû aller
jusqu'à la cervelle. C'était une brute. Il avait une
puérilité d'enfant de cinq ans dans un corps de
colosse. Il riait, zézayait, ne pouvait plus prononcer les mots, obéissait avec une douceur de
mouton. Cadine le reprit tout entier, étonnée
d'abord, puis très heureuse de cet animal superbe
dont elle faisait ce qu'elle voulait; elle le couchait dans les paniers de plumes, l'emmenait
galopiner, s'en servait à sa guise, le traitait en
chien, en poupée, en amoureux. Il était à elle,
comme une friandise, un coin engraissé des
Halles, une chair blonde dont elle usait avec des
raffinements de rouée. Mais, bien que la petite
obtînt tout de lui et le traînât à ses talons en
géant soumis, elle ne pouvait l'empêcher de
retourner chez madame Quenu. Elle l'avait
battu de ses poings nerveux, sans qu'il parût
même le sentir. Dès qu'elle avait mis à son cou
son éventaire, promenant ses violettes rue du
Pont-Neuf ou rue de Turbigo, il allait rôder
devant la charcuterie.

— Entre donc! lui criait Lisa.

Elle lui donnait des cornichons, le plus souvent. Il les adorait, les mangeait avec son rire
d'innocent, devant le comptoir. La vue de la
belle charcutière le ravissait, le faisait taper de
joie dans ses mains. Puis, il sautait, poussait de

petits cris, comme un gamin mis en face d'une
bonne chose. Elle, les premiers jours, avait eu
peur qu'il ne se souvînt.

— Est-ce que la tête te fait toujours mal? lui
demanda-t-elle.

Il répondit non, par un balancement de tout
le corps, éclatant d'une gaieté plus vive. Elle
reprit doucement :

— Alors, tu étais tombé?

— Oui, tombé, tombé, tombé, se mit-il à
chanter sur un ton de satisfaction parfaite, en se
donnant des claques sur le crâne.

Puis, sérieusement, en extase, il répétait, en la
regardant, les mots « belle, belle, belle », sur un
air plus ralenti. Cela touchait beaucoup Lisa.
Elle avait exigé de Gavard qu'il le gardât.
C'était lorsqu'il lui avait chanté son air de tendresse humble, qu'elle le caressait sous le menton, en lui disant qu'il était un brave enfant. Sa
main s'oubliait là, tiède d'une joie discrète; cette
caresse était redevenue un plaisir permis, une
marque d'amitié que le colosse recevait en tout
enfantillage. Il gonflait un peu le cou, fermait
les yeux de jouissance, comme une bête que l'on
flatte. La belle charcutière, pour s'excuser à ses
propres yeux du plaisir honnête qu'elle prenait
avec lui, se disait qu'elle compensait ainsi le
coup de poing dont elle l'avait assommé dans
la cave aux volailles.

Cependant, la charcuterie restait chagrine.

Florent s'y hasardait quelquefois encore, serrant la main de son frère, dans le silence glacial de Lisa. Il y venait même dîner de loin en loin, le dimanche. Quenu faisait alors de grands efforts de gaieté, sans pouvoir échauffer le repas. Il mangeait mal, finissait par se fâcher. Un soir, en sortant d'une de ces froides réunions de famille, il dit à sa femme, presque en pleurant :

— Mais qu'est-ce que j'ai donc! Bien vrai, je ne suis pas malade, tu ne me trouves pas changé?... C'est comme si j'avais un poids quelque part. Et triste avec ça, sans savoir pourquoi, ma parole d'honneur... Tu ne sais pas, toi?

— Une mauvaise disposition, sans doute, répondit Lisa.

— Non, non, ça dure depuis trop longtemps, ça m'étouffe... Pourtant, nos affaires ne vont pas mal, je n'ai pas de gros chagrin, je vais mon train-train habituel... Et toi aussi, ma bonne, tu n'es pas bien, tu sembles prise de tristesse... Si ça continue, je ferai venir le médecin.

La belle charcutière le regardait gravement.

— Il n'y a pas besoin de médecin, dit-elle. Ça passera... Vois-tu, c'est un mauvais air qui souffle en ce moment. Tout le monde est malade dans le quartier...

Puis, comme cédant à une tendresse maternelle :

— Ne t'inquiète pas, mon gros... Je ne veux pas que tu tombes malade. Ce serait le comble.

Elle le renvoyait d'ordinaire à la cuisine, sachant que le bruit des hachoirs, la chanson des graisses, le tapage des marmites, l'égayaient. D'ailleurs, elle évitait ainsi les indiscrétions de mademoiselle Saget, qui, maintenant, passait les matinées entières à la charcuterie. La vieille avait pris à tâche d'épouvanter Lisa, de la pousser à quelque résolution extrême. D'abord, elle obtint ses confidences.

— Ah! qu'il y a de méchantes gens! dit-elle, des gens qui feraient bien mieux de s'occuper de leurs propres affaires... Si vous saviez, ma chère madame Quenu... Non, jamais je n'oserai vous répéter cela.

Comme la charcutière lui affirmait que ça ne pouvait pas la toucher, qu'elle était au-dessus des mauvaises langues, elle lui murmura à l'oreille, par-dessus les viandes du comptoir :

— Eh bien, on dit que monsieur Florent n'est pas votre cousin...

Et, petit à petit, elle montra qu'elle savait tout. Ce n'était qu'une façon de tenir Lisa à sa merci. Lorsque celle-ci confessa la vérité, par tactique également, pour avoir sous la main une personne qui la tînt au courant des bavardages du quartier, la vieille demoiselle jura qu'elle serait muette comme un poisson, qu'elle nierait la chose le cou sur le billard. Alors, elle jouit profondément de ce drame. Elle grossissait chaque jour les nouvelles inquiétantes.

— Vous devriez prendre vos précautions, murmurait-elle. J'ai encore entendu à la triperie deux femmes qui causaient de ce que vous savez. Je ne puis pas dire aux gens qu'ils en ont menti, vous comprenez. Je semblerais drôle... Ça court, ça court. On ne l'arrêtera plus. Il faudra que ça crève.

Quelques jours plus tard, elle donna enfin le véritable assaut. Elle arriva tout effarée, attendit avec des gestes d'impatience qu'il n'y eût personne dans la boutique, et la voix sifflante :

— Vous savez ce qu'on raconte... Ces hommes qui se réunissent chez monsieur Lebigre, eh bien! ils ont tous des fusils, et ils attendent pour recommencer comme en 48. Si ce n'est pas malheureux de voir monsieur Gavard, un digne homme, celui-là, riche, bien posé, se mettre avec des gueux!... J'ai voulu vous avertir, à cause de votre beau-frère.

— C'est des bêtises, ce n'est pas sérieux, dit Lisa pour l'aiguillonner.

— Pas sérieux, merci! Le soir, quand on passe rue Pirouette, on les entend qui poussent des cris affreux. Ils ne se gênent pas, allez. Vous vous rappelez bien qu'ils ont essayé de débaucher votre mari... Et les cartouches que je les vois fabriquer de ma fenêtre, est-ce des bêtises?... Après tout, je vous dis ça dans votre intérêt.

— Bien sûr, je vous remercie. Seulement, on invente tant de choses.

— Ah! non, ce n'est pas inventé, malheureusement... Tout le quartier en parle, d'ailleurs.
On dit que, si la police les découvre, il y aura
beaucoup de personnes compromises. Ainsi, monsieur Gavard...

Mais la charcutière haussa les épaules, comme
pour dire que monsieur Gavard était un vieux
fou, et que ce serait bien fait.

— Je parle de monsieur Gavard comme je
parlerais des autres, de votre beau-frère, par
exemple, reprit sournoisement la vieille. Il est
le chef, votre beau-frère, à ce qu'il paraît... C'est
très fâcheux pour vous. Je vous plains beaucoup;
car enfin, si la police descendait ici, elle pourrait très bien prendre aussi monsieur Quenu.
Deux frères, c'est comme les deux doigts de la
main.

La belle Lisa se récria. Mais elle était toute
blanche. Mademoiselle Saget venait de la toucher au vif de ses inquiétudes. A partir de ce
jour, elle n'apporta plus que des histoires de
gens innocents jetés en prison pour avoir hébergé
des scélérats. Le soir, en allant prendre son cassis
chez le marchand de vin, elle se composait un
petit dossier pour le lendemain matin. Rose
n'était pourtant guère bavarde. La vieille comptait sur ses oreilles et sur ses yeux. Elle avait
parfaitement remarqué la tendresse de monsieur
Lebigre pour Florent, son soin à le retenir chez
lui, ses complaisances si peu payées par la

dépense que ce garçon faisait dans la maison. Cela la surprenait d'autant plus, qu'elle n'ignorait pas la situation des deux hommes, en face de la belle Normande.

— On dirait, pensait-elle, qu'il l'élève à la becquée... A qui peut-il vouloir le vendre?

Un soir, comme elle était dans la boutique, elle vit Logre se jeter sur la banquette du cabinet, en parlant de ses courses à travers les faubourgs, en se disant mort de fatigue. Elle lui regarda vivement les pieds. Les souliers de Logre n'avaient pas un grain de poussière. Alors, elle eut un sourire discret, elle emporta son cassis, les lèvres pincées.

C'était ensuite à sa fenêtre qu'elle complétait son dossier. Cette fenêtre, très élevée, dominant les maisons voisines, lui procurait des jouissances sans fin. Elle s'y installait, à chaque heure de la journée, comme à un observatoire, d'où elle guettait le quartier entier. D'abord, toutes les chambres en face, à droite, à gauche, lui étaient familières, jusqu'aux meubles les plus minces; elle aurait raconté, sans passer un détail, les habitudes des locataires, s'ils étaient bien ou mal en ménage, comment ils se débarbouillaient, ce qu'ils mangeaient à leur dîner; elle connaissait même les personnes qui venaient les voir. Puis, elle avait une échappée sur les Halles, de façon que pas une femme du quartier ne pouvait traverser la rue Rambuteau, sans qu'elle l'aperçût:

elle disait, sans se tromper, d'où la femme venait,
où elle allait, ce qu'elle portait dans son panier,
et son histoire, et son mari, et ses toilettes, ses
enfants, sa fortune. Ça, c'est madame Loret, elle
fait donner une belle éducation à son fils; ça,
c'est madame Hutin, une pauvre petite femme
que son mari néglige; ça, c'est mademoiselle
Cécile, la fille au boucher, une enfant impossible
à marier parce qu'elle a des humeurs froides. Et
elle aurait continué pendant des journées, enfi-
lant les phrases vides, s'amusant extraordinairement à des faits coupés menu, sans aucun intérêt. Mais, dès huit heures, elle n'avait plus
d'yeux que pour la fenêtre, aux vitres dépolies,
où se dessinaient les ombres noires des consommateurs du cabinet. Elle y constata la scission
de Charvet et de Clémence, en ne retrouvant
plus sur le transparent laiteux leurs silhouettes
sèches. Pas un événement ne se passait là, sans
qu'elle finît par le deviner, à certaines révélations brusques de ces bras et de ces têtes qui
surgissaient silencieusement. Elle devint très
forte, interpréta les nez allongés, les doigts écartés, les bouches fendues, les épaules dédai-
gneuses, suivit de la sorte la conspiration pas à
pas, à ce point qu'elle aurait pu dire chaque jour
où en étaient les choses. Un soir, le dénouement
brutal lui apparut. Elle aperçut l'ombre du pistolet de Gavard, un profil énorme de revolver,
tout noir dans la pâleur des vitres, la gueule

tendue. Le pistolet allait, venait, se multipliait.
C'étaient les armes dont elle avait parlé à madame Quenu. Puis, un autre soir, elle ne comprit
plus, elle s'imagina qu'on fabriquait des cartouches, en voyant s'allonger des bandes d'étoffe
interminables. Le lendemain, elle descendit à
onze heures, sous le prétexte de demander à
Rose si elle n'avait pas une bougie à lui céder;
et, du coin de l'œil, elle entrevit, sur la table du
cabinet, un tas de linges rouges qui lui sembla
très effrayant. Son dossier du lendemain eut une
gravité décisive.

— Je ne voudrais pas vous effrayer, madame
Quenu, dit-elle; mais ça devient trop terrible...
J'ai peur, ma parole! Pour rien au monde, ne
répétez ce que je vais vous confier. Ils me coupe-
raient le cou, s'ils savaient.

Alors, quand la charcutière lui eut juré de ne
pas la compromettre, elle lui parla des linges
rouges.

— Je ne sais pas ce que ça peut être. Il y en
avait un gros tas. On aurait dit des chiffons trem-
pés dans du sang... Logre, vous savez, le bossu,
s'en était mis un sur les épaules. Il avait l'air
du bourreau... Pour sûr, c'est encore quelque
manigance.

Lisa ne répondait pas, semblait réfléchir, les
yeux baissés, jouant avec le manche d'une fourchette, arrangeant les morceaux de petit salé dans
leur plat. Mademoiselle Saget reprit doucement :

— Moi, si j'étais vous, je ne resterais pas
tranquille, je voudrais savoir... Pourquoi ne
montez-vous pas regarder dans la chambre de
votre beau-frère?

Alors, Lisa eut un léger tressaillement. Elle
lâcha la fourchette, examina la vieille d'un œil
inquiet, croyant qu'elle pénétrait ses intentions.
Mais celle-ci continua :

— C'est permis, après tout... Votre beau-frère
vous mènerait trop loin, si vous le laissiez faire...
Hier, on causait de vous, chez madame Taboureau. Vous avez là une amie bien dévouée. Madame Taboureau disait que vous étiez trop
bonne, qu'à votre place elle aurait mis ordre à
tout ça depuis longtemps.

— Madame Taboureau a dit cela, murmura
la charcutière songeuse.

— Certainement, et madame Taboureau est
une femme que l'on peut écouter... Tâchez donc
de savoir ce que c'est que les linges rouges?
Vous me le direz ensuite, n'est-ce pas?

Mais Lisa ne l'écoutait plus. Elle regardait
vaguement les petits Gervais et les escargots, à
travers les guirlandes de saucisses de l'étalage.
Elle semblait perdue dans une lutte intérieure,
qui creusait de deux minces rides son visage
muet. Cependant, la vieille demoiselle avait mis
son nez au-dessus des plats du comptoir. Elle
murmurait, comme se parlant à elle-même :

— Tiens! il y a du saucisson coupé... Ça doit

sécher, du saucisson coupé à l'avance... Et ce
boudin qui est crevé. Il a reçu un coup de fourchette, bien sûr. Il faudrait l'enlever, il salit le
plat.

Lisa, toute distraite encore, lui donna le
boudin et les ronds de saucisson, en disant :

— C'est pour vous, si ça vous fait plaisir.

Le tout disparut dans le cabas. Mademoiselle
Saget était si bien habituée aux cadeaux, qu'elle
ne remerciait même plus. Chaque matin, elle
emportait toutes les rognures de la charcuterie.
Elle s'en alla, avec l'intention de trouver son
dessert chez la Sarriette et chez madame Lecœur,
en leur parlant de Gavard.

Quand elle fut seule, la charcutière s'assit sur
la banquette du comptoir, comme pour prendre
une meilleure décision, en se mettant à l'aise.
Depuis huit jours, elle était très inquiète. Un
soir, Florent avait demandé cinq cents francs à
Quenu, naturellement, en homme qui a un
compte ouvert. Quenu le renvoya à sa femme.
Cela l'ennuya, et il tremblait un peu en s'adressant à la belle Lisa. Mais, celle-ci, sans prononcer
une parole, sans chercher à connaître la destina-
tion de la somme, monta à sa chambre, lui remit
les cinq cents francs. Elle lui dit seulement
qu'elle les avait inscrits sur le compte de l'héritage. Trois jours plus tard, il prit mille francs.

— Ce n'était pas la peine de faire l'homme
désintéressé, dit Lisa à Quenu, le soir en se cou-

chant. Tu vois que j'ai bien fait de garder ce
compte... Attends, je n'ai pas pris note des mille
francs d'aujourd'hui.

Elle s'assit devant le secrétaire, relut la page
de calculs. Puis, elle ajouta :

— J'ai eu raison de laisser du blanc. Je mar-
querai les acomptes en marge... Maintenant, il
va tout gaspiller ainsi par petits morceaux... Il
y a longtemps que j'attends ça.

Quenu ne dit rien, se coucha de très mauvaise
humeur. Toutes les fois que sa femme ouvrait
le secrétaire, le tablier jetait un cri de tristesse
qui lui déchirait l'âme. Il se promit même de
faire des remontrances à son frère, de l'empêcher
de se ruiner avec la Méhudin; mais il n'osa pas.
Florent, en deux jours, demanda encore quinze
cents francs. Logre avait dit un soir que, si l'on
trouvait de l'argent, les choses iraient bien plus
vite. Le lendemain, il fut ravi de voir cette
parole jetée en l'air retomber dans ses mains en
un petit rouleau d'or, qu'il empocha, ricanant,
la bosse sautant de joie. Alors, ce furent de
continuels besoins : telle section demandait à
louer un local; telle autre devait soutenir des
patriotes malheureux; et il y avait encore les
achats d'armes et de munitions, les embauche-
ments, les frais de police. Florent aurait tout
donné. Il s'était rappelé l'héritage, les conseils
de la Normande. Il puisait dans le secrétaire de
Lisa, retenu seulement par la peur sourde qu'il

avait de son visage grave. Jamais, selon lui, il ne
dépenserait son argent pour une cause plus
sainte. Logre, enthousiasmé, portait des cravates
roses étonnantes et des bottines vernies, dont la
vue assombrissait Lacaille.

— Ça fait trois mille francs en sept jours,
raconta Lisa à Quenu. Qu'en dis-tu? C'est joli,
n'est-ce pas? S'il y va de ce train-là, ses cinquante
mille francs lui feront au plus quatre mois... Et
le vieux Gradelle, qui avait mis quarante ans à
amasser son magot!

— Tant pis pour toi! s'écria Quenu. Tu
n'avais pas besoin de lui parler de l'héritage.

Mais elle le regarda sévèrement, en disant :

— C'est son bien, il peut tout prendre... Ce
n'est pas de lui donner de l'argent qui me contra-
rie; c'est de savoir le mauvais emploi qu'il doit
en faire... Je te le dis depuis assez longtemps : il
faudra que ça finisse.

— Agis comme tu voudras, ce n'est pas moi
qui t'en empêche, finit par déclarer le charcutier, que l'avarice torturait.

Il aimait bien son frère, pourtant; mais l'idée
des cinquante mille francs mangés en quatre
mois lui était insupportable. Lisa, d'après les
bavardages de mademoiselle Saget, devinait où
allait l'argent. La vieille s'étant permis une allusion à l'héritage, elle profita même de l'occasion
pour faire savoir au quartier que Florent prenait sa part et la mangeait comme bon lui sem-

blait. Ce fut le lendemain que l'histoire des
linges rouges la décida. Elle resta quelques instants, luttant encore, regardant autour d'elle la
mine chagrine de la charcuterie; les cochons pendaient d'un air maussade; Mouton, assis près
d'un pot de graisse, avait le poil ébouriffé, l'œil
morne d'un chat qui ne digère plus en paix.
Alors, elle appela Augustine pour tenir le comptoir, elle monta à la chambre de Florent.

En haut, elle eut un saisissement, en entrant
dans la chambre. La douceur enfantine du lit
était toute tachée d'un paquet d'écharpes rouges
qui pendaient jusqu'à terre. Sur la cheminée,
entre les boîtes dorées et les vieux pots de pommade, des brassards rouges traînaient, avec des
paquets de cocardes qui faisaient d'énormes
gouttes de sang élargies. Puis, à tous les clous,
sur le gris effacé du papier peint, des pans
d'étoffe pavoisaient les murs, des drapeaux
carrés, jaunes, bleus, verts, noirs, dans lesquels
la charcutière reconnut les guidons des vingt
sections. La puérilité de la pièce semblait toute
effarée de cette décoration révolutionnaire. La
grosse bêtise naïve que la fille de boutique avait
laissée là, cet air blanc des rideaux et des meubles, prenait un reflet d'incendie; tandis que la
photographie d'Auguste et d'Augustine semblait
toute blême d'épouvante. Lisa fit le tour, examina les guidons, les brassards, les écharpes, sans
toucher à rien, comme si elle eût craint que ces

affreuses loques ne l'eussent brûlée. Elle songeait
qu'elle ne s'était pas trompée, que l'argent passait à ces choses. C'était là, pour elle, une abo-
mination, un fait à peine croyable qui soulevait
tout son être. Son argent, cet argent gagné si
honnêtement, servant à organiser et à payer
l'émeute! Elle restait debout, voyant les fleurs
ouvertes du grenadier de la terrasse, pareilles à
d'autres cocardes saignantes, écoutant le chant
du pinson, ainsi qu'un écho lointain de la fusil-
lade. Alors, l'idée lui vint que l'insurrection
devait éclater le lendemain, le soir peut-être. Les
guidons flottaient, les écharpes défilaient, un
brusque roulement de tambour éclatait à ses
oreilles. Et elle descendit vivement, sans même
s'attarder à lire les papiers étalés sur la table.
Elle s'arrêta au premier étage, elle s'habilla.

A cette heure grave, la belle Lisa se coiffa soigneusement, d'une main calme. Elle était très
résolue, sans un frisson, avec une sévérité plus
grande dans les yeux. Tandis qu'elle agrafait sa
robe de soie noire, en tendant l'étoffe de toute
la force de ses gros poignets, elle se rappelait les
paroles de l'abbé Roustan. Elle s'interrogeait, et
sa conscience lui répondait qu'elle allait accom-
plir un devoir. Quand elle mit sur ses larges
épaules son châle tapis, elle sentit qu'elle faisait
un acte de haute honnêteté. Elle se ganta de
violet sombre, attacha à son chapeau une épaisse
voilette. Avant de sortir, elle ferma le secrétaire

à double tour, d'un air d'espoir, comme pour lui dire qu'il allait enfin pouvoir dormir tranquille.

Quenu étalait son ventre blanc sur le seuil de la charcuterie. Il fut surpris de la voir sortir en grande toilette, à dix heures du matin.

— Tiens, où vas-tu donc? lui demanda-t-il.

Elle inventa une course avec madame Taboureau. Elle ajouta qu'elle passerait au théâtre de la Gaîté, pour louer des places. Quenu courut, la rappela, lui recommanda de prendre des places de face, pour mieux voir. Puis, comme il rentrait, elle se rendit à la station de voitures, le long de Saint-Eustache, monta dans un fiacre, dont elle baissa les stores, en disant au cocher de la conduire au théâtre de la Gaîté. Elle craignait d'être suivie. Quand elle eut son coupon, elle se fit mener au Palais de Justice. Là, devant la grille, elle paya et congédia la voiture. Et, doucement, à travers les salles et les couloirs, elle arriva à la préfecture de police.

Comme elle s'était perdue au milieu d'un tohu-bohu de sergents de ville et de messieurs en grandes redingotes, elle donna dix sous à un homme, qui la guida jusqu'au cabinet du préfet. Mais une lettre d'audience était nécessaire pour pénétrer auprès du préfet. On l'introduisit dans une pièce étroite, d'un luxe d'hôtel garni, où un personnage gros et chauve, tout en noir, la reçut avec une froideur maussade. Elle pouvait parler.

Alors, relevant sa voilette, elle dit son nom, raconta tout, carrément, d'un seul trait. Le personnage chauve l'écoutait, sans l'interrompre, de son air las. Quand elle eut fini, il demanda, simplement :

— Vous êtes la belle-sœur de cet homme, n'est-ce pas?

— Oui, répondit nettement Lisa. Nous sommes d'honnêtes gens... Je ne veux pas que mon mari se trouve compromis.

Il haussa les épaules, comme pour dire que tout cela était bien ennuyeux. Puis d'un air d'impatience :

— Voyez-vous, c'est qu'on m'assomme depuis plus d'un an avec cette affaire-là. On me fait dénonciation sur dénonciation, on me pousse, on me presse. Vous comprenez que si je n'agis pas, c'est que je préfère attendre. Nous avons nos raisons... Tenez, voici le dossier. Je puis vous le montrer.

Il mit devant elle un énorme paquet de papiers, dans une chemise bleue. Elle feuilleta les pièces. C'était comme les chapitres détachés de l'histoire qu'elle venait de conter. Les commissaires de police du Havre, de Rouen, de Vernon, annonçaient l'arrivée de Florent. Ensuite, venait un rapport qui constatait son installation chez les Quenu-Gredelle. Puis, son entrée aux Halles, sa vie, ses soirées, chez monsieur Lebigre, pas un détail n'était passé. Lisa, abasourdie, remarqua que les rapports étaient doubles, qu'ils avaient dû avoir deux sources différentes. Enfin, elle trouva un tas de lettres, des lettres anonymes de tous les formats et de toutes les écritures. Ce fut le comble. Elle reconnut une écriture de chat, l'écriture de mademoiselle Saget, dénonçant la société du cabinet vitré. Elle reconnut une grande feuille de papier graisseuse, toute tachée de gros bâtons de madame Lecœur, et une page glacée, ornée d'une pensée jaune, couverte du griffonnage de la Sarriette et de monsieur Jules; les deux lettres avertissaient le gouvernement de prendre garde à Gavard. Elle reconnut encore le style ordurier de la mère Méhudin, qui répétait, en quatre pages presque indéchiffrables, les histoires à dormir debout qui couraient dans les Halles sur le compte de Florent. Mais elle fut surtout émue par une facture de sa maison, portant en tête les mots : *Charcuterie Quenu-Gradelle,* et sur le dos de laquelle Auguste avait vendu l'homme qu'il regardait comme un obstacle à son mariage.

L'agent avait obéi à une pensée secrète en lui plaçant le dossier sous les yeux.

— Vous ne reconnaissez aucune de ces écritures? lui demanda-t-il.

Elle balbutia que non. Elle s'était levée. Elle restait toute suffoquée par ce qu'elle venait d'apprendre, la voilette baissée de nouveau, cachant la vague confusion qu'elle sentait monter

à ses joues. Sa robe de soie craquait; ses gants
sombres disparaissaient sous le grand châle.
L'homme chauve eut un faible sourire, en
disant :

— Vous voyez, madame, que vos renseignements viennent un peu tard... Mais on tiendra
compte de votre démarche, je vous le promets.
Surtout, recommandez à votre mari de ne point
bouger... Certaines circonstances peuvent se pro-
duire...

Il n'acheva pas, salua légèrement, en se levant
à demi de son fauteuil. C'était un congé. Elle
s'en alla. Dans l'antichambre, elle aperçut Logre
et monsieur Lebigre qui se tournèrent vivement.
Mais elle était plus troublée qu'eux. Elle traversait des salles, enfilait des corridors, était
comme prise par ce monde de la police, où elle
se persuadait, à cette heure, qu'on voyait, qu'on
savait tout. Enfin, elle sortit par la place Dauphine. Sur le quai de l'horloge, elle marcha lentement, rafraîchie par les souffles de la Seine.

Ce qu'elle sentait de plus net, c'était l'inutilité
de sa démarche. Son mari ne courait aucun
danger. Cela la soulageait, tout en lui laissant
un remords. Elle était irritée contre cet Auguste
et ces femmes qui venaient de la mettre dans
une position ridicule. Elle ralentit encore le pas,
regardant la Seine couler; des chalands, noirs
d'une poussière de charbon, descendaient sur
l'eau verte, tandis que, le long de la berge, des

pêcheurs jetaient leurs lignes. En somme, ce n'était pas elle qui avait livré Florent. Cette pensée qui lui vint brusquement, l'étonna. Aurait-elle donc commis une méchante action, si elle l'avait livré? Elle resta perplexe, surprise d'avoir pu être trompée par sa conscience. Les lettres anonymes lui semblaient à coup sûr une vilaine chose. Elle, au contraire, allait carrément, se nommait, sauvait tout le monde. Comme elle songeait brusquement à l'héritage du vieux Gradelle, elle s'interrogea, se trouva prête à jeter cet argent à la rivière, s'il le fallait, pour guérir la charcuterie de son malaise. Non, elle n'était pas avare, l'argent ne l'avait pas poussée. En traversant le pont au Change, elle se tranquillisa tout à fait, reprit son bel équilibre. Ça valait mieux que les autres l'eussent devancée à la préfecture : elle n'aurait pas à tromper Quenu, elle en dormirait mieux.

— Est-ce que tu as les places? lui demanda Quenu, lorsqu'elle rentra.

Il voulut les voir, se fit expliquer à quel endroit du balcon elles se trouvaient au juste. Lisa avait cru que la police accourrait, dès qu'elle l'aurait prévenue, et son projet d'aller au théâtre n'était qu'une façon habile d'éloigner son mari, pendant qu'on arrêterait Florent. Elle comptait, l'après-midi, le pousser à une promenade, à un de ces congés qu'ils prenaient parfois; ils allaient au Bois de Boulogne, en fiacre, mangeaient au restaurant, s'oubliaient dans quelque café-concert. Mais elle jugea inutile de sortir. Elle passa la journée comme d'habitude dans son comptoir, la mine rose, plus gaie et plus amicale, comme au sortir d'une convalescence.

— Quand je te dis que l'air te fait du bien! lui répéta Quenu. Tu vois, ta course de la matinée t'a toute ragaillardie.

— Eh non! finit-elle par répondre, en reprenant son air sévère. Les rues de Paris ne sont pas si bonnes pour la santé.

Le soir, à la Gaîté, ils virent jouer la *Grâce de Dieu*. Quenu, en redingote, ganté de gris, peigné avec soin, n'était occupé qu'à chercher dans le programme les noms des acteurs. Lisa restait superbe, le corsage nu, appuyant sur le velours rouge du balcon ses poignets que bridaient des gants blancs trop étroits. Ils furent tous les deux très touchés par les infortunes de Marie; le commandeur était vraiment un vilain homme, et Pierrot les faisait rire, dès qu'il entrait en scène. La charcutière pleura. Le départ de l'enfant, la prière dans la chambre virginale, le retour de la pauvre folle, mouillèrent ses beaux yeux de larmes discrètes, qu'elle essuyait d'une petite tape avec son mouchoir. Mais cette soirée devint un véritable triomphe pour elle, lorsque, en levant la tête, elle aperçut la Normande et sa mère à la deuxième galerie. Alors, elle se gonfla

encore, envoya Quenu lui chercher une boîte
de caramels au buffet, joua de l'éventail, un
éventail de nacre, très doré. La poissonnière était
vaincue; elle baissait la tête, en écoutant sa mère
qui lui parlait bas. Quand elles sortirent, la
belle Lisa et la belle Normande se rencontrèrent
dans le vestibule, avec un vague sourire.

Ce jour-là, Florent avait dîné de bonne heure
chez monsieur Lebigre. Il attendait Logre qui
devait lui présenter un ancien sergent, homme
capable, avec lequel on causerait du plan d'attaque contre le Palais-Bourbon et l'Hôtel de
Ville. La nuit venait, une pluie fine, qui s'était
mise à tomber dans l'après-midi, noyait de gris
les grandes Halles. Elles se détachaient en noir
sur les fumées rousses du ciel, tandis que des
torchons de nuages sales couraient, presque au
ras des toitures, comme accrochés et déchirés à
la pointe des paratonnerres. Florent était attristé
par le gâchis du pavé, par ce ruissellement d'eau
jaune qui semblait charrier et éteindre le crépuscule dans la boue. Il regardait le monde réfugié sur les trottoirs des rues couvertes, les para-
pluies filant sous l'averse, les fiacres qui passaient
plus rapides et plus sonores, au milieu de la
chaussée vide. Une éclaircie se fit. Une lueur
rouge monta au couchant. Alors, toute une
armée de balayeurs parut à l'entrée de la rue
Montmartre, poussant à coups de brosse un lac
de fange liquide.

Logre n'amena pas le sergent. Gavard était allé dîner chez des amis, aux Batignolles. Florent en fut réduit à passer la soirée en tête-à-tête avec Robine. Il parla tout le temps, finit par se rendre très triste; l'autre hochait doucement la barbe, n'allongeait le bras, à chaque quart d'heure, que pour avaler une gorgée de bière. Florent, ennuyé, monta se coucher. Mais Robine, resté seul, ne s'en alla pas, le front pensif sous le chapeau, regardant sa chope. Rose et le garçon, qui comptaient fermer de meilleure heure, puisque la société du cabinet n'était pas là, attendirent pendant près d'une grande demi-heure qu'il voulût bien se retirer.

Florent, dans sa chambre, eut peur de se mettre au lit. Il était pris d'un de ces malaises nerveux qui le traînaient parfois, durant des nuits entières, au milieu de cauchemars sans fin. La veille, à Clamart, il avait enterré monsieur Verlaque, qui était mort après une agonie affreuse. Il se sentait encore tout attristé par cette bière étroite, descendue dans la terre. Il ne pouvait surtout chasser l'image de madame Verlaque, la voix larmoyante, sans une larme aux yeux; elle le suivait, parlait du cercueil qui n'était pas payé, du convoi qu'elle ne savait de quelle façon commander, n'ayant plus un sou chez elle, parce que, la veille, le pharmacien avait exigé le montant de sa note, en apprenant la mort du malade. Florent dut avancer l'argent du cercueil et du convoi; il donna même le pourboire aux croque-morts. Comme il allait partir, madame Verlaque le regarda d'un air si navré, qu'il lui laissa vingt francs.

A cette heure, cette mort le contrariait. Elle remettait en question sa situation d'inspecteur. On le dérangerait, on songerait à le nommer titulaire. C'étaient là des complications fâcheuses qui pouvaient donner l'éveil à la police. Il aurait voulu que le mouvement insurrectionnel éclatât le lendemain, pour jeter à la rue sa casquette galonnée. La tête pleine de ces inquiétudes, il monta sur la terrasse, le front brûlant, demandant un souffle d'air à la nuit chaude. L'averse avait fait tomber le vent. Une chaleur d'orage emplissait encore le ciel, d'un bleu sombre, sans un nuage. Les Halles essuyées étendaient sous lui leur masse énorme, de la couleur du ciel, piquée comme lui d'étoiles jaunes, par les flammes vives du gaz.

Accoudé à la rampe de fer, Florent songeait qu'il serait puni tôt ou tard d'avoir consenti à prendre cette place d'inspecteur. C'était comme une tache dans sa vie. Il avait émargé au budget de la préfecture, se parjurant, servant l'empire, malgré les serments faits tant de fois en exil. Le désir de contenter Lisa, l'emploi charitable des appointements touchés, la façon honnête dont il s'était efforcé de remplir ses fonctions, ne lui semblaient plus des arguments assez forts pour l'excuser de sa lâcheté. S'il souffrait de ce milieu gras et trop nourri, il méritait cette souffrance. Et il revit l'année mauvaise qu'il venait de passer, la persécution des poissonnières, les nausées des journées humides, l'indigestion continue de son estomac de maigre, la sourde hostilité qu'il sentait grandir autour de lui. Toutes ces choses, il les acceptait en châtiment. Ce sourd grondement de rancune dont la cause lui échappait, annonçait quelque catastrophe vague, sous laquelle il pliait d'avance les épaules, avec la honte d'une faute à expier. Puis, il s'emporta contre lui-même, à la pensée du mouvement populaire qu'il préparait; il se dit qu'il n'était plus assez pur pour le succès.

Que de rêves il avait fait, à cette hauteur, les yeux perdus sur les toitures élargies des pavillons! Le plus souvent, il les voyait comme des mers grises qui lui parlaient de contrées lointaines. Par les nuits sans lune, elles s'assombrissaient, devenaient des lacs morts, des eaux noires, empestées et croupies. Les nuits limpides les changeaient en fontaines de lumière; les rayons coulaient sur les deux étages de toits, mouillant les grandes plaques de zinc, débordant et retombant du bord de ces immenses vasques superposées. Les temps froids les roidissaient, les gelaient, ainsi que des baies de Norvège, où glissent des patineurs, tandis que les chaleurs de juin les endormaient d'un sommeil lourd. Un

soir de décembre, en ouvrant sa fenêtre, il les
avait trouvées toutes blanches de neige, d'une
blancheur vierge qui éclairait le ciel couleur de
rouille; elles s'étendaient sans la souillure d'un
pas, pareilles à des plaines du Nord, à des soli-
tudes respectées des traîneaux; elles avaient un
beau silence, une douceur de colosse innocent.
Et lui, à chaque aspect de cet horizon changeant,
s'abandonnait à des songeries tendres ou cruelles;
la neige le calmait, l'immense drap blanc lui
semblait un voile de pureté jeté sur les ordures
des Halles; les nuits limpides, les ruissellements
de lune, l'emportaient dans le pays féerique des
contes. Il ne souffrait que par les nuits noires,
les nuits brûlantes de juin, qui étalaient le marais nauséabond, l'eau dormante d'une mer mau-
dite. Et toujours le même cauchemar revenait.

Elles étaient sans cesse là. Il ne pouvait ouvrir
la fenêtre, s'accouder à la rampe, sans les avoir
devant lui, emplissant l'horizon. Il quittait les
pavillons, le soir, pour retrouver à son coucher
les toitures sans fin. Elles lui barraient Paris, lui
imposaient leur énormité, entraient dans sa vie
de chaque heure. Cette nuit-là, son cauchemar
s'effara encore, grossi par les inquiétudes sourdes
qui l'agitaient. La pluie de l'après-midi avait
empli les Halles d'une humidité infecte. Elles
lui soufflaient à la face toutes leurs mauvaises
haleines, roulées au milieu de la ville comme
un ivrogne sous la table, à la dernière bouteille.

Il lui semblait que, de chaque pavillon, montait une vapeur épaisse. Au loin, c'étaient la boucherie et la triperie qui fumaient, d'une fumée fade de sang. Puis, les marchés aux légumes et aux fruits exhalaient des odeurs de choux aigres, de pommes pourries, de verdures jetées au fumier. Les beurres empestaient, la poissonnerie avait une fraîcheur poivrée. Et il voyait surtout, à ses pieds, le pavillon aux volailles dégager, par la tourelle de son ventilateur, un air chaud, une puanteur qui roulait comme une suie d'usine. Le nuage de toutes ces haleines s'amassait au-dessus des toitures, gagnait les maisons voisines, s'élargissait en nuée lourde sur Paris entier. C'étaient les Halles crevant dans leur ceinture de fonte trop étroite, et chauffant du trop-plein de leur indigestion du soir le sommeil de la ville gorgée.

En bas, sur le trottoir, il entendit un bruit de voix, un rire de gens heureux. La porte de l'allée fut refermée bruyamment. Quenu et Lisa rentraient du théâtre. Alors, Florent, étourdi, comme ivre de l'air qu'il respirait, quitta la terrasse, avec l'angoisse nerveuse de cet orage qu'il sentait sur sa tête. Son malheur était là, dans ces Halles chaudes de la journée. Il poussa violemment la fenêtre, les laissa vautrées au fond de l'ombre, toutes nues, en sueur encore, dépoitraillées, montrant leur ventre ballonné et se soulageant sous les étoiles.

VI

Huit jours plus tard, Florent crut qu'il allait enfin pouvoir passer à l'action. Une occasion suffisante de mécontentement se présentait pour lancer dans Paris les bandes insurrectionnelles. Le Corps législatif, qu'une loi de dotation avait divisé, discutait maintenant un projet d'impôt très impopulaire, qui faisait gronder les faubourgs. Le ministère, redoutant un échec, luttait de toute sa puissance. De longtemps peut-être un meilleur prétexte ne s'offrirait.

Un matin, au petit jour, Florent alla rôder autour du Palais-Bourbon. Il y oublia sa besogne d'inspecteur, resta à examiner les lieux jusqu'à huit heures, sans songer seulement que son absence devait révolutionner le pavillon de la marée. Il visita chaque rue, la rue de Lille, la rue de l'Université, la rue de Bourgogne, la rue Saint-Dominique; il poussa jusqu'à l'esplanade des Invalides, s'arrêtant à certains carrefours, mesurant les distances en marchant à grandes enjambées. Puis, de retour sur le quai d'Orsay, assis sur le parapet, il décida que l'attaque serait donnée de tous les côtés à la fois : les bandes du Gros-Caillou arriveraient par le Champ-de-Mars; les sections du nord de Paris descendraient par la Madeleine; celles de l'ouest et du sud suivraient les quais ou s'engageraient par petits groupes dans les rues du faubourg Saint-Germain. Mais, sur l'autre rive, les Champs-Elysées l'inquiétaient, avec leurs avenues découvertes; il prévoyait qu'on mettrait là du canon pour balayer les quais. Alors, il modifia plusieurs détails du plan, marquant la place de combat des sections, sur un carnet qu'il tenait à la main. La véritable attaque aurait décidément lieu par la rue de Bourgogne et la rue de l'Université, tandis qu'une diversion serait faite du côté de la Seine. Le soleil de huit heures qui lui chauffait la nuque, avait des gaietés blondes sur les larges trottoirs et dorait les colonnes du grand monument, en face de lui. Et il voyait déjà la bataille, des grappes d'hommes pendues à ces colonnes, les grilles crevées, le péristyle envahi, puis tout en haut, brusquement, des bras maigres qui plantaient un drapeau.

Il revint lentement, la tête basse. Un roucoulement la lui fit relever. Il s'aperçut qu'il traversait le jardin des Tuileries. Sur une pelouse, une bande de ramiers marchait, avec des dandinements de gorge. Il s'adossa un instant à la

caisse d'un oranger, regardant l'herbe et les
ramiers baignés de soleil. En face, l'ombre des
marronniers était toute noire. Un silence chaud
tombait, coupé par des roulements continus, au
loin, derrière la grille de la rue de Rivoli. L'odeur
des verdures l'attendrit beaucoup, en le faisant
songer à madame François. Une petite fille qui
passa, courant derrière un cerceau, effraya les
ramiers. Ils s'envolèrent, allèrent se poser à la
file sur le bras de marbre d'un lutteur antique,
au milieu de la pelouse, roucoulant et se rengor-
geant d'une façon plus douce.

Comme Florent rentrait aux Halles par la rue
Vauvilliers, il entendit la voix de Claude Lantier qui l'appelait. Le peintre descendait dans
le sous-sol du pavillon de la Vallée.

— Eh! venez-vous avec moi? cria-t-il. Je
cherche cette brute de Marjolin.

Florent le suivit, pour s'oublier un instant
encore, pour retarder de quelques minutes son
retour à la poissonnerie. Claude disait que,
maintenant, son ami Marjolin n'avait plus rien
à désirer; il était une bête. Il nourrissait le projet
de le faire poser à quatre pattes, avec son rire
d'innocent. Quand il avait crevé de rage une
ébauche, il passait des heures en compagnie de
l'idiot, sans parler, tâchant d'avoir son rire.

— Il doit gaver ses pigeons, murmura-t-il.
Seulement, je ne sais pas où est la resserre de
monsieur Gavard.

Ils fouillèrent toute la cave. Au centre, dans l'ombre pâle, deux fontaines coulent. Les resserres sont exclusivement réservées aux pigeons. Le long des treillages, c'est un éternel gazouillement plaintif, un chant discret d'oiseaux sous les feuilles, quand tombe le jour. Claude se mit à rire, en entendant cette musique. Il dit à son compagnon :

— Si l'on ne jurerait pas que tous les amoureux de Paris s'embrassent là-dedans!

Cependant, pas une resserre n'était ouverte, il commençait à croire que Marjolin ne se trouvait pas dans la cave, lorsqu'un bruit de baisers, mais de baisers sonores, l'arrêta net devant une porte entrebâillée. Il l'ouvrit, il aperçut cet animal de Marjolin que Cadine avait fait agenouiller par terre, sur la paille, de façon à ce que le visage du garçon arrivât juste à la hauteur de ses lèvres. Elle l'embrassait doucement, partout. Elle écartait ses longs cheveux blonds, allait derrière les oreilles, sous le menton, le long de la nuque, revenait sur les yeux et sur la bouche, sans se presser, mangeant ce visage à petites caresses, ainsi qu'une bonne chose à elle, dont elle disposait à son gré. Lui, complaisamment, restait comme elle le posait. Il ne savait plus. Il tendait la chair, sans même craindre les chatouilles.

— Eh bien, c'est ça, dit Claude, ne vous gênez pas!... Tu n'as pas honte, grande vaurienne, de

le tourmenter dans cette saleté. Il a des ordures
plein les genoux.

— Tiens! dit Cadine effrontément, ça ne le
tourmente pas. Il aime bien qu'on l'embrasse,
parce qu'il a peur, maintenant, dans les endroits
où il ne fait pas clair... N'est-ce pas que tu as
peur?

Elle l'avait relevé; il passait les mains sur son
visage, ayant l'air de chercher les baisers que la
petite venait d'y mettre. Il balbutia qu'il avait
peur, tandis qu'elle reprenait :

— D'ailleurs, j'étais venue l'aider; je gavais
ses pigeons.

Florent regardait les pauvres bêtes. Sur des
planches, autour de la resserre, étaient rangés
des coffres sans couvercle, dans lesquels les
pigeons, serrés les uns contre les autres, les pattes
roidies, mettaient la bigarrure blanche et noire
de leur plumage. Par moments, un frisson courait sur cette nappe mouvante; puis, les corps
se tassaient, on n'entendait plus qu'un caquetage
confus. Cadine avait près d'elle une casserole,
pleine d'eau et de grains; elle s'emplissait la
bouche, prenait les pigeons un à un, leur soufflait une gorgée dans le bec. Et eux, se débat-
taient, étouffant, retombant au fond des coffres,
l'œil blanc, ivres de cette nourriture avalée de
force.

— Ces innocents! murmura Claude.

— Tant pis pour eux! dit Cadine, qui avait

fini. Ils sont meilleurs, quand on les a bien
gavés... Voyez-vous, dans deux heures, on leur
fera avaler de l'eau salée, à ceux-là. Ça leur
donne la chair blanche et délicate. Deux heures
après, on les saigne... Mais, si vous voulez voir
saigner, il y en a là de tout prêts, auxquels Marjolin va faire leur affaire.

Marjolin emportait un demi-cent de pigeons
dans un des coffres. Claude et Florent le suivirent. Il s'établit près d'une fontaine, par terre,
posant le coffre à côté de lui, plaçant sur une
sorte de caisse en zinc un cadre de bois grillé de
traverses minces. Puis il saigna. Rapidement, le
couteau jouant entre les doigts, il saisissait les
pigeons par les ailes, leur donnait sur la tête
un coup de manche qui les étourdissait, leur
entrait la pointe dans la gorge. Les pigeons
avaient un court frisson, les plumes chiffonnées,
tandis qu'il les rangeait à la file, la tête entre les
barreaux du cadre de bois, au-dessus de la caisse
en zinc, où le sang tombait goutte à goutte. Et
cela d'un mouvement régulier, avec le tic-tac du
manche sur les crânes qui se brisaient, le geste
balancé de la main prenant, d'un côté, les bêtes
vivantes et les couchant mortes, de l'autre côté.
Peu à peu, cependant, Marjolin allait plus vite,
s'égayait à ce massacre, les yeux luisants, accroupi
comme un énorme dogue mis en joie. Il finit par
éclater de rire, par chanter : « Tic-tac, tic-tac,
tic-tac », accompagnant la cadence du couteau

d'un claquement de langue, faisant un bruit de
moulin écrasant des têtes. Les pigeons pendaient
comme des linges de soie.

— Hein! ça t'amuse, grande bête, dit Cadine
qui riait aussi. Ils sont drôles, les pigeons, quand
ils rentrent la tête, comme ça, entre les épaules,
pour qu'on ne leur trouve pas le cou... Allez, ce
n'est pas bon, ces animaux-là; ça vous pincerait,
si ça pouvait.

Et, riant plus haut de la hâte de plus en plus
fiévreuse de Marjolin, elle ajouta :

— J'ai essayé, mais je ne vais pas si vite que
lui... Un jour, il en a saigné cent en dix minutes.

Le cadre de bois s'emplissait; on entendait les
gouttes de sang tomber dans la caisse. Alors
Claude, en se tournant, vit Florent tellement
pâle, qu'il se hâta de l'emmener. En haut, il le
fit asseoir sur une marche de l'escalier.

— Eh bien, quoi donc! dit-il en lui tapant
dans les mains. Voilà que vous vous évanouissez
comme une femme.

— C'est l'odeur de la cave, murmura Florent
un peu honteux.

Ces pigeons, auxquels on fait avaler du grain
et de l'eau salée, qu'on assomme et qu'on égorge,
lui avaient rappelé les ramiers des Tuileries,
marchant avec leurs robes de satin changeant
dans l'herbe jaune de soleil. Il les voyait roucoulant sur le bras de marbre du lutteur antique,
au milieu du grand silence du jardin, tandis que,

sous l'ombre noire des marronniers, des petites
filles jouent au cerceau. Et c'était alors que cette
grosse brute blonde faisant son massacre, tapant
du manche et trouant de la pointe, au fond de
cette cave nauséabonde, lui avait donné froid
dans les os; il s'était senti tomber, les jambes
molles, les paupières battantes.

— Diable! reprit Claude quand il fut remis,
vous ne feriez pas un bon soldat... Ah! bien, ceux
qui vous ont envoyé à Cayenne sont encore de
jolis messieurs, d'avoir eu peur de vous. Mais,
mon brave, si vous vous mettez jamais d'une
émeute, vous n'oserez pas tirer un coup de pistolet; vous aurez trop peur de tuer quelqu'un.

Florent se leva, sans répondre. Il était devenu
très sombre, avec des rides désespérées qui lui
coupaient la face. Il s'en alla, laissant Claude
redescendre dans la cave; et, en se rendant à la
poissonnerie, il songeait de nouveau au plan
d'attaque, aux bandes armées qui envahiraient
le Palais-Bourbon. Dans les Champs-Elysées, le
canon gronderait; les grilles seraient brisées; il
y aurait du sang sur les marches, des éclaboussures de cervelle contre les colonnes. Ce fut une
vision rapide de bataille. Lui, au milieu, très
pâle, ne pouvait regarder, se cachait la figure
entre les mains.

Comme il traversait la rue du Pont-Neuf, il
crut apercevoir, au coin du pavillon aux fruits,
la face blême C'Auguste qui tendait le cou. Il

devait guetter quelqu'un, les yeux arrondis par une émotion extraordinaire d'imbécile. Il disparut brusquement, il rentra en courant à la charcuterie.

— Qu'a-t-il donc? pensa Florent. Est-ce que je lui fais peur?

Dans cette matinée, il s'était passé de très graves événements chez les Quenu-Gradelle. Au point du jour, Auguste accourut tout effaré réveiller la patronne, en lui disant que la police venait prendre monsieur Florent. Puis, balbutiant davantage, il lui conta confusément que celui-ci était sorti, qu'il avait dû se sauver. La belle Lisa, en camisole, sans corset, se moquant du monde, monta vivement à la chambre de son beau-frère, où elle prit la photographie de la Normande, après avoir regardé si rien ne les compromettait. Elle redescendait, lorsqu'elle rencontra les agents de police au second étage. Le commissaire la pria de les accompagner. Il l'entretint un instant à voix basse, s'installant avec ses hommes dans la chambre, lui recommandant d'ouvrir la boutique comme d'habitude, de façon à ne donner l'éveil à personne. Une souricière était tendue.

Le seul souci de la belle Lisa, en cette aventure, était le coup que le pauvre Quenu allait recevoir. Elle craignait, en outre, qu'il fît tout manquer par ses larmes, s'il apprenait que la police se trouvait là. Aussi exigea-t-elle d'Au-

guste le serment le plus absolu de silence. Elle
revint mettre son corset, conta à Quenu endormi
une histoire. Une demi-heure plus tard, elle
était sur le seuil de la charcuterie, peignée, sanglée, vernie, la face rose. Auguste faisait tranquillement l'étalage. Quenu parut un instant sur
le trottoir, bâillant légèrement, achevant de
s'éveiller dans l'air frais du matin. Rien n'indiquait le drame qui se nouait en haut.

Mais le commissaire donna lui-même l'éveil au
quartier, en allant faire une visite domiciliaire
chez les Méhudin, rue Pirouette. Il avait les
notes les plus précises. Dans les lettres anonymes
reçues à la Préfecture, on affirmait que Florent
couchait le plus souvent avec la belle Normande.
Peut-être s'était-il réfugié là. Le commissaire,
accompagné de deux hommes, vint secouer la
porte, au nom de la loi. Les Méhudin se levaient
à peine. La vieille ouvrit, furieuse, puis subite-
ment calmée et ricanant, lorsqu'elle sut de quoi
il s'agissait. Elle s'était assise, rattachant ses vêtements, disant à ces messieurs :

— Nous sommes d'honnêtes gens, nous
n'avons rien à craindre, vous pouvez chercher.

Comme la Normande n'ouvrait pas assez vite
la porte de sa chambre, le commissaire la fit
enfoncer. Elle s'habillait, la gorge libre, montrant ses épaules superbes, un jupon entre les
dents. Cette entrée brutale, qu'elle ne s'expliquait pas, l'exaspéra; elle lâcha le jupon, voulut

se jeter sur les hommes, en chemise, plus rouge
de colère que de honte. Le commissaire, en face
de cette grande femme nue, s'avançait, proté-
geant ses hommes, répétant de sa voix froide :

— Au nom de la loi! au nom de la loi!

Alors, elle tomba dans un fauteuil, sanglo-
tante, secouée par une crise, à se sentir trop
faible, à ne pas comprendre ce qu'on voulait
d'elle. Ses cheveux s'étaient dénoués, sa chemise
ne lui arrivait pas aux genoux. Les agents avaient
des regards de côté pour la voir. Le commissaire
de police lui jeta un châle qu'il trouva pendu au
mur. Elle ne s'en enveloppa même pas; elle
pleurait plus fort, en regardant les hommes
fouiller brutalement dans son lit, tâter de la
main les oreillers, visiter les draps.

— Mais qu'est-ce que j'ai fait? finit-elle par
bégayer. Qu'est-ce que vous cherchez donc dans
mon lit?

Le commissaire prononça le nom de Florent,
et comme la vieille Méhudin était restée sur le
seuil de la chambre.

— Ah! la coquine, c'est elle! s'écria la jeune
femme, en voulant s'élancer sur sa mère.

Elle l'aurait battue. On la retint, on l'enveloppa de force dans le châle. Elle se débattait,
elle disait d'une voix suffoquée :

— Pour qui donc me prend-on!... Ce Florent
n'est jamais entré ici, entendez-vous. Il n'y a
rien eu entre nous. On cherche à me faire du

tort dans le quartier, mais qu'on vienne me dire
quelque chose en face, vous verrez. On me mettra en prison après; ça m'est égal... Ah bien! Florent, j'ai mieux que lui! Je peux épouser qui je
veux, je les ferai crever de rage, celles qui vous
envoient.

Ce flot de paroles la calmait. Sa fureur se tournait contre Florent, qui était cause de tout. Elle
s'adressa au commissaire, se justifiant :

— Je ne savais pas, monsieur. Il avait l'air
très doux, il nous a trompés. Je n'ai pas voulu
écouter ce qu'on disait, parce qu'on est si méchant... Il venait donner des leçons au petit, puis
il s'en allait. Je le nourrissais, je lui faisais souvent cadeau d'un beau poisson. C'est tout .. Ah!
non, par exemple, on ne me reprendra plus à
être bonne comme ça!

— Mais, demanda le commissaire, il a dû vous
donner des papiers à garder?

— Non, je vous jure que non... Moi, ça me
serait égal, je vous les remettrais, ces papiers.
J'en ai assez, n'est-ce pas? Ça ne m'amuse guère
de vous voir tout fouiller... Allez, c'est bien
inutile.

Les agents, qui avaient visité chaque meuble,
voulurent alors pénétrer dans le cabinet où
Muche couchait. Depuis un instant, on entendait
l'enfant, réveillé par le bruit, qui pleurait à
chaudes larmes, en croyant sans doute qu'on
allait venir l'égorger.

— C'est la chambre du petit, dit la Normande en ouvrant la porte.

Muche, tout nu, courut se pendre à son cou. Elle le consola, le coucha dans son propre lit. Les agents ressortirent presque aussitôt du cabinet, et le commissaire se décidait à se retirer, lorsque l'enfant, encore tout éploré, murmura à l'oreille de sa mère :

— Ils vont prendre mes cahiers... Ne leur donne pas mes cahiers...

— Ah! c'est vrai, s'écria la Normande, il y a les cahiers... Attendez, messieurs, je vais vous remettre ça. Je veux vous montrer que je m'en moque. Tenez, vous trouverez de son écriture, là-dedans. On peut bien le pendre, ce n'est pas moi qui irai le décrocher.

Elle donna les cahiers de Muche et les modèles d'écriture. Mais le petit, furieux, se leva de nouveau, mordant et égratignant sa mère, qui le recoucha d'une calotte. Alors, il se mit à hurler. Sur le seuil de la chambre dans le vacarme, mademoiselle Saget allongeait le cou; elle était entrée, trouvant toutes les portes ouvertes, offrant ses services à la mère Méhudin. Elle regardait, elle écoutait, en plaignant beaucoup ces pauvres dames, qui n'avaient personne pour les défendre. Cependant, le commissaire lisait les modèles d'écriture, d'un air sérieux. Les « tyranniquement », les « liberticide » les « anticonstitutionnel », les « révolutionnaire », lui faisaient froncer les sourcils. Lorsqu'il lut la phrase : « Quand l'heure sonnera, le coupable tombera », il donna de petites tapes sur les papiers, en disant :

— C'est très grave, très grave.

Il remit le paquet à un de ses agents, il s'en alla. Claire, qui n'avait pas encore paru, ouvrit sa porte, regardant ces hommes descendre. Puis, elle vint dans la chambre de sa sœur, où elle n'était pas entrée depuis un an. Mademoiselle Saget paraissait au mieux avec la Normande; elle s'attendrissait sur elle, ramenait les bouts du châle pour la mieux couvrir, recevait avec des mines apitoyées les premiers aveux de sa colère.

— Tu es bien lâche, dit Claire en se plantant devant sa sœur.

Celle-ci se leva, terrible, laissant glisser le châle.

— Tu mouchardes donc! cria-t-elle. Répète donc un peu ce que tu viens de dire.

— Tu es bien lâche, répéta la jeune fille d'une voix plus insultante.

Alors, la Normande, à toute volée, donna un soufflet à Claire, qui pâlit affreusement et qui sauta sur elle, en lui enfonçant les ongles dans le cou. Elles luttèrent un instant, s'arrachant les cheveux, cherchant à s'étrangler. La cadette, avec une force surhumaine, toute frêle qu'elle était, poussa l'aînée si violemment, qu'elles allèrent l'une et l'autre tomber dans l'armoire dont la glace se fendit. Muche sanglotait, la vieille Méhudin criait à mademoiselle Saget de l'aider à les séparer. Mais Claire se dégagea, en disant :

— Lâche, lâche... Je vais allèr le prévenir, ce malheureux que tu as vendu.

Sa mère lui barra la porte. La Normande se jeta sur elle par-derrière. Et, mademoiselle Saget aidant, à elles trois, elles la poussèrent dans sa chambre, où elles l'enfermèrent à double tour, malgré sa résistance affolée. Elle donnait des coups de pied dans la porte, cassait tout chez elle. Puis, on n'entendit plus qu'un grattement furieux, un bruit de fer égratignant le plâtre. Elle descellait les gonds avec la pointe de ses ciseaux.

— Elle m'aurait tuée, si elle avait eu un couteau, dit la Normande, en cherchant ses vêtements pour s'habiller. Vous verrez qu'elle finira par faire un mauvais coup, avec sa jalousie... Surtout, qu'on ne lui ouvre pas la porte. Elle ameuterait le quartier contre nous.

Mademoiselle Saget s'était empressée de descendre. Elle arriva au coin de la rue Pirouette juste au moment où le commissaire rentrait dans l'allée des Quenu-Gradelle. Elle comprit, elle entra à la charcuterie, les yeux si brillants, que Lisa lui recommanda le silence d'un geste, en lui montrant Quenu qui accrochait des bandes de petit salé. Quand il fut retourné à la cuisine,

la vieille conta à mi-voix le drame qui venait de
se passer chez les Méhudin. La charcutière,
penchée au-dessus du comptoir, la main sur la
terrine de veau piqué, écoutait, avec la mine
heureuse d'une femme qui triomphe. Puis,
comme une cliente demandait deux pieds de
cochon, elle les enveloppa d'un air songeur.

— Moi, je n'en veux pas à la Normande, dit-
elle enfin à mademoiselle Saget, lorsqu'elles
furent seules de nouveau. Je l'aimais beaucoup,
j'ai regretté qu'on nous eût fâchées ensemble...
Tenez, la preuve que je ne suis pas méchante,
c'est que j'ai sauvé ça des mains de la police, et
que je suis toute prête à le lui rendre, si elle
vient me le demander elle-même.

Elle sortit de sa poche le portrait-carte. Mademoiselle Saget le flaira, ricana en lisant : « Louise
à son bon ami Florent »; puis, de sa voix pointue :

— Vous avez peut-être tort. Vous devriez
garder ça.

— Non, non, interrompit Lisa, je veux que
tous les cancans finissent. Aujourd'hui, c'est le
jour de la réconciliation. Il y en a assez, le quartier doit redevenir tranquille.

— Eh bien, voulez-vous que j'aille dire à la
Normande que vous l'attendez? demanda la
vieille.

— Oui, vous me ferez plaisir.

Mademoiselle Saget retourna rue Pirouette,

effraya beaucoup la poissonnière, en lui disant
qu'elle venait de voir son portrait dans la poche
de Lisa. Mais elle ne put la décider tout de suite
à la démarche que sa rivale exigeait. La Normande fit ses conditions; elle irait, seulement la
charcutière s'avancerait pour la recevoir jusqu'au seuil de la boutique. La vieille dut faire
encore deux voyages, de l'une à l'autre, pour
bien régler les points de l'entrevue. Enfin, elle
eut la joie de négocier ce raccommodement qui
allait faire tant de bruit. Comme elle repassait
une dernière fois devant la porte de Claire, elle
entendit toujours le bruit des ciseaux, dans le
plâtre.

Puis, après avoir rendu une réponse définitive
à la charcutière, elle se hâta d'aller chercher
madame Lecœur et la Sarriette. Elles s'établirent
toutes trois au coin du pavillon de la marée, sur
le trottoir, en face de la charcuterie. Là, elles ne
pouvaient rien perdre de l'entrevue. Elles s'impatientaient, feignant de causer entre elles,
guettant la rue Pirouette, d'où la Normande
devait sortir. Dans les Halles, le bruit de la
réconciliation courait déjà; les marchandes,
droites à leur banc, se haussant, cherchaient à
voir; d'autres, plus curieuses, quittant leur place,
vinrent même se planter sous la rue couverte.
Tous les yeux des Halles se tournaient vers la
charcuterie. Le quartier était dans l'attente.

Ce fut solennel. Quand la Normande débou-

cha de la rue Pirouette, les respirations restèrent
coupées.

— Elle a ses brillants, murmura la Sarriette.

— Voyez donc comme elle marche, ajouta
madame Lecœur; elle est trop effrontée.

La belle Normande, à la vérité, marchait en
reine qui daignait accepter la paix. Elle avait
fait une toilette soignée, coiffée avec ses cheveux
frisés, relevant un coin de son tablier pour montrer sa jupe de cachemire; elle étrennait même
un nœud de dentelle d'une grande richesse.
Comme elle sentait les Halles la dévisager, elle
se rengorgea encore en approchant de la charcuterie. Elle s'arrêta devant la porte.

— Maintenant, c'est au tour de la belle Lisa,
dit mademoiselle Saget. Regardez bien.

La belle Lisa quitta son comptoir en souriant.
Elle traversa la boutique sans se presser, vint
tendre la main à la belle Normande. Elle était
également très comme il faut, avec son linge
éblouissant, son grand air de propreté. Un murmure courut la poissonnerie; toutes les têtes, sur
le trottoir, se rapprochèrent, causant vivement.
Les deux femmes étaient dans la boutique, et
les crépines de l'étalage empêchaient de les bien
voir. Elles semblaient causer affectueusement,
s'adressaient de petits saluts, se complimentaient
sans doute.

— Tiens! reprit mademoiselle Saget, la belle

Normande achète quelque chose... Qu'est-ce donc qu'elle achète? C'est une andouille, je crois... Ah! voilà! Vous n'avez pas vu, vous autres? La belle Lisa vient de lui rendre la photographie, en lui mettant l'andouille dans la main.

Puis, il y eut encore des salutations. La belle Lisa, dépassant même les amabilités réglées à l'avance, voulut accompagner la belle Normande jusque sur le trottoir. Là, elles rirent toutes les deux, se montrèrent au quartier en bonnes amies. Ce fut une véritable joie pour les Halles; les marchandes revinrent à leur banc, en déclarant que tout s'était très bien passé.

Mais mademoiselle Saget retint madame Lecœur et la Sarriette. Le drame se nouait à peine. Elles couvaient toutes trois des yeux la maison d'en face, avec une âpreté de curiosité qui cherchait à voir à travers les pierres. Pour patienter, elles causèrent encore de la belle Normande.

— La voilà sans homme, dit madame Lecœur.

— Elle a monsieur Lebigre, fit remarquer la Sarriette, qui se mit à rire.

— Oh! monsieur Lebigre, il ne voudra plus.

Mademoiselle Saget haussa les épaules, en murmurant :

— Vous ne le connaissez guère. Il se moque pas mal de tout ça. C'est un homme qui sait faire ses affaires, et la Normande est riche. Dans deux mois, ils seront ensemble, vous verrez. Il y a longtemps que la mère Méhudin travaille à ce mariage.

— N'importe, reprit la marchande de beurre, le commissaire ne l'en a pas moins trouvée couchée avec ce Florent.

— Mais non, je ne vous ai pas dit ça... Le grand maigre venait de partir. J'étais là quand on a regardé dans le lit. Le commissaire a tâté avec la main. Il y avait deux places toutes chaudes...

La vieille reprit haleine, et d'une voix indignée :

— Ah! voyez-vous, ce qui m'a fait le plus de mal, c'est d'entendre toutes les horreurs que ce gueux apprenait au petit Muche. Non, vous ne pouvez pas croire... Il y en avait un gros paquet.

— Quelles horreurs? demanda la Sarriette alléchée.

— Est-ce qu'on sait! Des saletés, des cochonneries. Le commissaire a dit que ça suffisait pour le faire pendre... C'est un monstre, cet homme-là. Aller s'attaquer à un enfant, s'il est permis! Le petit Muche ne vaut pas grand-chose, mais ce n'est pas une raison pour le fourrer avec les rouges, ce marmot, n'est-ce pas?

— Bien sûr, répondirent les deux autres.

— Enfin, on est en train de mettre bon ordre à tout ce micmac. Je vous le disais, vous vous rappelez : « Il y a un micmac chez les Quenu qui ne sent pas bon. » Vous voyez si j'avais le nez fin... Dieu merci, le quartier va pouvoir respirer un peu. Ça demandait un fier coup de balai; car, ma parole d'honneur, on finissait par avoir peur d'être assassiné en plein jour. On ne vivait plus. C'étaient des cancans, des fâcheries, des tueries. Et ça pour un seul homme, pour ce Florent... Voilà la belle Lisa et la belle Normande remises; c'est très bien de leur part, elles devaient ça à la tranquillité de tous. Maintenant, le reste marchera bon train, vous allez voir... Tiens, ce pauvre monsieur Quenu qui rit là-bas.

Quenu, en effet, était de nouveau sur le trottoir, débordant dans son tablier blanc, plaisantant avec la petite bonne de madame Taboureau. Il était très gaillard, ce matin-là. Il pressait les mains de la petite bonne, lui cassait les poignets à la faire crier, dans sa belle humeur de charcutier. Lisa avait toutes les peines du monde à le renvoyer à la cuisine. Elle marchait d'impatience dans la boutique, craignant que Florent n'arrivât, appelant son mari pour éviter une rencontre.

— Elle se fait du mauvais sang, dit mademoiselle Saget. Ce pauvre monsieur Quenu ne sait rien. Rit-il comme un innocent!... Vous savez que madame Taboureau disait qu'elle se fâcherait avec les Quenu, s'ils se déconsidéraient davantage en gardant leur Florent chez eux.

— En attendant, ils gardent l'héritage, fit remarquer madame Lecœur.

— Eh! non, ma bonne... L'autre a eu sa part.

— Vrai... Comment le savez-vous?

— Pardieu! ça se voit, reprit la vieille, après une courte hésitation, et sans donner d'autre preuve. Il a même pris plus que sa part. Les Quenu en seront pour plusieurs milliers de francs... Il faut dire qu'avec des vices, ça va vite... Ah! vous ignorez peut-être : il avait une autre femme...

— Ça ne m'étonne pas, interrompit la Sarriette : ces hommes maigres sont de fiers hommes.

— Oui, et pas jeune encore, cette femme. Vous savez, quand un homme en veut, il en veut; il en ramasserait par terre... Madame Verlaque, la femme de l'ancien inspecteur, vous la connaissez bien, cette dame toute jaune.

Mais les deux autres se récrièrent. Ce n'était pas possible. Madame Verlaque était abominable. Alors mademoiselle Saget s'emporta.

— Quand je vous le dis! Accusez-moi de mentir, n'est-ce pas...? On a des preuves, on a trouvé des lettres de cette femme, tout un paquet de lettres, dans lesquelles elle lui demandait de l'argent, des dix et des vingt francs à la fois. C'est clair, enfin... A eux deux, ils auront fait mourir le mari.

La Sarriette et madame Lecœur furent

convaincues. Mais elles perdaient patience. Il y avait plus d'une heure qu'elles attendaient sur le trottoir. Elles se disaient que, pendant ce temps, on les volait peut-être, à leurs bancs. Alors, mademoiselle Saget les retenait avec une nouvelle histoire, Florent ne pouvait pas s'être sauvé; il allait revenir; ce serait très intéressant, de le voir arrêter. Et elle donnait des détails minutieux sur la souricière, tandis que la marchande de beurre et la marchande de fruits continuaient à examiner la maison de haut en bas, épiant chaque ouverture, s'attendant à voir des chapeaux de sergents de ville à toutes les fentes. La maison, calme et muette, baignait béatement dans le soleil du matin.

— Si l'on dirait que c'est plein de police! murmura madame Lecœur.

— Ils sont dans la mansarde, là-haut, dit la vieille. Voyez-vous, ils ont laissé la fenêtre comme ils l'ont trouvée... Ah! regardez, il y en a un, je crois, caché derrière le grenadier, sur la terrasse.

Elles tendirent le cou, elles ne virent rien.

— Non, c'est l'ombre, expliqua la Sarriette. Les petits rideaux eux-mêmes ne remuent pas. Ils ont dû s'asseoir tous dans la chambre et ne plus bouger.

A ce moment, elles aperçurent Gavard qui sortait du pavillon de la marée, l'air préoccupé. Elles se regardèrent avec des yeux luisants, sans parler. Elles s'étaient rapprochées, droites dans leurs jupes tombantes. Le marchand de volailles vint à elles.

— Est-ce que vous avez vu passer Florent? demanda-t-il.

Elles ne répondirent pas.

— J'ai besoin de lui parler tout de suite, continua Gavard. Il n'est pas à la poissonnerie. Il doit être remonté chez lui... Vous l'auriez vu, pourtant.

Les trois femmes étaient un peu pâles. Elles se regardaient toujours, d'un air profond, avec de légers tressaillements aux coins des lèvres. Comme son beau-frère hésitait :

— Il n'y a pas cinq minutes que nous sommes là, dit nettement madame Lecœur. Il aura passé auparavant.

— Alors, je monte, je risque les cinq étages, reprit Gavard en riant.

La Sarriette fit un mouvement, comme pour l'arrêter; mais sa tante lui prit le bras, la ramena, en lui soufflant à l'oreille :

— Laisse donc, grande bête! C'est bien fait pour lui. Ça lui apprendra à nous marcher dessus.

— Il n'ira plus dire que je mange de la viande gâtée, murmura plus bas encore mademoiselle Saget.

Puis, elles n'ajoutèrent rien. La Sarriette était très rouge; les deux autres restaient toutes jaunes. Elles tournaient la tête maintenant, gênées par leurs regards, embarrassées de leurs mains, qu'elles cachèrent sous leurs tabliers. Leux yeux finirent par se lever instinctivement sur la maison, suivant Gavard à travers les pierres, le voyant monter les cinq étages. Quand elles le crurent dans la chambre, elles s'examinèrent de nouveau, avec des coups d'œil de côté. La Sarriette eut un rire nerveux. Il leur sembla un instant que les rideaux de la fenêtre remuaient, ce qui les fit croire à quelque lutte. Mais la façade de la maison gardait sa tranquillité tiède; un quart d'heure s'écoula, d'une paix absolue, pendant lequel une émotion croissante les prit à la gorge. Elles défaillaient, lorsqu'un homme, sortant de l'allée, courut enfin chercher un fiacre. Cinq minutes plus tard, Gavard descendait, suivi de deux agents. Lisa, qui était venue sur le trottoir, en apercevant le fiacre, se hâta de rentrer dans la charcuterie.

Gavard était blême. En haut, on l'avait fouillé, on avait trouvé sur lui son pistolet et sa boîte de cartouches. A la rudesse du commissaire, au mouvement qu'il venait de faire en entendant son nom, il se jugeait perdu. C'était un dénouement terrible, auquel il n'avait jamais nettement songé. Les Tuileries ne lui pardonneraient pas. Ses jambes fléchissaient, comme si le peloton d'exécution l'eût attendu. Lorsqu'il vit la rue, pourtant, il trouva assez de force dans sa vantar-

dise pour marcher droit. Il eut même un dernier
sourire, en pensant que les Halles le voyaient et
qu'il mourrait bravement.

Cependant, la Sarriette et madame Lecœur
étaient accourues. Quand elles eurent demandé
une explication, la marchande de beurre se mit
à sangloter, tandis que la nièce, très émue,
embrassait son oncle. Il la tint serrée entre ses
bras, en lui remettant une clef et en lui murmurant à l'oreille :

— Prends tout, et brûle les papiers.

Il monta en fiacre, de l'air dont il serait monté
sur l'échafaud. Quand la voiture eut disparu au
coin de la rue Pierre-Lescot, madame Lecœur
aperçut la Sarriette qui cherchait à cacher la clef
dans sa poche.

— C'est inutile, ma petite, lui dit-elle les
dents serrées, j'ai vu qu'il te la mettait dans la
main. Aussi vrai qu'il y a un Dieu, j'irai tout lui
dire à la prison, si tu n'es pas gentille avec
moi.

— Mais, ma tante, je suis gentille, répondit
la Sarriette avec un sourire embarrassé.

— Allons tout de suite chez lui, alors. Ce
n'est pas la peine de laisser aux argousins le
temps de mettre leurs pattes dans ses armoires.

Mademoiselle Saget qui avait écouté, avec des
regards flamboyants, les suivit, courut derrière
elles, de toute la longueur de ses petites jambes.
Elle se moquait bien d'attendre Florent, mainte-

nant. De la rue Rambuteau à la rue de la Cossonnerie, elle se fit très humble; elle était pleine
d'obligeance, elle offrait de parler la première
à la portière, madame Léonce.

— Nous verrons, nous verrons, répétait briève-
ment la marchande de beurre.

Il fallut en effet parlementer. Madame Léonce
ne voulait pas laisser monter ces dames à l'appartement de son locataire. Elle avait la mine très
austère, choquée par le fichu mal noué de la
Sarriette. Mais quand la vieille demoiselle lui
eut dit quelques mots tout bas, et qu'on lui eut
montré la clef, elle se décida. En haut, elle ne
livra les pièces qu'un à une, exaspérée, le cœur
saignant comme si elle avait dû indiquer elle-
même à des voleurs l'endroit où son argent se
trouvait caché.

— Allez, prenez tout, s'écria-t-elle, en se
jetant dans un fauteuil.

La Sarriette essayait déjà la clef à toutes les
armoires. Madame Lecœur, d'un air soupçonneux, la suivait de si près, était tellement sur
elle, qu'elle lui dit :

— Mais, ma tante, vous me gênez. Laissez-
moi les bras libres, au moins.

Enfin, une armoire s'ouvrit, en face de la
fenêtre, entre la cheminée et le lit. Les quatre
femmes poussèrent un soupir. Sur la planche du
milieu, il y avait une dizaine de mille francs en
pièces d'or, méthodiquement rangées par petites

piles. Gavard, dont la fortune était prudemment déposée chez un notaire, gardait cette somme en réserve pour « le coup de chien ». Comme il le disait avec solennité, il tenait prêt son apport dans la révolution. Il avait vendu quelques titres, goûtant une jouissance particulière à regarder les dix mille francs chaque soir, les couvant des yeux, en leur trouvant la mine gaillarde et insurrectionnelle. La nuit, il rêvait qu'on se battait dans son armoire; il y entendait des coups de fusil, des pavés arrachés et roulant, des voix de vacarme et de triomphe : c'était son argent qui faisait de l'opposition.

La Sarriette avait tendu les mains, avec un cri de joie.

— Bas les griffes! ma petite, dit madame Lecœur d'une voix rauque.

Elle était encore plus jaune, dans le reflet de l'or, la face marbrée par la bile, les yeux brûlés par la maladie de foie qui la minait sourdement. Derrière elle, mademoiselle Saget se haussait sur la pointe des pieds, en extase, regardant jusqu'au fond de l'armoire. Madame Léonce, elle aussi, s'était levée, mâchant des paroles sourdes.

— Mon oncle m'a dit de tout prendre, reprit nettement la jeune femme.

— Et moi qui l'ai soigné, cet homme, je n'aurai rien, alors, s'écria la portière.

Madame Lecœur étouffait; elle les repoussa, se cramponnant à l'armoire, en bégayant :

— C'est mon bien, je suis sa plus proche
parente, vous êtes des voleuses, entendez-vous...
J'aimerais mieux tout jeter par la fenêtre.

Il y eut un silence, pendant lequel elles se
regardèrent toutes les quatre avec des regards
louches. Le foulard de la Sarriette s'était tout à
fait dénoué; elle montrait la gorge, adorable de
vie, la bouche humide, les narines roses. Madame Lecœur s'assombrit encore en la voyant si
belle de désir.

— Ecoute, lui dit-elle d'une voix plus sourde,
ne nous battons pas... Tu es sa nièce, je veux
bien partager... Nous allons prendre une pile,
chacune à notre tour.

Alors, elles écartèrent les deux autres. Ce fut
la marchande de beurre qui commença. La pile
disparut dans ses jupes. Puis, la Sarriette prit
une pile également. Elles se surveillaient, prêtes
à se donner des tapes sur les mains. Leurs doigts
s'allongeaient régulièrement, des doigts horribles et noueux, des doigts blancs et d'une souplesse de soie. Elles s'emplirent les poches. Lorsqu'il ne resta plus qu'une pile, la jeune femme
ne voulut pas que sa tante l'eût, puisque c'était
elle qui avait commencé. Elle la partagea brusquement entre mademoiselle Saget et madame
Léonce, qui les avaient regardées empocher l'or
avec des piétinements de fièvre.

— Merci, gronda la portière, cinquante francs,
pour l'avoir dorloté avec de la tisane et du bouil-

lon! Il disait qu'il n'avait pas de famille, ce vieil enjôleur.

Madame Lecœur, avant de fermer l'armoire, voulut la visiter de haut en bas. Elle contenait tous les livres politiques défendus à la frontière, les pamphlets de Bruxelles, les histoires scandaleuses des Bonaparte, les caricatures étrangères ridiculisant l'empereur. Un des grands régals de Gavard était de s'enfermer parfois avec un ami pour lui montrer ces choses compromettantes.

— Il m'a bien recommandé de brûler les papiers, fit remarquer la Sarriette.

— Bah! nous n'avons pas de feu, ça serait trop long... Je flaire la police. Il faut déguerpir.

Et elles s'en allèrent toutes quatre. Elles n'étaient pas au bas de l'escalier, que la police se présenta. Madame Léonce dut remonter, pour accompagner ces messieurs. Les trois autres, serrant les épaules, se hâtèrent de gagner la rue. Elles marchaient vite, à la file, la tante et la nièce gênées par le poids de leurs poches pleines. La Sarriette qui allait la première, se retourna, en remontant sur le trottoir de la rue Rambuteau, et dit avec son rire tendre :

— Ça me bat contre les cuisses.

Et madame Lecœur lâcha une obscénité, qui les amusa. Elles goûtaient une jouissance à sentir ce poids qui leur tirait les jupes, qui se pendait à elles comme des mains chaudes de caresses.

Mademoiselle Saget avait gardé les cinquante francs dans son poing fermé. Elle restait sérieuse, bâtissait un plan pour tirer encore quelque chose de ces grosses poches qu'elle suivait. Comme elles se retrouvaient au coin de la poissonnerie :

— Tiens! dit la vieille, nous revenons au bon moment, voilà le Florent qui va se faire pincer.

Florent, en effet, rentrait de sa longue course. Il alla changer de paletot dans son bureau, se mit à sa besogne quotidienne, surveillant le lavage des pierres, se promenant lentement le long des allées. Il lui sembla qu'on le regardait singulièrement; les poissonnières chuchotaient sur son passage, baissaient le nez, avec des yeux sournois. Il crut à quelque nouvelle vexation. Depuis quelque temps, ces grosses et terribles femmes ne lui laissaient pas une matinée de repos. Mais comme il passait devant le banc des Méhudin, il fut très surpris d'entendre la mère lui dire d'une voix doucereuse :

— Monsieur Florent, il y a quelqu'un qui est venu vous demander tout à l'heure. C'est un monsieur d'un certain âge. Il est monté vous attendre dans votre chambre.

La vieille poissonnière, tassée sur une chaise, goûtait, à dire ces choses, un raffinement de vengeance qui agitait d'un tremblement sa masse énorme. Florent, doutant encore, regarda la belle Normande. Celle-ci, remise complètement avec sa mère, ouvrait son robinet, tapait ses poissons, paraissait ne pas entendre.

— Vous êtes bien sûre? demanda-t-il.

— Oh! tout à fait sûre, n'est-ce pas, Louise? reprit la vieille d'une voix plus aiguë.

Il pensa que c'était sans doute pour la grande affaire, et il se décida à monter. Il allait sortir du pavillon, lorsque, en se retournant machinalement, il aperçut la belle Normande qui le suivait des yeux, la face toute grave. Il passa à côté des trois commères.

— Vous avez remarqué, murmura mademoiselle Saget, la charcuterie est vide. La belle Lisa n'est pas une femme à se compromettre.

C'était vrai, la charcuterie était vide. La maison gardait sa façade ensoleillée, son air béat de bonne maison se chauffant honnêtement le ventre aux premiers rayons. En haut, sur la terrasse, le grenadier était tout fleuri. Comme Florent traversait la chaussée, il fit un signe de tête amical à Logre et à monsieur Lebigre, qui paraissaient prendre l'air sur le seuil de l'établissement de ce dernier. Ces messieurs lui sourirent. Il allait s'enfoncer dans l'allée, lorsqu'il crut apercevoir, au bout de ce couloir étroit et sombre, la face pâle d'Auguste qui s'évanouit brusquement. Alors, il revint, jeta un coup d'œil dans la charcuterie, pour s'assurer que le monsieur d'un certain âge ne s'était pas arrêté là. Mais il ne vit que Mouton, assis sur un billot, le

contemplant de ses deux gros yeux jaunes, avec
son double menton et ses grandes moustaches
hérissées de chat défiant. Quand il se fut décidé
à entrer dans l'allée, le visage de la belle Lisa se
montra au fond, derrière le petit rideau d'une
porte vitrée.

Il y eut comme un silence dans la poissonnerie. Les ventres et les gorges énormes retenaient
leur haleine, attendant qu'il eût disparu. Puis
tout déborda, les gorges s'étalèrent, les ventres
crevèrent d'une joie mauvaise. La farce avait
réussi. Rien n'était plus drôle. La vieille Méhudin riait avec des secousses sourdes, comme une
outre pleine que l'on vide. Son histoire du monsieur d'un certain âge faisait le tour du marché,
paraissait à ces dames extrêmement drôle. Enfin,
le grand maigre était emballé, on n'aurait plus
toujours là sa fichue mine, ses yeux de forçat.
Et toutes lui souhaitaient bon voyage, en comptant sur un inspecteur qui fût bel homme. Elles
couraient d'un banc à l'autre, elles auraient
dansé autour de leurs pierres comme des filles
échappées. La belle Normande regardait cette
joie, toute droite, n'osant bouger de peur de
pleurer, les mains sur une grande raie pour calmer sa fièvre.

— Voyez-vous ces Méhudin qui le lâchent,
quand il n'a plus le sou, dit madame Lecœur.

— Tiens! elles ont raison, répondit mademoiselle Saget. Puis, ma chère, c'est la fin, n'est-ce

pas? Il ne faut plus se manger... Vous êtes contente, vous. Laissez les autres arranger leurs affaires.

— Il n'y a que les vieilles qui rient, fit remarquer la Sarriette. La Normande n'a pas l'air gai.

Cependant, dans la chambre, Florent se laissait prendre comme un mouton. Les agents se jetèrent sur lui avec rudesse, croyant sans doute à une résistance désespérée. Il les pria doucement de le lâcher. Puis, il s'assit, pendant que les hommes emballaient les papiers, les écharpes rouges, les brassards et les guidons. Ce dénouement ne semblait pas le surprendre; il était un soulagement pour lui, sans qu'il voulût se le confesser nettement. Mais il souffrait, à la pensée de la haine qui venait de le pousser dans cette chambre. Il revoyait la face blême d'Auguste, les nez baissés des poissonnières; il se rappelait les paroles de la mère Méhudin, le silence de la Normande, la charcuterie vide; et il se disait que les Halles étaient complices, que c'était le quartier entier qui le livrait. Autour de lui, montait la boue de ces rues grasses.

Lorsque, au milieu de ces faces rondes qui passaient dans un éclair, il évoqua tout d'un coup l'image de Quenu, il fut pris au cœur d'une angoisse mortelle.

— Allons, descendez, dit brutalement un agent.

Il se leva, il descendit. Au troisième étage, il demanda à remonter; il prétendait avoir oublié quelque chose. Les hommes ne voulurent pas, le poussèrent. Lui se fit suppliant. Il leur offrit même quelque argent qu'il avait sur lui. Deux consentirent enfin à le reconduire à la chambre, en le menaçant de lui casser la tête, s'il essayait de leur jouer un mauvais tour. Ils sortirent leurs revolvers de leur poche. Dans la chambre, il alla droit à la cage du pinson, prit l'oiseau, le baisa entre les deux ailes, lui donna la volée. Et il le regarda, dans le soleil, se poser sur le toit de la poissonnerie, comme étourdi, puis, d'un autre vol, disparaître par-dessus les Halles, du côté du square des Innocents. Il resta encore un instant en face du ciel, du ciel libre; il songeait aux ramiers roucoulants des Tuileries, aux pigeons des resserres, la gorge crevée par Marjolin. Alors, tout se brisa en lui, il suivit les agents qui remettaient leurs revolvers dans la poche, en haussant les épaules.

Au bas de l'escalier, Florent s'arrêta devant la porte qui ouvrait sur la cuisine de la charcuterie. Le commissaire, qui l'attendait là, presque touché par sa douceur obéissante, lui demanda :

— Voulez-vous dire adieu à votre frère?

Il hésita un instant. Il regardait la porte. Un bruit terrible de hachoirs et de marmites venait de la cuisine. Lisa, pour occuper son mari, avait imaginé de lui faire emballer, dans la matinée, le

boudin qu'il ne fabriquait d'ordinaire que le
soir. L'oignon chantait sur le feu. Florent entendit la voix joyeuse de Quenu qui dominait le
vacarme, disant :

— Ah! sapristi, le boudin sera bon... Auguste,
passez-moi les gras!

Et Florent remercia le commissaire, avec la
peur de rentrer dans cette cuisine chaude,
pleine de l'odeur forte de l'oignon cuit. Il passa
devant la porte, heureux de croire que son frère
ne savait rien, hâtant le pas pour éviter un dernier chagrin à la charcuterie. Mais, en recevant
au visage le grand soleil de la rue, il eut honte,
il monta dans le fiacre, l'échine pliée, la figure
terreuse. Il sentait en face de lui la poissonnerie
triomphante, il lui semblait que tout le quartier
était là qui jouissait.

— Hein! la fichue mine, dit mademoiselle
Saget.

— Une vraie mine de forçat pincé la main
dans le sac, ajouta madame Lecœur.

— Moi, reprit la Sarriette en montrant ses
dents blanches, j'ai vu guillotiner un homme qui
avait tout à fait cette figure-là.

Elles s'étaient approchées, elles allongeaient le
cou, pour voir encore, dans le fiacre. Au moment où la voiture s'ébranlait, la vieille demoiselle tira vivement les jupes des deux autres, en
leur montrant Claire qui débouchait de la rue
Pirouette, affolée, les cheveux dénoués, les

ongles saignants. Elle avait descellé sa porte.
Quand elle comprit qu'elle arrivait trop tard,
qu'on emmenait Florent, elle s'élança derrière
le fiacre, s'arrêta presque aussitôt avec un geste
de rage impuissante, montra le poing aux roues
qui fuyaient. Puis, toute rouge sous la fine poussière du plâtre qui la couvrait. elle rentra en
courant rue Pirouette.

— Est-ce qu'il lui avait promis le mariage!
s'écria la Sarriette en riant. Elle est toquée, cette
grande bête!

Le quartier se calma. Des groupes, jusqu'à la
fermeture des pavillons, causèrent des événements de la matinée. On regardait curieusement
dans la charcuterie. Lisa évita de paraître, laissant Augustine au comptoir. L'après-midi, elle
crut devoir enfin tout dire à Quenu, de peur
que quelque bavarde ne lui portât le coup trop
rudement. Elle attendit d'être seule avec lui
dans la cuisine, sachant qu'il s'y plaisait, qu'il
y pleurerait moins. Elle procéda, d'ailleurs, avec
des ménagements maternels. Mais quand il
connut la vérité, il tomba sur la planche à
hacher, il fondit en larmes comme un veau.

— Voyons, mon pauvre gros, ne te désespère
pas comme cela, tu vas te faire du mal, lui dit
Lisa en le prenant dans ses bras.

Ses yeux coulaient sur son tablier blanc, sa
masse inerte avait des remous de douleur. Il se
tassait, se fondait. Quand il put parler :

— Non, balbutia-t-il, tu ne sais pas combien
il était bon pour moi, lorsque nous habitions
rue Royer-Collard. C'était lui qui balayait, qui
faisait la cuisine. Il m'aimait comme son enfant,
vois-tu; il revenait crotté, las à ne plus remuer;
et moi, je mangeais bien, j'avais chaud, à la
maison... Maintenant, voilà qu'on va le fusiller.

Lisa se récria, dit qu'on ne le fusillerait pas.
Mais il secouait la tête. Il continua :

— Ça ne fait rien, je ne l'ai pas assez aimé.
Je puis bien dire ça, à cette heure. J'ai eu mauvais cœur, j'ai hésité à lui rendre sa part de l'héritage...

— Eh! je la lui ai offerte plus de dix fois,
s'écria-t-elle. Nous n'avons rien à nous reprocher.

— Oh! toi, je sais bien, tu es bonne, tu lui
aurais tout donné... Moi, ça me faisait quelque
chose, que veux-tu! Ce sera le chagrin de toute
ma vie. Je penserai toujours que si j'avais partagé avec lui, il n'aurait pas mal tourné une
seconde fois... C'est ma faute, c'est moi qui l'ai
livré.

Elle se fit plus douce, lui dit qu'il ne fallait
pas se frapper l'esprit. Elle plaignait même Florent. D'ailleurs, il était très coupable. S'il avait
eu plus d'argent, peut-être qu'il aurait fait
davantage de bêtises. Peu à peu, elle arrivait à
laisser entendre que ça ne pouvait pas finir
autrement, que tout le monde allait se mieux
porter. Quenu pleurait toujours, s'essuyait les

joues avec son tablier, étouffant ses sanglots pour
l'écouter, puis éclatant bientôt en larmes plus
abondantes. Il avait machinalement mis les
mains dans un tas de chair à saucisse qui se
trouvait sur la planche à hacher: il y faisait des
trous, la pétrissait rudement.

— Tu te rappelles, tu ne te sentais pas bien,
continua Lisa. C'est que nous n'avions plus nos
habitudes. J'étais très inquiète, sans te le dire;
je voyais bien que tu baissais.

— N'est-ce pas? murmura-t-il, en cessant un
instant de sangloter.

— Et la maison, non plus, n'a pas marché
cette année. C'était comme un sort... Va, ne
pleure pas, tu verras comme tout reprendra. Il
faut pourtant que tu te conserves pour moi et
pour ta fille. Tu as aussi des devoirs à remplir
envers nous.

Il pétrissait plus doucement la chair à saucisse. L'émotion le reprenait, mais une émotion
attendrie qui mettait déjà un sourire vague sur
sa face navrée. Lisa le sentit convaincu. Elle
appela vite Pauline qui jouait dans la boutique,
la lui mit sur les genoux, en disant :

— Pauline, n'est-ce pas que ton père doit être
raisonnable? Demande-lui gentiment de ne plus
nous faire de la peine.

L'enfant le demanda gentiment. Ils se regardèrent, serrés dans la même embrassade, énormes, débordants, déjà convalescents de ce

malaise d'une année dont ils sortaient à peine;
et ils se sourirent, de leurs larges figures rondes,
tandis que la charcutière répétait :

— Après tout, il n'y a que nous trois, mon
gros, il n'y a que nous trois.

Deux mois plus tard, Florent était de nouveau
condamné à la déportation. L'affaire fit un bruit
énorme. Les journaux s'emparèrent des moindres
détails, donnèrent les portraits des accusés, les
dessins des guidons et des écharpes, les plans des
lieux où la bande se réunissait. Pendant quinze
jours, il ne fut question dans Paris que du
complot des Halles. La police lançait des notes
de plus en plus inquiétantes; on finissait par
dire que tout le quartier Montmartre était miné.
Au Corps législatif, l'émotion fut si grande que
le centre et la droite oublièrent cette malencon-
treuse loi de dotation qui les avait un instant
divisés, et se réconcilièrent, en votant à une ma-
jorité écrasante le projet d'impôt impopulaire,
dont les faubourgs eux-mêmes n'osaient plus se
plaindre, dans la panique qui soufflait sur la
ville. Le procès dura toute une semaine. Florent
se trouva profondément surpris du nombre consi-
dérable de complices qu'on lui donna. Il en
connaissait au plus six ou sept sur les vingt et
quelques, assis au banc des prévenus. Après la
lecture de l'arrêt, il crut apercevoir le chapeau
et le dos innocents de Robine s'en allant
doucement au milieu de la foule. Logre était

acquitté, ainsi que Lacaille. Alexandre avait deux ans de prison pour s'être compromis en grand enfant. Quant à Gavard, il était, comme Florent, condamné à la déportation. Ce fut un coup de massue qui l'écrasa dans ses dernières jouissances, au bout de ces longs débats qu'il avait réussi à emplir de sa personne. Il payait cher sa verve opposante de boutiquier parisien. Deux grosses larmes coulèrent sur sa face effarée de gamin en cheveux blancs.

Et, un matin d'août, au milieu du réveil des Halles, Claude Lantier, qui promenait sa flânerie dans l'arrivage des légumes, le ventre serré par sa ceinture rouge, vint toucher la main de madame François, à la pointe Saint-Eustache. Elle était là, avec sa grande figure triste, assise sur ses navets et ses carottes. Le peintre restait sombre, malgré le clair soleil qui attendrissait déjà le velours gros vert des montagnes de choux.

— Eh bien, c'est fini, dit-il. Ils le renvoient là-bas... Je crois qu'ils l'ont déjà expédié à Brest.

La maraîchère eut un geste de douleur muette. Elle promena la main lentement autour d'elle, elle murmura d'une voix sourde :

— C'est Paris, c'est ce gueux de Paris.

— Non, je sais qui c'est, ce sont des misérables, reprit Claude dont les poings se serraient. Imaginez-vous, madame François, qu'il n'y a pas de bêtises qu'ils n'aient dites, au tribunal... Est-ce qu'ils ne sont pas allés jusqu'à fouiller les cahiers de devoirs d'un enfant! Ce grand imbécile de procureur a fait là-dessus une tartine, le respect de l'enfance par-ci, l'éducation démagogique par-là... J'en suis malade.

Il fut pris d'un frisson nerveux; il continua, en renfonçant les épaules dans son paletot verdâtre :

— Un garçon doux comme une fille, que j'ai vu se trouver mal en regardant saigner des pigeons... Ça m'a fait rire de pitié, quand je l'ai aperçu entre deux gendarmes. Allez, nous ne le verrons plus, il restera là-bas, cette fois.

— Il aurait dû m'écouter, dit la maraîchère au bout d'un silence, venir à Nanterre, vivre là, avec mes poules et mes lapins... Je l'aimais bien, voyez-vous, parce que j'avais compris qu'il était bon. On aurait pu être heureux... C'est un grand chagrin... Consolez-vous, n'est-ce pas? monsieur Claude. Je vous attends, pour manger une omelette, un de ces matins.

Elle avait des larmes dans les yeux. Elle se leva, en femme vaillante qui porte rudement la peine.

— Tiens! reprit-elle, voilà la mère Chantemesse qui vient m'acheter des navets. Toujours gaillarde, cette grosse mère Chantemesse...

Claude s'en alla, rôdant sur le carreau. Le jour, en gerbe blanche, avait monté du fond de la rue Rambuteau. Le soleil, au ras des toits, mettait des rayons roses, des nappes tombantes

qui touchaient déjà les pavés. Et Claude sentait
un réveil de gaieté dans les grandes Halles
sonores, dans le quartier empli de nourritures
entassées. C'était comme une joie de guérison,
un tapage plus haut de gens soulagés enfin d'un
poids qui leur gênait l'estomac. Il vit la Sarriette, avec une montre d'or, chantant au milieu de ses prunes et de ses fraises, tirant les
petites moustaches de monsieur Jules, vêtu d'un
veston de velours. Il aperçut madame Lecœur
et mademoiselle Saget qui passaient sous une rue
couverte, moins jaunes, les joues presque roses,
en bonnes amies amusées par quelque histoire.
Dans la poissonnerie, la mère Méhudin, qui
avait repris son banc, tapait ses poissons, engueu-
lait le monde, clouait le bec du nouvel inspecteur, un jeune homme auquel elle avait juré de
donner le fouet; tandis que Claire, plus molle,
plus paresseuse, ramenait, de ses mains bleuies
par l'eau des viviers, un tas énorme d'escargots
que la bave moirait de fils d'argent. A la triperie,
Auguste et Augustine venaient acheter des pieds
de cochon, avec leur mine tendre de nouveaux
mariés, et repartaient en carriole pour leur charcuterie de Montrouge. Puis, comme il était huit
heures, qu'il faisait déjà chaud, il trouva, en
revenant rue Rambuteau, Muche et Pauline
jouant au cheval : Muche marchait à quatre
pattes, pendant que Pauline, assise sur son dos,
se tenait à ses cheveux pour ne pas tomber. Et,

sur les toits des Halles, au bord des gouttières,
une ombre qui passa lui fit lever la tête :
c'étaient Cadine et Marjolin riant et s'embrassant, brûlant dans le soleil, dominant le quartier
de leurs amours de bêtes heureuses.

Alors, Claude leur montra le poing. Il était
exaspéré par cette fête du pavé et du ciel. Il inju-
riait les Gras, il disait que les Gras avaient
vaincu. Autour de lui, il ne voyait plus que des
Gras, s'arrondissant, crevant de santé, saluant un
nouveau jour de belle digestion. Comme il s'arrêtait en face de la rue Pirouette, le spectacle
qu'il eut à sa droite et à sa gauche lui porta le
dernier coup.

A sa droite, la belle Normande, la belle
madame Lebigre, comme on la nommait maintenant, était debout sur le seuil de sa boutique.
Son mari avait enfin obtenu de joindre à son
commerce de vin un bureau de tabac, rêve
depuis longtemps caressé, et qui s'était enfin
réalisé, grâce à de grands services rendus. La
belle madame Lebigre lui parut superbe, en
robe de soie, les cheveux frisés, prête à s'asseoir
dans son comptoir, où tous les messieurs du
quartier venaient lui acheter leurs cigares et
leurs paquets de tabac. Elle était devenue distinguée, tout à fait dame. Derrière elle, la salle,
repeinte, avait des pampres frais, sur un fond
tendre; le zinc du comptoir luisait; tandis que
les fioles de liqueur allumaient dans la glace des

feux plus vifs. Elle riait à la claire matinée.

A sa gauche, la belle Lisa, au seuil de la charcuterie, tenait toute la largeur de la porte. Jamais son linge n'avait eu une telle blancheur; jamais sa chair reposée, sa face rose, ne s'était encadrée dans des bandeaux mieux lissés. Elle montrait un grand calme repu, une tranquillité énorme que rien ne troublait, pas même un sourire. C'était l'apaisement absolu, une félicité complète, sans secousse, sans vie, baignant dans l'air chaud. Son corsage tendu digérait encore le bonheur de la veille; ses mains potelées, perdues dans le tablier, ne se tendaient même pas pour prendre le bonheur de la journée, certaines qu'il viendrait à elles. Et, à côté, l'étalage avait une félicité pareille; il était guéri, les langues fourrées s'allongeaient plus rouges et plus saines, les jambonneaux reprenaient leurs bonnes figures jaunes, les guirlandes de saucisses n'avaient plus cet air désespéré qui navrait Quenu. Un gros rire sonnait au fond, dans la cuisine, accompagné d'un tintamarre réjouissant de casseroles. La charcuterie suait de nouveau la santé, une santé grasse. Les bandes de lard entrevues, les moitiés de cochon pendues contre les marbres, mettaient là des rondeurs de ventre, tout un triomphe du ventre, tandis que Lisa, immobile, avec sa carrure digne, donnait aux Halles le bonheur matinal de ses grands yeux de forte mangeuse.

Puis, toutes deux se penchèrent. La belle

madame Lebigre et la belle madame Quenu échangèrent un salut d'amitié.

Et Claude, qui avait certainement oublié de dîner la veille, pris de colère à les voir si bien portantes, si comme il faut, avec leurs grosses gorges, serra sa ceinture, en grondant d'une voix fâchée :

— Quels gredins que les honnêtes gens!

IMPRIMÉ EN FRANCE PAR BRODARD ET TAUPIN
7, bd Romain-Rolland - Montrouge.
Usine de La Flèche.
LE LIVRE DE POCHE - 22, avenue Pierre 1er de Serbie - Paris.
ISBN : 2 - 253 - 00562 - 2

Le Livre de Poche illustré

Série Art

Série Planète

Série Histoire *dirigée par Gilbert Guilleminault*

Encyclopédie Larousse de poche

Histoire universelle Larousse de poche

Le Livre de Poche policier

Le Livre de Poche pratique

VI. DICTIONNAIRES, MÉTHO DES DE LANGUES (Disques, Livres), OUVRAGES DE RÉFÉRENCES

Dictionnaires Larousse